LA FILLE D'À CÔTÉ

LaVyrle Spencer

LA FILLE D'À CÔTÉ

Roman

Titre original : *Small Town Girl*
Traduit par Valérie Dayre

© LaVyrle Spencer, 1997
© Presses de la Cité, 1998, pour la traduction française.
ISBN 2-258-04826-5

Mille mercis
aux personnes qui m'ont aidée durant l'écriture
de ce livre et pour les recherches de documentation :
Ruth Reed, une amie
Dr David Palmer, consultant
Connie Bennett, collègue écrivain
Reba McEntire, inspiratrice et consultante.

Ce livre est dédié à tous les éditeurs avec lesquels j'ai travaillé durant les vingt années de ma carrière d'écrivain. Chacun m'a apporté savoir et amitié. Chacun s'est montré avisé et positif. Chacun a fait de moi un meilleur écrivain. Je vous ai tous aimés et j'ai vécu de bons moments avec vous tous :

Star Helmer
Damaris Rowland
Leslie Gelbman
Lisa Wager
Chris Pepe.

Et à une autre personne dont j'ai toujours reçu le soutien inconditionnel durant mes années passées chez Putnam : David Shanks.

Super. David, tu es le plus génial !

1

La 300 ZX noire aux vitres fumées paraissait complètement déplacée dans la petite ville de Wintergreen, Missouri — 1713 habitants. Des têtes se dévissèrent sur son passage tandis qu'elle rétrogradait dans un puissant grondement de moteur. Elle contournait la place centrale en suivant la vieille camionnette cahotante de Conn Hendrickson et la berline Buick de miss Elsie Bullard dont le compteur, en près de vingt ans, n'avait jamais dû dépasser les cinquante miles à l'heure.

La voiture de sport colla bientôt à son pare-chocs, stéréo beuglant à travers les vitres fermées. Ses freins crissèrent, l'arrière se souleva, attirant l'attention des badauds sur la plaque minéralogique.

Sans omettre de signaler que le véhicule venait du Tennessee, l'immatriculation consistait en trois lettres : «MAC». Rien d'autre.

Et ce «MAC» disait tout.

Devant la boulangerie Wiley, quatre vieillards suivaient des yeux la 300 ZX en mâchonnant leur cure-dent.

— La voilà.

— Elle est de retour.

— Et faut qu'elle crâne.

— Qu'è s'fasse remarquer. Vingt dieux, c'te bagnole!

— Qu'est-ce qu'elle vient fiche ici? C'est pas souvent qu'elle revient.

— Sa mère doit s'faire opérer d'l'aut' hanche. Elle vient l'aider pour un p'tit moment, j'ai entendu dire.

— Qu'est-ce qu'elle peut voir à travers des vitres pareilles ?

— Moi j'dis qu'les gens qu'ont besoin d'avoir des fenêtres aussi noires ont quèque chose à cacher. J'ai pas raison, Delbert ?

Le luxueux véhicule talonnait la Buick de miss Elsie. La circulation s'effectuait à sens unique autour de la place et, en ce mardi d'avril indolent, miss Elsie, tout juste sortie de ses heures de bénévolat à la maison de retraite, rêvait de s'offrir une glace à la fraise chez Milton. Elle contournait la place à une allure d'escargot, cherchant l'endroit idéal où se garer ; la ZX semblait trépigner derrière elle, à moins d'un mètre de son lourd pare-chocs chromé.

Dans la voiture de sport, Tess McPhail cessa de chanter pour s'exclamer haut et fort :

— Bouge-toi, miss Elsie !

Depuis cinq heures, elle se passait et repassait la maquette de son prochain album qu'elle venait d'enregistrer à Nashville au cours des dernières semaines. Son producteur, Jack Greaves, lui avait donné la cassette la veille, au moment où elle quittait le studio.

— Ecoute-la en roulant vers le Missouri, puis appelle-moi pour me dire ce que tu en penses.

La bande continuait de se dérouler et les doigts de Tess, aux longs ongles vert kaki, pianotaient impatiemment sur le volant gainé de cuir.

— Vas-tu enfin te remuer, Elsie !

Cramponnée des deux mains à son volant, la tête auréolée d'une coiffure bouffante, la vieille miss Elsie continua de contourner la place avec la même lenteur. Pour finir, elle atteignit le coin et s'engagea dans une rue perpendiculaire, libérant le passage. Tess vira à l'opposé dans un crissement de pneus, accéléra et fonça vers Sycamore en maugréant :

— Mon Dieu, les petits bleds !

Celui-ci n'avait pas changé depuis qu'elle l'avait quitté,

12

dix-huit ans auparavant. Le même palais de justice en brique rouge, les mêmes devantures décrépites, les mêmes vétérans de la Seconde Guerre mondiale qui regardaient passer les autos dans l'attente du prochain défilé commémoratif qui leur donnerait de quoi s'occuper. Les mêmes demeures vieillottes à Sycamore. Même si les noyers et les ormes avaient grandi, la plupart des lieux restaient les mêmes que dans les souvenirs de Tess, qui remontaient à la fin de ses études secondaires. Là, la maison de Mindy Alverson : ses parents y vivaient-ils encore ? Et qu'était devenue Mindy, la meilleure amie de Tess à l'époque ? Ici habitait autrefois Mme Mabry. Elle enseignait la géométrie et n'avait jamais pu éveiller le moindre intérêt pour cette matière chez Tess, qui ne s'intéressait guère qu'à la musique ou aux arts en général, assurant qu'elle n'avait pas besoin du reste puisqu'elle deviendrait une grande chanteuse de country. Et voilà la maison de cette peste de Gallamore qui s'était octroyé le premier rôle l'année où la classe avait monté une pièce de théâtre ! Tess avait tant rêvé d'incarner l'héroïne qu'elle en avait pleuré quand on avait annoncé la distribution. Tout le monde disait qu'elle aurait dû jouer Laurie ; simplement, le père de Cindy Gallamore siégeait au conseil d'administration du collège...

Enfin, elle en avait quand même remonté à cette peste, non ? Que fabriquait-elle à présent, cette chère Cindy ? Sans doute se faisait-elle ses permanentes elle-même et changeait-elle des couches, coincée à vie dans l'un de ces lugubres petits « ça m'suffit », tandis que dans sa cuisine, derrière la pile de vaisselle sale, le poste de radio diffusait le dernier tube de Tess McPhail, numéro un au hit country.

Tess rembobina la cassette pour entendre une dernière fois *Tarnished Gold* (or terni), qu'elle écouta d'une oreille sévère. Elle aimait ce morceau. Elle l'aimait beaucoup, à l'exception d'une seule harmonique qui continuait de la gêner après cinquante ou soixante auditions.

Elle passa devant chez Judy et Ed, dans la Treizième Rue. Le garage était ouvert, une voiture à l'intérieur, mais

Tess poursuivit sa route en chantant, n'accordant à la maison qu'un bref regard. Judy et ses mises en demeure…

— Maman doit se faire opérer de l'autre hanche, cette fois c'est toi qui vas t'occuper d'elle.

Que savait-elle des exigences d'une carrière exceptionnelle, elle qui n'avait jamais tenu qu'un salon de beauté ? Elle n'avait pas la moindre idée de ce que signifiait l'interruption du travail au beau milieu de l'enregistrement d'un album, quand la maison de disques prévoyait de le sortir à une date fixée depuis plus d'un an.

Mais Judy était jalouse, l'avait toujours été, alors elle faisait l'importante pour se venger.

— Tu vas venir, Tess, avait-elle conclu au téléphone d'un ton péremptoire. N'essaie pas de te défiler !

Tess avait une autre sœur, Renee, qui habitait à l'autre bout de la ville, et dont la fille Rachel se mariait dans quatre semaines. Renee avait beaucoup à faire avant le mariage, c'était compréhensible, mais n'auraient-elles pu prévoir la cérémonie et l'intervention chirurgicale à des dates un peu plus éloignées ? Après tout, maman savait qu'elle devait se faire poser une seconde prothèse depuis sa première opération, deux ans auparavant.

Tess tourna dans Monroe Street et les souvenirs affluèrent tandis qu'elle longeait la rue que jadis elle avait parcourue tous les jours pendant sept ans, pour se rendre à l'école primaire. Elle arrêta son véhicule devant chez sa mère. Comme la demeure était délabrée… Elle débrancha son téléphone cellulaire, descendit de voiture et lissa son jean serré sur ses mollets. Menue, les cheveux couleur setter irlandais, la peau claire et parsemée de taches de rousseur, elle portait d'énormes lunettes de soleil, des santiags, et de longs pendants d'oreille indiens en argent et turquoise.

Son cœur chavira alors qu'elle détaillait la maison. Comment sa mère avait-elle pu la laisser se dégrader à ce point ? C'était un pavillon de la fin des années quarante, en brique rouge. La peinture blanche s'écaillait terriblement sur les boiseries et les marches du perron s'affaissaient sérieusement. Le jardin était tout aussi lamentable, envahi par les pissenlits. Le trottoir était plein de trous et le thuya avait si bien grandi qu'il obstruait la fenêtre du salon.

«Que fait maman de tout l'argent que je lui envoie?»

Par le passé, Mary McPhail n'aurait pas admis qu'une seule mauvaise herbe vînt déparer sa pelouse. Mais alors ses hanches ne la faisaient pas souffrir. Tess prit dans sa voiture son grand sac à main en cuir gris, claqua la portière et se dirigea vers la maison. Sur le trottoir crevassé, elle se rappela l'époque où ses petites camarades y promenaient les landaus de leurs poupées; elle, elle prenait Melody, sa poupée chanteuse, et donnait des spectacles sur les marches du porche.

Mary McPhail apparut à la porte d'entrée, radieuse.

— Je pensais bien avoir entendu une auto! s'exclama-t-elle avec une joie sans mélange.

Elle poussa la moustiquaire, ouvrit les bras.

— Tess, ma chérie, tu es là!

— Coucou, maman.

La jeune femme grimpa les trois marches et étreignit affectueusement sa mère. Toutes deux restèrent enlacées tandis que la porte se refermait sur elles, les isolant dans un étroit vestibule. Mary avait une demi-tête de moins que sa fille et vingt kilos de plus, un visage rond chaussé de lunettes à monture métallique. Des larmes brillaient dans ses yeux quand Tess s'écarta pour la regarder.

— Tu crois que c'est bon pour toi d'être debout, d'aller et venir comme ça, maman?

On percevait encore dans les intonations de Tess l'accent du sud-ouest du Missouri.

— Bien sûr que oui. Je rentre juste de l'hôpital. Ils m'ont montré la salle d'opération, pris un peu de sang, et fait souffler dans un petit tube en plastique, pour voir si j'avais assez d'air dans les poumons pour résister à l'opération. J'en ai assez. Et si j'ai pu supporter tout ça, je peux bien te serrer dans mes bras. Ote donc ces vilains écrans noirs, que je voie à quoi ressemble ma petite fille.

Avec un sourire, Tess enleva ses lunettes de soleil.

— Voilà, c'est bien moi.

— Pour sûr... toi que je n'ai pas vue depuis neuf longs mois, reprocha Mary.

— Je sais. Je suis désolée. J'ai eu un rythme dingue, comme d'habitude.

— Tu as changé de coiffure.

Les mains sur les épaules de Tess, elle la détaillait. Ses cheveux étaient coupés en dégradé, courts sur les oreilles et avec de longues mèches désordonnées dans la nuque.

— On m'a coiffée comme ça pour la couverture de mon prochain album.

— Qui?

— Cathy.

— Qui est Cathy?

— Cathy Mack, ma styliste. Je t'ai déjà parlé d'elle.

— Sûrement, mais tellement de gens travaillent pour toi que je ne m'y retrouve pas. Mais dis donc, tu es maigrichonne. Ils ne te nourrissent pas à Nashville?

— Je m'efforce de rester mince, maman, tu le sais bien... Tu sais aussi que ça ne se fait pas tout seul... alors, s'il te plaît, évite de me gaver. D'accord?

Mary se détourna et partit en boitillant.

— Oh, moi, j'aurais cru qu'avec tout l'argent que tu gagnes, tu mangerais un peu mieux.

S'efforçant de ne pas répliquer, Tess la suivit dans le salon étroit qui s'étirait tout le long de la façade de la maison, orienté à l'ouest, avec des murs de plâtre bosselés et un mobilier fatigué où se remarquait surtout le piano droit. La salle de bains, la chambre de Mary, la cuisine et l'escalier menant à l'étage se partageaient l'arrière de la maison. Sans cesser de parler, Mary se dirigea vers la cuisine.

— Je croyais que les chanteurs de country portaient les cheveux longs.

— C'est vieux, maman. Même la country change.

— Mais on a aplati tes boucles qui étaient si jolies! Je les aimais tant!

— Il faut que je sois à la page.

Les cheveux de Mary auraient bien eu besoin d'une coupe, pensa Tess, apercevant sur l'arrière de son crâne

16

des zones de cuir chevelu dégarni. Ils restaient d'un gris terne depuis qu'elle avait renoncé à les teindre. Mais ce n'était pas très important comparé à sa démarche douloureuse. Elle titubait chaque fois qu'elle s'appuyait sur sa jambe droite, et cherchait secours auprès des meubles ou des murs susceptibles de la soutenir.

— Tu es sûre que c'est raisonnable de marcher, maman?

— Je serai bien assez couchée après l'opération. Tant que je peux clopiner...

C'était une femme courtaude, trapue, de soixante-quatorze ans, habillée d'un affreux vieux pantalon en synthétique, informe, d'un mauve criard, assorti d'un haut qui avait été blanc autrefois... Le bouquet de pensées imprimé en son milieu était presque effacé. Ces vêtements avaient une bonne quinzaine d'années. Tess se demanda si sa mère s'était rendue à l'hôpital dans cette tenue... Qu'était devenu l'élégant ensemble pantalon en soie qu'elle lui avait envoyé l'automne dernier de Seattle, où elle était en tournée?

— Ta cuisine n'a pas changé, remarqua-t-elle tandis que Mary remplissait d'eau le pot de la cafetière électrique.

— Elle est vieille mais elle me plaît comme ça.

Le formica brun qui recouvrait le dessus des placards en métal blanc était tellement usé qu'il avait viré par endroits au jaune douteux. Tess avait eu beau conseiller mille fois à Mary d'utiliser une planche à découper, elle continuait de hacher et de couper directement sur le plan de travail à gauche de l'évier. Aux murs, s'étalait un horrible papier peint à grosses fleurs orange; aux deux fenêtres pendaient des rideaux également à fleurs orange, commandés sur catalogue. Un paysage peint, représentant un lac, ornait la pendule murale; l'éclat sur l'émail de la cuisinière électrique datait du jour où Judy l'avait cognée avec la bouilloire parce que les trois sœurs se disputaient pour savoir qui préparerait le pop-corn. Et à côté du fourneau, posée sur le vilain formica, trônait une tarte

17

maison aux noix de pécan — au moins trois cents calories la part. Le regard de Tess n'alla pas plus loin.

— Oh, maman, tu n'as pas fait ça...

Mary se retourna pour voir ce qui suscitait ce commentaire.

— Mais si. Il ne sera pas dit que ma petite fille n'a pas droit à ses friandises préférées quand elle revient à la maison.

Ce «ma petite fille» répété à cet instant-là agaça Tess. Elle avait trente-cinq ans, elle avait quitté le domicile parental après son bac. Son visage et son nom étaient aussi familiers à la plupart des Américains que ceux du président, et ses revenus dépassaient de loin ceux de la Maison-Blanche. Elle était arrivée grâce à son talent, à sa créativité, et à son sens des affaires. Mais il fallait que sa mère persiste à l'appeler «ma petite fille»! Les rares fois où elle avait risqué un «je ne suis plus ta petite fille», Mary avait paru abattue. Elle se garda de la reprendre.

— C'est pour moi que tu prépares du café?

— On ne mange pas la tarte aux noix sans café.

— Je n'en bois plus du tout, maman... et je ne prendrai pas de tarte non plus.

Mary regarda par-dessus son épaule. Sa joie s'évanouit et elle ferma lentement le robinet. De nouveau, elle avait dans les yeux cette expression déroutée, déçue, si propre à une génération qui s'efforce de comprendre la suivante.

— Oh... bon, alors... zut...

D'un air hésitant, elle regarda son pot à moitié plein puis rouvrit le robinet pour achever de le remplir.

— Je vais m'en faire pour moi, dans ce cas.

— As-tu des fruits, maman? demanda Tess en ouvrant le réfrigérateur.

— Des fruits? répéta Mary comme si sa fille lui réclamait du foie gras.

— J'en mange beaucoup, et j'en aurais bien pris un. Je n'ai rien avalé depuis le petit déjeuner.

— Je dois avoir une boîte de pêches au sirop... dit Mary en se baissant avec raideur vers un placard.

— Formidable, mais laisse-moi la chercher. Si tu t'asseyais et si tu me laissais faire?

— Ce n'est pas mieux quand je m'assois. Je peux me débrouiller, va. Tu devrais plutôt aller chercher tes affaires et les monter là-haut.

Mary avait trouvé les pêches au sirop et prenait l'ouvre-boîte dans un tiroir. Tess posa la main sur la sienne pour arrêter son geste.

— Je te rappelle que je suis venue pour m'occuper de toi, pas l'inverse. Allez, donne-moi ça.

Les demi-pêches flottaient dans un sirop gluant, caoutchouteuses à l'extérieur, spongieuses à l'intérieur, mais Tess prit une fourchette et se mit à les manger à même la boîte en faisant quelques pas dans la cuisine, jetant un œil sur les pense-bêtes accrochés près du téléphone. Le tableau d'affichage avait un affreux cadre en plastique moulé figurant une cascade de petits pois. Des photos des nièces et neveux de la jeune femme y étaient épinglées, ainsi que des coupons de réduction découpés dans des magazines. Vingt-cinq cents de remise sur un paquet de… Une fois de plus, Tess se demanda ce que sa mère faisait de l'argent qu'elle lui envoyait. C'était irritant de la voir recourir encore à ces économies de bouts de chandelle!

— Je t'ai préparé ton plat préféré, déclara Mary en ouvrant à son tour le réfrigérateur. Steak haché et gratin de pommes de terre. Je pourrais le mettre au four tout de suite mais… Oh, il n'est que quatre heures, poursuivit-elle après avoir jeté un coup d'œil à la pendule, et ça demande une heure de cuisson. Cinq heures, ça ferait quand même trop tôt pour le souper, alors mieux vaut attendre et…

— Les pêches me vont très bien pour le moment. Je sais que tu dînes ordinairement à six heures.

Tout souci déserta le visage de Mary quand elle eut compris que l'heure de son repas du soir n'était pas menacée. Le gratin de pommes de terre avait été le mets favori de Tess à l'âge de douze ans. A présent, elle mangeait de la viande de bœuf une fois par semaine, et plus une bouchée de gratin ne franchissait ses lèvres… car elle possédait une panoplie de tenues de concert faites sur mesure en taille 36, qui lui avaient coûté au moins 1 000 dollars chacune! Elle s'assit avec sa boîte de pêches. Une plante verte trônait au milieu de la table de cuisine, sur le plus laid napperon de plastique que Tess eût jamais vu. Lui aussi avait été blanc autrefois, comme le chemisier de Mary, il était maintenant jauni et boursouflé.

Mary se servit une tasse de café et s'assit à son tour, s'abaissant avec précaution vers la chaise aux pieds chromés dont l'assise en vinyle craquelé disparaissait sous une galette de mousse à fleurs orange et marron. Elle scruta le grand tee-shirt de Tess; sur l'empiècement de soie étaient imprimés quatre visages et un logo.

— Qu'est-ce que c'est, «Southern Smoke»? s'enquit-elle.

— C'est le nom d'un groupe que je connais. Ils essaient de percer, mais ce n'est pas encore fait. Je suis sortie plusieurs fois avec l'un des guitaristes. Celui-là... Tu vois?

Tirant sur son tee-shirt, la jeune femme désignait un visage barbu.

— Comment s'appelle-t-il? interrogea Mary.

— Burt Sheer.

— Tu le fréquentes depuis longtemps?

— Oh, juste deux mois.

— C'est sérieux?

— Dans ce milieu-là? s'exclama Tess en riant. Il vaut mieux pas.

— Pourquoi?

— Entre son calendrier et le mien, quand je cours le pays pour donner cent cinquante concerts par an? Sans compter que j'enregistre un nouvel album en ce moment, qui me prend un temps fou, et tu y ajoutes la promotion ici et là chaque fois que la maison de disques le juge utile... Bref, j'ai vu Burt quatre fois en tout et pour tout. Et sur les quatre, j'ai dû batailler deux fois avec Jack. Il estimait que j'aurais mieux fait de rentrer dormir au lieu d'aller écouter le groupe de Burt au Stockyard après avoir fini au studio à dix heures du soir.

— Qu'est-ce que c'est, le Stockyard ?

— Un restaurant et un club où nous allons.

— Et qui est Jack, déjà ?

— Jack Greaves... mon producteur de disques.

— Ah oui, c'est vrai.

L'espoir n'avait guère duré chez Mary et un certain trouble se lisait à présent dans son regard. Jamais elle ne comprendrait que sa fille ait choisi une carrière qui excluait le mariage et les enfants. Pour une mère accomplie comme Mary McPhail, c'était gaspiller sa vie.

— Ce qui me fait penser... Je dois appeler Jack. Il est en train de mixer une de mes chansons et il faut que je lui en parle. Ça ne prendra qu'une minute.

Recourant à sa carte de crédit, elle utilisa le téléphone mural de la cuisine et obtint Jack au studio Wildwood.

— Salut, Jack !

— Mac ! Ça fait plaisir de t'entendre. Tu es chez ta mère ?

— Oui, mon capitaine. Arrivée saine et sauve.

— Comment va-t-elle ?

— Moyennement.

— Transmets-lui tous mes encouragements.

— Je n'y manquerai pas, merci. Dis-moi, j'ai écouté *Tarnished Gold* pendant tout le trajet, et l'harmonie sur le mot *mistaken* continue à me gêner. Je crois qu'il faudrait que ce soit un *mi* bémol au lieu d'un *mi*. En mineur, ça prend un impact qui ajoute de l'émotion.

Elle chanta la phrase.

— Tu vois ce que je veux dire, Jack ?... Peux-tu faire revenir Carla pour le réenregistrer ?... Elle a encore des problèmes de voix ?... Bon, demande-lui quand même... Merci, Jack, et envoie-le-moi en express dès que tu l'as, mais ne passe pas des heures à le mixer avant que je l'aie entendu, d'accord ? Tu as les coordonnées de ma mère. Je ne serai pas là demain, c'est le jour de l'opération, mais je t'appellerai de l'hôpital... Bien sûr... Merci, Jack. Ciao.

Quand elle raccrocha, Mary la considéra avec surprise.

— Tu recommences un enregistrement juste à cause d'un mot ?

— Ça se fait couramment. Parfois on enregistre des chœurs ou des accompagnements qu'on n'utilise jamais. La semaine dernière, Jack a fait venir un violoniste d'orchestre symphonique sur mon insistance, parce que je pensais que pour le solo de...

La sonnerie du téléphone l'interrompit. Mary voulut se lever mais grimaça de douleur.

— Je prends, maman, dit Tess en revenant vers le téléphone mural. Allô?

— Oh... tu es là, s'exclama la voix de sa sœur Judy, dépourvue de chaleur.

— Je suis là, en effet. Depuis une demi-heure environ.

— J'ai entendu dire que tu es venue en voiture.

— Comment le sais-tu?

— Des gens en ville ont vu ta plaque.

Tess tourna le dos à Mary pour parler plus sourdement dans l'appareil :

— J'ai pensé que ce serait bien d'avoir mon propre véhicule pendant mon séjour. Quatre semaines, ça fait...

Elle s'arrêta d'elle-même, sa mère l'entendait.

— Ça fait long, conclut Judy à l'autre bout du fil. Je suis au courant. Je te signale que c'est moi qui me suis occupée de maman la dernière fois...

Durant quelques secondes, une franche animosité passa entre les deux sœurs ; toutes deux se remémoraient leur précédente conversation téléphonique, quand Judy avait transmis ses ordres à sa cadette, la mettant devant le fait accompli.

— Comment va-t-elle aujourd'hui? finit par demander Judy. Elle devait aller à l'hôpital pour un bilan préopératoire. Elle doit être épuisée.

Tess se tourna vers Mary.

— Judy veut savoir comment tu te sens, maman.

— Réponds-lui que je vais bien. D'après l'infirmière, mon hémoglobine est normale, et mes capacités respiratoires bonnes. Tout se présente bien.

Tess répéta le message.

— Bon, alors dis-lui que je l'aime, reprit Judy, que je ne peux pas venir ce soir mais que je serai à l'hôpital demain matin avant qu'elle entre en salle d'opération. Tu dois l'amener là-bas pour six heures. Elle se fait opérer à six heures et demie. Elle t'a prévenue ?

Judy ne parlait pas, elle aboyait.

— Ne t'inquiète pas, elle y sera.

— D'accord. Je suppose que je te verrai, par la même occasion...

— Attends, je vais lui parler, intervint Mary.

Elle parvint à se lever au prix d'un grand effort pour s'approcher du téléphone. Tandis qu'elle s'entretenait avec son aînée, Tess s'éloigna et regarda le jardin par la fenêtre : un fouillis de rhododendrons marquait la limite de la propriété et de celle des Anderson, les voisins.

— ... Je voulais te remercier de m'avoir apporté toutes ces provisions. Je te rembourserai quand je te verrai... Non, non, non, tu ne vas pas me payer mon épicerie ! Je tiens à régler ma note. Mais j'ai apprécié que tu me déposes tout ça... Nicky s'est bien tiré de ses épreuves d'athlétisme ?... Oh, merveilleux... Et Tricia a trouvé une robe pour sa cérémonie de fin d'année ?... Carrément ! Elle ne pouvait pas se l'acheter en ville ?... Oh, elle sera adorable, j'en suis sûre. Dis-lui que je lui souhaite une belle soirée et que je penserai à elle samedi soir... D'accord, sans faute... oui... Oui, au revoir.

A entendre la fin de la conversation, Tess se sentit à des années-lumière de sa famille. Sa mère et ses sœurs partageaient au jour le jour les petits soucis, les petites joies, les petits riens qu'elle avait laissés derrière elle en partant. Un coup de fil de Houston ou d'Oklahoma City n'avait rien à voir avec des provisions qu'on range dans le réfrigérateur, ni avec l'imbrication quotidienne de la vie des petits-enfants avec celle de leur grand-mère.

D'un autre côté, leurs préoccupations paraissaient presque insignifiantes à Tess, comparées aux siennes. C'était autre chose de chanter chez un gouverneur, de recevoir des récompenses à la télévision, aux heures de grande écoute, de remplir une salle de trente mille fans, quand cela assurait le gagne-pain de dizaines de personnes, depuis les techniciens de studio jusqu'aux disc-jockeys, en passant par les régisseurs, le personnel de plateau, les producteurs, de Los Angeles à New York... C'était autre chose d'avoir une date limite pour boucler un album dont la publicité, la promotion, la distribution avaient été planifiées avant même que toutes les chansons soient écrites...

Alors les robes de fin d'année, les rencontres sportives, les provisions... plus rien de tout cela ne la concernait. Et elle avait voulu qu'il en soit ainsi.

— Quelle vie elle a, Judy! observa Mary après avoir raccroché. Un travail fou, cette semaine. Mardi, elle organise une soirée pour les cadeaux de mariage de Rachel, puis la cérémonie de fin d'année tombe ce samedi et toutes les collégiennes ont rendez-vous pour se faire coiffer. Elle est terriblement prise à son salon. Et on dirait que Nicky a des compétitions tous les soirs après la classe. Elle essaie d'y assister, évidemment... Pour couronner le tout, Tricia a tenu à aller se choisir sa robe à Cape Girardeau. Je répète tout le temps à ta sœur qu'elle devrait savoir dire non à ses enfants.

— Toi, tu savais, peut-être ? répliqua Tess.

— Quoi, je ne vous disais pas non ? s'enquit Mary, surprise.

— C'est arrivé deux fois, si je me souviens bien. Un jour où je voulais un soutien-gorge rembourré parce que j'avais un sacré béguin pour Kelvin Hazlitt, qui avait deux ans de plus que moi et ne s'apercevait même pas que j'existais. Je croyais que si j'avais une poitrine... disons avantageuse, il me remarquerait. Je pense encore que c'est ta faute s'il ne m'a jamais regardée !

Pouffant de rire, Mary revint en boitillant vers sa tasse de café.

— Kelvin Hazlitt s'est déjà marié trois fois. J'ai bien fait de te dire non.

— L'autre fois, c'est quand j'ai voulu me faire tatouer.

— Mon Dieu, je ne m'en souviens pas.

— Mindy avait un tatouage, et je cherchais à l'imiter en tout. A propos, sais-tu ce qu'elle est devenue ? Je me suis posé la question en passant devant chez ses parents tout à l'heure.

— Elle est revenue. Elle tient un magasin d'électro-ménager avec son mari, et ils ont deux ou trois enfants à l'école. Dont un qui doit être dans la même classe qu'un de ceux de Renee.

Tandis que Mary continuait de parler, Tess rangea les pêches au réfrigérateur et rinça sa fourchette. La fenêtre qui surplombait l'évier offrait une vue dégagée sur l'arrière du jardin de Mme Kronek, de l'autre côté du chemin. Le pâté de maisons était en effet divisé par une allée de terre battue, et les deux alignements de pavillons, de part et d'autre, se retrouvaient ainsi face à face, en miroir. Habitations, trottoirs, fils à linge, jardins et garages obéissaient à une symétrie parfaite. Les garages étaient déla-brés, dotés d'une seule place, et si bien calés au fond du jardin que la sortie s'effectuait perpendiculairement. Tess vit la porte du box de Mme Kronek se soulever puis une voiture remonter lentement la voie non goudronnée et obliquer pour se glisser dans le garage. Un peu plus tard, un homme grand en sortait, vêtu d'un costume gris, un porte-documents à la main. Il laissa ouvert, jeta un bref regard vers la demeure de Mary puis tourna les talons pour entrer chez Mme Kronek par la porte de derrière.

— Qui est-ce ? questionna Tess.

Mary la rejoignit devant la fenêtre.

— Mais c'est Kenny Kronek, tu te souviens de lui ?

— Kenny Kronek ?

Tess le regarda gravir les marches et ouvrir la porte vitrée. Il était grand, mince, avec les cheveux noirs ; le vent fit voler sa cravate au moment où il tourna de nou-veau la tête vers la maison de Mary, avant de disparaître.

— Tu veux dire cet empoté qui saignait tout le temps du nez à l'école ?

— Tu devrais avoir honte, Tess. Kenny Kronek est un très gentil garçon.

— Oh, maman, c'est ce que tu disais toujours parce qu'il était le fils de Lucille, ta meilleure amie. Mais tu sais aussi bien que moi que c'était un empoté de la plus belle espèce. Il ne savait même pas franchir une ligne tracée à la craie sans trébucher. Et tous ces boutons ! Je crois encore sentir l'odeur de sa lotion contre l'acné.

— Kenny s'est occupé de sa mère jusqu'à son dernier jour, et tous les êtres gentils en ce bas monde ne sont pas forcément bien coordonnés dans leurs mouvements, Tess. De plus, c'est un très bon père et il entretient très bien la maison depuis la mort de Lucille. Moi, je n'ai pas à me plaindre de lui, au contraire.

— Attends... Tu veux dire qu'il a trouvé quelqu'un pour l'épouser ?

— Evidemment. Une fille qu'il a rencontrée à l'université. Stephanie. Mais ils sont divorcés maintenant.

— Tu m'étonnes, marmonna la jeune femme en se détournant de la fenêtre.

— Tess ! protesta sa mère.

— Tu sais bien, enfin ! Il était toujours en train de... de me regarder. Tu comprends ? Il était tellement raseur !

— Je n'ai jamais pensé ça.

— Toi non, mais c'était l'avis de toutes les filles, je te le garantis.

— Allons, Tess !

— C'est la vérité. Nous étions ensemble à la chorale quand j'étais en première et lui en terminale, et tu te souviens quand nous sommes allés aux rencontres musicales de Saint-Louis ? Nous étions en car. Kenny est venu s'asseoir à côté de moi et impossible de me débarrasser de lui. Il était collé là, avec ses boutons, son long cou godiche, sa pomme d'Adam qui avait l'air d'un pamplemousse dans une chaussette, et tellement cramoisi que j'ai cru qu'il allait encore se mettre à saigner du nez. Et ses cheveux... miséricorde, maman, rappelle-toi comment il se coiffait ! Bref, nous faisions ce voyage en car, et lui vient s'asseoir à côté de moi et, rouge comme une tomate, essaie de me prendre la main !

— Eh bien, quel mal y a-t-il ?

— Dans les années soixante-dix, maman ! J'étais en première, la moitié des filles couchaient déjà avec leur petit ami, et Kenny Kronek — le roi des balourds —

26

essayait de rassembler tout son courage pour me prendre la main ! Je te jure, tous mes copains se sont si bien fichus de moi que j'ai cru mourir.

— Vous étiez tous si méchants avec lui !

— Maman, même quand on est petit il y a des amis qu'on trouve fréquentables et d'autres pas. Kenny Kronek faisait partie de la deuxième catégorie.

— Quand même, tu aurais pu être un peu plus gentille avec lui.

— Non, impossible. Pas avec un crétin pareil. Il n'avait qu'à regarder autour de lui pour savoir à quel point il avait l'air idiot, et essayer de s'améliorer. Il ne l'a jamais fait. S'il voulait s'intégrer à notre groupe, il aurait pu faire un effort.

Mary n'était pas de ces gens qui affichent ouvertement leur contrariété, mais celle-ci se manifestait par des signes indéniables : la crispation d'un muscle du visage, la raideur hautaine avec laquelle elle porta sa tasse à l'évier.

— Si tu allais chercher tes bagages ? suggéra-t-elle doucement. Et tu devrais te garer derrière, à côté du garage. Mieux vaut ne pas laisser une voiture aussi luxueuse dans la rue, cette nuit.

Parce qu'elle devinait le mécontentement de Mary, Tess sentit une boule se former dans sa gorge. Pourquoi la réprobation de sa mère pesait-elle toujours plus lourd que celle des autres ? Elle était capable de s'assumer dans son univers professionnel, de faire des choix, de prendre des décisions, de créer une musique qui imposait le respect — parfois l'admiration — à ceux qui l'entouraient. Or elle n'était pas revenue au domicile maternel depuis une heure qu'elle se sentait en faute comme une enfant. Son séjour allait sans doute être ponctué de contraintes, de restrictions, d'obstacles. Cela n'aurait rien d'une partie de plaisir.

Elle monta en voiture et contourna le pâté de maisons pour emprunter le sentier central. Petite, elle avait souvent joué à cache-cache ici, ou à la marelle. Les tulipiers et les pieds de vigne avaient si bien grandi qu'ils envahissaient tout. Traînaient çà et là des bois de charpente noircis, des barbecues abandonnés. Dans les jardins verdoyants, presque obscurcis par la végétation, les arbres et les buissons poussés au hasard avaient grignoté les limites cadastrales. Mais à Wintergreen, où les voisins étaient vraiment des voisins, depuis vingt ou trente ans, personne ne cherchait à imposer de ligne de démarcation.

Le garage de Mary était aussi vieux que les autres et aurait eu grand besoin d'une couche de peinture. Cependant, ô surprise, la porte était neuve. Tess se gara. En descendant de voiture, elle jeta un coup d'œil de l'autre côté du chemin. Tout était repeint, pas de vigne ou d'herbes folles envahissantes, ni vieilleries ni ferraille rouillée dans les coins. Grâces en soient rendues à saint Kenny, se dit-elle, sarcastique, en attrapant son sac de voyage. De retour vers la maison, elle remarqua que sa mère s'était débrouillée pour continuer à cultiver son potager. Une tradition, ce jardin, pour aussi inutile qu'il soit, et malgré les épreuves et les douleurs qu'avait dû s'imposer Mary pour bêcher, semer, biner. La précocité du printemps éclatait dans le moindre brin de verdure, et la jeune femme supputa qu'elle serait tenue de s'en occuper durant les quatre semaines à venir. Ce qui allait saccager ses ongles! Ongles si précieux pour son image...

Il fallait monter trois marches pour accéder à la petite véranda. (La rampe de fer forgé ne courant que sur un côté, Tess se demanda comment ferait Mary après son opération.) A l'intérieur, on tombait sur un palier étroit, avec devant soi la porte menant au sous-sol et, sur la droite, la cuisine, à laquelle on accédait par une autre marche.

— Dis, maman, lança Tess, en traversant la pièce, tu n'aurais pas dû bêcher ton potager cette année avec ta hanche.

— Oh, je n'ai rien fait. C'est Kenny qui s'en est occupé.

Tess se pétrifia sur le seuil du salon, tourna la tête. De là où elle se trouvait, elle apercevait un coin de placard de métal et la fenêtre au-delà, où elle imagina la silhouette de Kenny Kronek le Boutonneux en train de planter les pieds de tomate de sa mère.

— Il a un motoculteur, reprit Mary, et il a proposé de le faire, alors j'ai accepté.

Saint Kenny au Motoculteur, songeait Tess en gravissant les premières marches de l'escalier.

— Et tu as vu ma nouvelle porte de garage? lui cria Mary depuis le rez-de-chaussée. C'est lui aussi qui me l'a installée.

De nouveau, Tess se figea, posant son gros sac deux marches plus haut. Cet empoté avait changé la porte du garage? Que cherchait-il, exactement?

L'étage se présentait d'un seul tenant, avec des plafonds pentus et une fenêtre à chaque extrémité. En grandissant, les filles l'avaient appelé la «chambrée». L'escalier débouchait face à la fenêtre exposée plein est, qui offrait une vue imprenable sur le jardin de saint Kenny. Tess passa sans daigner lui accorder un coup d'œil, effectua un virage en épingle à cheveux autour de la balustrade et considéra l'ensemble de la pièce.

Les lits s'alignaient toujours sur la gauche, séparés par d'étroits chevets bourrés de tiroirs. Au fond, sous la fenêtre, se dressait une petite coiffeuse, et sur la droite des placards bas occupaient l'espace jusqu'à l'avant-toit. La jeune femme jeta son sac sur le lit le plus éloigné. La place de chacune des filles avait été établie par ordre de naissance; Judy, l'aînée, avait eu le privilège de coucher le plus près de l'escalier, par conséquent de la salle de bains qui se trouvait au rez-de-chaussée; Renee dormait au milieu, et Tess tout au bout puisqu'elle était la «petite». Elle avait toujours détesté être tenue pour le bébé de la famille, et éprouvait une sourde satisfaction à songer que c'était elle qui avait le mieux réussi.

Après avoir détaillé le cadre familier, elle s'approcha de la coiffeuse où elle avait pour la première fois écrit dans son journal intime qu'elle voulait être chanteuse; où Renee lui avait appris à se maquiller; d'où elle avait regardé la rue en boudant quand on la consignait dans la chambre. En punition de quoi? Elle avait du mal à s'en

29

souvenir à présent, mais cela s'était produit quelquefois. Sans doute l'avait-elle mérité.

Sur la coiffeuse se trouvaient une bouteille vide de parfum bon marché, une photo encadrée de Judy avec deux amies de lycée, une coupe en verre rose contenant un bouton de nacre, une petite bague, une barrette et pas mal de poussière. Le nom d'Elvis était inscrit sur la surface peinte; Tess l'avait gravé au stylo bille en 1977, l'année de son bac et de la mort du chanteur. Son idole. Elle avait grandi en l'écoutant : s'il avait pu réussir, elle en serait capable elle aussi. Elle promena l'index sur l'inscription puis alluma la petite lampe au vieil abat-jour de plastique, l'éteignit et ouvrit l'unique tiroir du meuble. Un objet roula au fond, elle l'attrapa : un tube de rouge à lèvres parfumé. Elle ôta le capuchon et, quand elle le respira, la nostalgie l'envahit... Avoir de nouveau treize ans et mettre des collants pour la première fois; quatorze ans, et le premier parfum pour adolescentes; quinze ans, et les premiers rendez-vous avec des garçons. La pâte rouge était devenue collante avec le temps; elle remit le tube dans le tiroir.

En appuyant les paumes sur la coiffeuse, elle pouvait apercevoir la rue. Combien de fois avait-elle guetté ainsi les voitures de ses camarades qui venaient la chercher? Les arbres sur le devant du jardin avaient décidément beaucoup grandi. Vues de haut, les crevasses du trottoir apparaissaient nettement, ainsi que les touffes de mauvaises herbes. Le soleil descendait derrière les maisons alignées de l'autre côté de la rue, où elle avait fait tant de baby-sittings. Sur la pelouse, les pissenlits se refermaient à mesure que le jour déclinait.

— Tess? appela sa mère depuis le rez-de-chaussée. Est-ce que je mets le gratin au four?

— Oui, maman, murmura-t-elle.

Parce que le monde cesserait de tourner si le plat fumant n'arrivait pas sur la table à six heures précises.

Elle s'éloigna de la coiffeuse pour répondre d'une voix forte :

— Je vais m'en occuper, maman! Laisse-moi juste deux minutes pour suspendre mes vêtements. D'accord?

— Bon... si tu veux, répliqua Mary d'un air dubitatif. Mais il est déjà cinq heures dix, ajouta-t-elle, et il faut une bonne heure au four.

Tess secoua la tête. L'emploi du temps ordinaire d'un musicien professionnel consistait à se lever vers midi et à travailler en studio de quatorze à vingt et une heures; vers vingt heures, un traiteur apportait de quoi se restaurer. Les soirs de concert, on était sur scène de huit à onze et on ne dînait pas avant minuit. Pour peu qu'on soit en tournée de boîtes, clubs ou restaurants, on remballait à une heure du matin et on avalait le dernier repas de la journée dans le car qui filait sur l'autoroute.

— J'arrive, maman! cria néanmoins Tess, n'écoutant que la voix du devoir filial.

Sa mère avait déjà enfourné le gratin mais elle la laissa mettre le couvert et préparer le reste du dîner. De l'avis de Mary, un accompagnement réglementaire s'imposait avec le gratin de pommes de terre : toasts (avec beurre véritable et confiture de framboises maison), café (avec lait et sucre, évidemment) et, pour conclure, tarte aux noix de pécan généreusement arrosée de crème fouettée (la vraie, pas ces affreux trucs allégés — on ajoute donc quarante calories pour la crème fouettée, calcula Tess).

Un discret inventaire du réfrigérateur révéla la présence d'un chou mais pas de laitue, de fromage à 40 % de matières grasses mais pas de fromage blanc maigre, de crème fraîche mais pas de yaourts, de lait... entier. C'étaient donc là les provisions apportées par Judy?

Dieu merci, Tess découvrit un sachet de brocolis dans le congélateur.

— Ça ne te fait rien si je fais cuire ça, maman?

Mary posa sur sa fille un regard blessé.

— Il y a des légumes dans le gratin.

— Oui, des pommes de terre baignées d'huile, sans oublier la crème. Mais si tu préfères les garder pour autre chose...

— Non, non, vas-y. Prépare-les.

31

Tess fit donc cuire les brocolis, mais quand le gratin se retrouva sur la table, brûlant et grésillant, avec son odeur si alléchante, son apparence tellement appétissante, elle fondit dessus sans manières. Dans la foulée, elle s'offrit un verre de lait entier — puisqu'il n'y avait pas d'écrémé — et enchaîna avec un demi-toast généreusement tartiné de beurre et de confiture. En la regardant, Mary eut un sourire satisfait.

Ensuite, une fois les assiettes vides, la maîtresse des lieux entreprit de découper la tarte.

— Je ne te fais qu'une toute petite part.

— Franchement, maman, je n'en peux plus. Elle a l'air délicieuse mais je ne peux plus rien avaler.

— Oh, bêtises, tout ça, dit Mary en prenant son assiette. Je l'ai faite pour toi. Un tout petit morceau de tarte ne va pas te faire de mal. Tu es maigre comme un coucou. Tu aurais bien besoin de te remplumer un peu.

— Je t'en prie, maman, non.

Mary n'en déposa pas moins une part de tarte devant sa fille.

— Tu n'as qu'à ne pas mettre de crème fouettée, ce sera moins riche.

Tess mâchait l'unique bouchée qu'elle estimait obligatoire quand quelqu'un frappa à la porte de derrière, et l'ouvrit sans attendre de réponse.

— Mary ? appela une voix masculine.

L'empoté se tenait sur le palier minuscule. Il avait troqué son costume contre un léger anorak rouge et son porte-documents contre un sac de vingt kilos de sels adoucissants qu'il portait sur l'épaule.

— Oh, Kenny, c'est toi ! s'exclama Mary avec une joie soudaine.

— Je vous apporte les sels pour l'adoucisseur, dit-il en ouvrant la porte du sous-sol. Je vais les mettre tout de suite.

— Oh, mille mercis, Kenny. Tess, tu veux bien lui mettre la lumière, ma chérie ?

— Pas la peine, j'y suis ! répondit-il à l'instant où la cave s'éclairait.

On l'entendit descendre les marches, puis il y eut un silence pendant qu'il ouvrait le sac, et enfin le crépitement des cristaux qui coulaient dans la cuve de plastique. Il remonta aussitôt, au petit trot.

— Il faut un sac de plus. Je reviens tout de suite.

La porte claqua.

— Il entre toujours chez toi comme dans un moulin? murmura Tess.

— Oh, Tess, nous sommes à Wintergreen, pas à Nashville.

Une minute plus tard, il revenait avec le deuxième sac, le descendait à la cave, le versait dans l'adoucisseur d'eau, et remontait au rez-de-chaussée. Lorsqu'il ferma la porte de la cave et franchit la marche qui menait à la cuisine, Tess enfourna une seconde bouchée de tarte et fixa son assiette, comme s'il avait pu entendre toutes les méchancetés qu'elle avait dites sur lui tout à l'heure. Mais elle n'avait pas besoin de s'inquiéter car il ne lui accorda pas même un coup d'œil. S'essuyant les mains, il s'approcha de Mary, assise sur sa chaise, et ne regarda qu'elle.

— Voilà, c'est plein. Je peux faire autre chose pour vous pendant que je suis là?

— Je ne crois pas. J'en ai pour un moment. Kenny, tu te souviens de Tess, n'est-ce pas?

Il eut un hochement de tête négligent en direction de la jeune femme, comme si elle n'avait pas été là. Sa réaction était suffisamment brutale pour être désobligeante, et il ne daigna pas l'accompagner d'un seul mot de bienvenue. Incapable de lever les yeux, Tess ne put même pas savoir s'il avait encore des boutons.

Tandis qu'elle se décidait à croquer une troisième bouchée de tarte, Mary reprit la parole:

— Combien te dois-je, Kenny?

Il pêcha un ticket dans la poche de son anorak.

— Sept quatre-vingts.

— Tess chérie, dit Mary, veux-tu bien me chercher mon sac? Il est accroché à la poignée de porte du placard, dans ma chambre.

Tess fut trop contente de s'éclipser. Alors qu'elle s'éloignait, elle entendit Mary commencer à raconter à son visiteur l'arrivée de sa «petite fille»; il changea de sujet pour demander si tout était prêt pour le lendemain matin. Quand elle revint avec le sac à main, il recula pour la laisser passer, sans dire un mot. Mary trouva son porte-monnaie et compta l'argent tandis que Tess reprenait sa place.

— Voilà. Sept dollars... (Après les billets, elle versa quelques pièces dans la paume de Kenny). Et quatre-vingts cents.

— Merci, dit-il.

Il glissa l'argent dans la poche de son jean. Il tournait quasiment le dos à Tess.

— Donc, tout est prêt pour demain? questionna-t-il à l'adresse de Mary. La prise de sang s'est bien passée? Et le déambulateur est astiqué comme il faut?

— Absolument, monsieur, tout est prévu.

— Vous avez peur? s'enquit-il avec une familiarité non dépourvue de gentillesse.

— Pas trop. Je sais ce qui m'attend. Je suis déjà passée par là.

— Donc, vous n'avez besoin de rien?

— Non. Tess m'emmène à l'hôpital à six heures. Enfin, si j'arrive à monter dans sa petite auto. Je ne sais pas comment s'appelle cet engin mais ça coûte plus cher que ma maison. Tu l'as vue dans l'allée, Kenny?

Un silence pénible s'installa dans la cuisine. Kenny ne pouvait s'abstenir de répondre, ce qu'il fit en évitant soigneusement de poser les yeux sur la jeune femme.

— Oui, Mary, bien sûr que oui.

— Elle a fait tout ce chemin depuis Nashville juste pour venir s'occuper de moi.

Quand il se tourna légèrement pour poser sur Tess le plus impersonnel des regards, que pouvait-elle faire sinon le saluer?

— Bonjour, Kenny, dit-elle d'une voix atone.

— 'jour, répondit-il, si froidement qu'elle eût préféré qu'il ne dise rien du tout.

La coiffure ridicule avait disparu, les boutons aussi. Il était loin d'être laid, plus grand qu'elle n'aurait cru, avec des yeux bruns, des cheveux châtain foncé, des rides d'expression intéressantes. Mais tellement glacial! Après le salut obligé, il revint à Mary et s'accroupit à côté d'elle, posant légèrement la main sur son genou.

— Bon, voilà ce que je voulais vous dire...

Tandis qu'il prodiguait à la vieille dame les encouragements les plus chaleureux et les plus affectueux, Tess quitta la table pour s'emparer ostensiblement de la cafetière. En vérité, elle s'efforçait de masquer sa profonde mortification d'être ainsi ignorée. Tess McPhail, dont la photo figurait en couverture de *Time Magazine*, qui avait été invitée à chanter à la Maison-Blanche, dont les apparitions sur scène déchaînaient les fans, Tess McPhail se faisait tout bonnement snober par ce crétin de Kenny Kronek.

— Je penserai à vous demain matin, disait-il doucement à Mary, et je viendrai vous voir dès que vous vous sentirez capable de recevoir des visites. Casey vous envoie son bonjour et vous souhaite bonne chance. Elle viendra aussi, dès qu'elle pourra. Allez, j'espère que tout se passera bien, et ne filez pas au bal avant que les médecins ne vous en donnent l'autorisation. D'accord?

Mary lui étreignit la main en riant.

— Tu ne crois pas si bien dire, Kenny. Je n'ai pas dit adieu à la danse, aussi tu feras bien de me garder à l'œil.

Riant avec elle, il se redressa.

— Bonne chance, Mary.

Puis, lui prenant le visage entre les deux mains, il l'embrassa sur le front.

— Merci, Kenny. Tu es gentil.

Comme il se tournait pour partir, il se trouva face à Tess qui serrait le pot de café dans sa main droite, les yeux brillants de colère.

— Pardon, dit-il.

Et il la contourna comme on passe près d'un inconnu dans un ascenseur.

Quand la porte se referma, elle était rouge de fureur.

2

Tess McPhail n'était pas habituée à être traitée en quantité négligeable. Les gens suivaient avidement ses faits et gestes. Les fans l'adoraient. Les stations de radio se disputaient ses interviews. Dans les restaurants, on lui demandait des autographes. Son agent la tenait pour le plus grand talent féminin qu'il ait représenté de toute sa carrière. Son producteur affirmait que son don pour composer des tubes et les chanter avait suffi à faire de lui une star dans sa catégorie, du simple fait d'avoir travaillé avec elle. Elle avait dans son agenda les numéros de téléphone personnels de toute la hiérarchie de la maison de disques MCA, dont même les grands patrons n'osaient jamais la faire attendre au bout du fil.

Or Kenny Kronek se permettait de l'ignorer royalement.

Dès qu'il fut sorti, elle posa bruyamment le pot de café sur la gazinière, revint à la table et entreprit de desservir.

— Dis donc! explosa-t-elle en retournant à l'évier pour y déposer sans ménagement la vaisselle, depuis quand est-il devenu l'homme de la maison?

— Enfin, Tess, ne sois pas si ingrate, répondit Mary. Il est souvent arrivé qu'aucun de mes enfants ne puisse se libérer pour m'aider, et Kenny est plus que serviable. Je ne sais pas ce que je ferais sans lui.

— J'ai remarqué, oui.

— Qu'est-ce qui te contrarie à ce point?

— Je ne suis pas contrariée ! Simplement, il va et vient comme s'il était chez lui ! Et qui est Casey ?

— Sa fille. Veux-tu arrêter de maltraiter mes assiettes ?

— Je suppose qu'elle entre ici sans frapper, elle aussi ! La vérité se fit jour dans l'esprit de Mary.

— Mon Dieu, Tess, tu es vexée parce qu'il n'a pas fait attention à toi !

— Je t'en prie, maman... franchement. Tu as une bien piètre idée de moi.

— J'ai la plus haute idée de toi quand tu le mérites, mais pas quand tu critiques Kenny. Et je t'ai demandé d'arrêter de cogner mes assiettes. Tu vas les casser.

— Si je les casse, je t'en achèterai des neuves. De toute façon, regarde-moi ces vieilleries ! Elles sont ébréchées et les dorures sont tout effacées ! Pourquoi n'en achètes-tu pas d'autres avec l'argent que je t'envoie ? D'ailleurs, pourquoi n'achètes-tu rien avec l'argent que je t'envoie ?

— J'aime bien ma vieille vaisselle. Je l'avais déjà du vivant de ton père, alors s'il te plaît prends-en soin.

— Maman, tu ne devrais pas laisser un homme entrer chez toi quand ça lui chante !

— Tu te rends compte de ce que tu dis, Tess ? C'est mon voisin. Qu'est-ce qui te met dans cet état ? J'ai fréquenté sa mère pendant quarante ans.

— Il est grossier.

— Pas avec moi, non.

— Non, seulement avec moi !

— Et tu te permets de lui en vouloir ? Tu viens de me raconter comme tu avais été méchante avec lui autrefois.

Tess ne répliqua pas. Elle tourna le robinet, remplit l'évier d'eau savonneuse et commença à laver les assiettes, tâche qu'elle abhorrait. Cinq ans auparavant, elle avait proposé à sa mère de lui faire construire une maison neuve, avec lave-vaisselle, air conditionné, tout ce dont elle pouvait rêver ! Cinq ans ! Mais Mary aurait-elle accepté ? Non, évidemment non. Résultat, Tess se retrouvait à faire la vaisselle avec pour horizon la maison de Kenny Kronek !

— D'accord! Il m'a exaspérée, mais reconnais que c'est un parfait rustre!

Mary s'empara d'un torchon et d'une assiette tout juste nettoyée.

— Je n'ai pas envie de discuter avec toi, Tess. Tu n'as jamais estimé Kenny, je ne m'attends pas à ce que ça change aujourd'hui. Mais il a toujours été gentil et serviable avec moi, et ça me fait du bien de le savoir tout près chaque fois que j'ai besoin de lui.

Tess prit torchon et assiette des mains de sa mère.

— Je m'en charge. Occupe-toi plutôt de toi... te reposer, lire, ou préparer tes affaires pour demain.

Mary jeta un regard mélancolique vers le salon.

— Bon... L'infirmière m'a donné un savon spécial avec lequel je dois prendre un bain ce soir et un autre demain matin.

— Vas-y pendant que je range la cuisine. As-tu besoin d'aide?

— Non... non, je vais me débrouiller.

Mary partie, Tess fit claquer le torchon contre l'évier et regarda par la fenêtre. «Quatre semaines, pensa-t-elle. Je serai folle avant quinze jours.» Un peu plus tard, elle entendit l'eau couler dans la salle de bains et se remit à nettoyer la cuisine, s'efforçant d'oublier la maison de l'autre côté de l'allée et l'affront que son propriétaire venait de lui faire subir.

Elle apercevait la fenêtre de sa cuisine, derrière laquelle une tête passait de temps en temps. La véranda, ajoutée sur l'arrière de la maison dans les années soixante, était elle aussi éclairée, même si personne ne s'y trouvait. Tess avait de très vagues souvenirs d'y avoir joué avec Kenny quand ils étaient tout petits et que leurs mères prenaient le café ensemble. Elle se rappelait mieux ses refus d'y retourner quand elle était plus grande.

Elle avait presque terminé la vaisselle quand la porte d'entrée s'ouvrit.

— Tess, tu es là? appela une voix familière.

Renee. Si la jeune femme se réjouit de l'arrivée de sa sœur, elle se retint néanmoins de courir vers elle, préférant attendre de la voir apparaître sur le seuil de la cuisine. Renee était une grande brune à la beauté classique, au visage aussi lisse et régulier qu'une princesse de Walt Disney. Deuxième des trois filles McPhail, elle avait trente-huit ans mais en paraissait trente. Elle portait un ensemble jupe chemisier bleu pastel, avec un pull blanc jeté sur les épaules. Le désordre de ses cheveux mi-longs auburn donnait à penser qu'elle avait roulé toutes vitres baissées.

— Tu es là, oui! s'exclama-t-elle joyeusement en ouvrant les bras.

— Salut, petite peste.

Riant, Renee étreignit Tess avec vigueur.

— Pourquoi «petite peste»?

— Tu sais très bien pourquoi. M'ordonner comme ça de venir m'occuper de maman! Je suis tellement furax, je serais capable de t'étrangler!

Renee trouva la chose amusante.

— S'il fallait ça pour te ramener à la maison, je crois que nous avons bien fait.

— Tu m'as sans doute créé des tas d'ennuis, tu t'en rends compte?

— Vraiment? dit Renee, modérément catastrophée.

— J'ai signé un contrat pour un disque et je devrais me trouver au studio d'enregistrement en ce moment même.

— Moi, je devrais être chez moi et servir le dîner à ma petite famille, mais j'ai dû remuer ciel et terre pour dégotter vingt-cinq pots de violettes pour les tables du repas de mariage, aller goûter le poulet à la florentine chez le traiteur et essayer de dénicher quelqu'un qui possède une voiture à cheval et un cheval blanc, parce que Rachel tient à arriver à l'église en voiture à cheval, tirée par un cheval blanc! Or les seuls que j'aie pu repérer dans toute la région sont noirs et ont l'air d'avoir fait la guerre de Sécession.

— J'ai dû annuler cinq concerts à cause de cette histoire.

— Et nous n'avons rien dû annuler la dernière fois que maman s'est fait opérer?

39

Elles n'étaient plus dans les bras l'une de l'autre mais avaient pris leurs distances et se mesuraient du regard.

— Mais c'est plus facile pour vous deux, argua Tess. Vous habitez ici.

— Essaie de dire ça à Judy, tu te feras recevoir.

— Judy. Ah! Je n'ai pas grand-chose à lui dire vu la façon dont elle m'a parlé au téléphone.

— Elle aussi est écœurée par toi. Depuis ces dix dernières années, parce que tu ne viens jamais.

— Comment ça, je ne viens jamais? Si, je viens!

— Bien sûr. Une fois par an, à peu près, quand ton calendrier le permet. Une famille mérite plus que ça, sœurette.

— Vous ne comprenez pas.

— Mais si. Tu as tes priorités.

— Reneeeeeeeee!

— Tessssssssss!

— Je m'attendais à une sortie de ce genre de la part de Judy mais pas de la tienne.

— C'est ton tour, Tess, dit simplement Renee. Et tu le sais.

La discussion était dans l'impasse. Tess retourna à l'évier, tira la bonde et le laissa se vider de son eau. Puis elle se mit à malmener le torchon, donnant de grandes claques sur les robinets, avant de faire à nouveau volte-face et de désigner la direction de la salle de bains.

— Elle va me rendre dingue! lâcha-t-elle dans un chuchotement.

— Ce n'est que pour quatre semaines, souligna Renee, baissant elle aussi la voix. Quand le mariage sera passé, je pourrai prendre le relais.

— Mais je ne vis plus comme ça... à manger de la tarte aux noix et à faire la vaisselle à la main, bon sang.

— Tu le feras pendant les quatre semaines à venir.

— Elle ne comprend pas que je dois garder ma silhouette et ma forme. Ça fait partie de mon image. Je ne peux pas me permettre de me bâfrer de gratin de patates et de tarte aux noix de pécan arrosée de crème fouettée!

Renee saisit sa sœur aux épaules et la fixa droit dans les yeux.

— C'est ta mère. Elle t'aime. C'est sa façon de te le montrer. Et comment veux-tu qu'elle connaisse ton nouveau régime alimentaire ? ajouta-t-elle en laissant retomber les bras. Tu n'es jamais là.

Apparemment, ce serait le refrain qui reviendrait durant tout le séjour de Tess ; celle-ci réprima une réplique cinglante. Personne dans sa famille n'avait la moindre idée de l'ampleur de ses engagements et du nombre de gens qui en dépendaient. Tous la croyaient simplement happée par la célébrité, et pensaient que chaque fois qu'elle décrochait un téléphone ou recevait un paquet en pleine nuit elle jouait à l'importante. Et ils resteraient sourds à toute protestation.

— Elle est déjà couchée ? questionna Renee.

— Non, elle prend un bain.

— Je vais l'embrasser. Je dois rentrer. Je passais juste pour voir si tu étais bien arrivée.

Renee traversa le salon jusqu'à la petite alcôve qui desservait chambre et salle de bains. Elle cogna doucement à la porte de cette dernière avec son trousseau de clefs.

— Maman ? Coucou, c'est Renee. Je ne peux pas rester. Tout s'est bien passé pendant ta visite préopératoire ?

— Très bien. Tu n'attends pas que je sois sortie ?

— Désolée, je dois rentrer nourrir mes affamés. Mais je serai à l'hôpital demain avant que tu n'entres en salle, d'accord ?

— D'accord, ma chérie. Merci de t'être arrêtée.

— Tu as besoin de quelque chose ?

— Pas pour l'instant. Mais de toute façon, j'ai Tess, et Kenny s'est proposé, lui aussi.

— Alors à demain matin.

Quand Renee traversa le salon, Tess s'appuyait d'une épaule à la porte de la cuisine, les mains dans les poches de son jean.

— Encore Kenny, commenta-t-elle.

Son expression de dégoût échappa à Renee.

— Heureusement qu'il est là. Il se comporte avec elle

41

comme si c'était sa propre mère. Nous lui devons tous énormément. Bon, dis... il faut que j'y aille, ajouta-t-elle en déposant un baiser furtif sur la joue de Tess. A demain matin, tôt et en forme. Elle t'a dit l'heure ?

— Elle me l'a dite, oui.

— Tu vas y arriver ?

— Je rêve, marmonna Tess en levant les yeux au ciel.

— D'accord, d'accord... Je posais la question, c'est tout.

— J'ai plus de rendez-vous en un seul mois que Judy et toi n'en aurez dans toute votre vie.

— Pas en ce moment.

— Vas-tu cesser de me traiter comme le bébé de la famille !

— Oui, bon... d'accord... je file. A demain.

Tess suivit sa sœur jusqu'au porche et la regarda s'éloigner dans sa camionnette bleue. Le soir était tombé, la rue était paisible. Dans la salle de bains, la baignoire commençait à se vider. L'odeur du vestibule semblait n'avoir jamais changé. Une odeur que la jeune femme associait aux lieux immuables de son passé : les bibliothèques, les églises, les écoles qui conservaient encore des parquets. L'entrée avait un plancher en chêne, recouvert d'une vieille carpette, et elle sentait le renfermé comme les vêtements des vieux qui ne sortent plus assez. Elle se résumait à une cabine exiguë pourvue de deux portes en vis-à-vis, l'une donnant sur l'extérieur, l'autre sur le salon — ce genre d'architecture intérieure qui avait prévalu dans les temps antédiluviens ! Au mur, un miroir démodé, et dans un coin un pot en cuivre terni rempli de vieux magazines... La mauvaise humeur de Tess s'accrut, elle se sentait déplacée, décalée ; elle n'avait plus sa place dans la maison de sa mère, n'y trouvait plus d'agrément, sans en comprendre vraiment la raison. Elle aurait voulu être au studio à Nashville, chez elle, là où elle connaissait son rôle et son but. Ici elle avait l'impression d'avoir été débarquée sur un rivage inconnu. Les liens étaient rompus, et on l'en blâmait quand elle n'était coupable que de son succès.

Sa mère sortit de la salle de bains vêtue d'une chemise de nuit en coton fleuri fermée sur le devant par des boutons-pression.

— Tess ? Renee est partie ?

— Oui. On l'attendait chez elle.

Tess revint dans le salon, où sa mère s'essuyait les cheveux, répandant dans la pièce une forte odeur médicamenteuse.

— Pouah ! Qu'est-ce que c'est ? Ça empeste.

— Ils appellent ça un savon antibactérien.

— Veux-tu que je te coiffe ? J'ai apporté mon sèche-cheveux.

— Non merci, ma chérie. J'ai ma brosse. De toute façon, il faut que je me relave avec ce savon demain matin... Ordre de l'hôpital.

A sa manière de se déplacer, Tess devina qu'elle souffrait.

— Ta hanche te fait mal, maman ?

Mary y porta la main et, avec une claudication prononcée, marcha jusqu'à un gros fauteuil. Elle se percha sur l'accoudoir rembourré, dont la hauteur rendait l'assise plus facile.

— C'est dur d'entrer et sortir de la baignoire. Chaque fois, après, la douleur est pire.

Cette fois, Tess s'engagea dans la conversation d'un ton beaucoup plus gentil qu'un moment plus tôt, quand elle était furieuse contre Kenny Kronek.

— En ce cas, pourquoi ne m'as-tu pas laissée t'acheter une maison neuve quand je te l'ai proposé ? Tu aurais une jolie douche spacieuse au lieu de cette petite baignoire riquiqui.

Mary écarta cette éventualité d'un geste de la main puis essaya de se caler plus confortablement sur son bras de fauteuil, sans y parvenir.

— Je peux t'aider, maman ?

— Donne-moi un oreiller. Je vais m'étendre sur le divan, tu vas t'asseoir et on parlera.

Il fallut un certain temps pour que Mary trouve une position modérément tenable sur le sofa.

— Raconte-moi les endroits où tu es allée récemment, dit-elle quand elle fut installée.

Tess entreprit de lui décrire ce qu'elle avait vu de remarquable au cours des deux derniers mois. Après des années de voyage en car, elle possédait désormais son avion personnel, ce qui lui permettait de se produire un soir en Californie et d'enregistrer le lendemain à Nashville. Comme il n'était pas rentable d'employer un mécanicien et un pilote pour un seul appareil, elle en avait acheté cinq et créé un service de location de jets afin de diminuer ses frais. Elle expliquait à sa mère que sa jeune compagnie, âgée de deux ans seulement, fonctionnait à merveille, mais au bout de quelques minutes les paupières de Mary se firent lourdes et son regard eut par intermittence cette lueur caractéristique de ceux qui veulent donner l'impression d'être parfaitement alertes.

— Tu es fatiguée, maman, dit Tess, comprenant qu'elle parlait en vain. Je vais t'aider à te coucher.

— Mmm... murmura Mary, après avoir réprimé un bâillement. Tu dois avoir raison, ma chérie. Comme il faut que je sois debout à quatre heures et demie, autant aller se coucher.

Contrairement au reste de la maison, sa chambre présentait quelques timides nouveautés : un dessus-de-lit neuf et des rideaux assortis, mais les meubles n'avaient pas changé, toujours à la même place, et aussi loin que remontaient les souvenirs de Tess la moquette avait toujours été la même. Sur la commode, la photo de mariage de ses parents côtoyait le vide-poche en bois qui autrefois avait reçu chaque soir les clefs et la menue monnaie d'un père que la jeune femme se rappelait à peine. Il était mort quand elle avait six ans, dans un accident de la circulation, en conduisant un camion postal. Les portraits encadrés des trois filles dataient de leur scolarité primaire et n'avaient plus quitté depuis le mur tapissé de papier beige et blanc à relief granuleux.

Qu'est-ce qui ne va pas chez moi, se demanda Tess, pour que si peu de chose ici éveille ma nostalgie ? Tout au contraire, elle éprouvait un léger écœurement face à l'immobilisme suffocant de la vie de sa mère. Comment Mary avait-elle pu laisser passer tant d'années sans remplacer la moquette? Sans parler du mari! C'était une femme séduisante, bonne, mais elle avait toujours répondu : «Non. Un homme m'a suffi. C'est le seul que j'aie jamais voulu.» A la connaissance de Tess, elle n'était même jamais sortie avec un autre après son veuvage.

Une fois Mary couchée, la jeune femme lui remonta les couvertures sous le menton puis se pencha vers elle, le cœur empli d'une tristesse pesante à l'idée de tout ce que sa mère avait manqué.

— Maman, comment se fait-il que tu ne te sois pas remariée après la mort de papa? demanda-t-elle.

— Je n'en avais pas envie.

— Pendant toutes ces années?

— Je vous avais, vous les filles, puis j'ai eu mes petits-enfants. Je sais que tu as du mal à l'imaginer, mais j'étais heureuse. Je suis heureuse.

Tess s'efforça de comprendre ce qui n'était à ses yeux que de la résignation. Pour elle dont la vie était une succession incessante de nouveaux visages, de nouveaux lieux, l'existence de Mary semblait assommante. Au moment où elle allait se redresser, Mary lui prit le visage entre ses deux mains.

— Je sais que tu es revenue à la maison contre ta volonté, ma chérie. Je regrette que Judy et Renee t'aient forcé la main.

— Non, maman, personne ne m'a obligée. Franchement.

— Bien sûr que si, mais je ne t'en veux pas pour autant. Qui voudrait interrompre toutes ses activités pour s'occuper d'une vieille boiteuse?

— Ne dis pas de bêtises, maman.

Mary continua, comme si Tess n'était pas intervenue.

— Mais tu sais ce que je pense? Que la vie que tu mènes t'use et t'épuise. C'est pour ça que je les ai laissées faire, parce que je me suis dit que tu en avais plus besoin que moi.

— Maman, elles ne m'ont pas...

Mary la fit taire en posant un doigt sur ses lèvres.

— Inutile de mentir, Tess. Je ne suis pas née d'hier. Je t'ai dit qu'il n'y avait pas de problème, c'est la vérité. Il faudrait que tu aies ton content de sommeil toi aussi. C'est tôt, quatre heures et demie. Fais-moi un baiser et éteins la lampe.

Tess s'exécuta en souhaitant bonne nuit à sa mère.

— Laisse ma porte un peu entrouverte. La lumière me rappellera que tu es là.

Après avoir soigneusement ménagé l'entrebâillement, Tess éprouva un violent serrement de cœur. «Je ne suis pas prête à cette inversion des rôles, songea-t-elle, comme si j'étais devenue la mère et elle l'enfant.» Cette pensée désenchantée lui donna l'impression d'être prise au piège, et elle se mit à errer dans le salon. Si au moins elle avait pu jouer du piano! Non, Mary avait besoin de sommeil. Dans la cuisine, seule la lampe au-dessus de la cuisinière était allumée. La jeune femme ouvrit le réfrigérateur, le referma aussitôt en se rendant compte de ce qu'elle était en train de faire, puis alla regarder par la fenêtre au-dessus de l'évier les lumières qui brillaient dans la maison d'en face.

Que lui arrivait-il? La journée avait été perturbante, celle du lendemain serait encore plus éprouvante, à devoir affronter Judy et regarder sa mère se faire conduire en salle d'opération. L'angoisse lui comprimait la nuque. Le travail lui manquait déjà, la palpitation vitale de cette activité ininterrompue qui caractérisait ses journées, particulièrement en ce moment. A l'instar de ce qui arrivait à tous les musiciens professionnels, le rythme des enregistrements, de la promotion et des concerts avait fait d'elle une bête nocturne. Le jour, elle vivait au ralenti, la nuit elle s'animait.

Mais, à Wintergreen, pas question de commencer à vivre à neuf heures du soir.

Si elle avait eu un concert, à cette heure-ci elle serait entrée en scène. A Nashville, elle aurait été en studio, dans une cabine vitrée, un casque sur les oreilles.

Elle décrocha le téléphone mural de la cuisine, le seul

de la maison, et pressa quatre touches avant de songer que le son de sa voix risquait de réveiller sa mère. Ayant raccroché, elle alla chercher son téléphone portable dans sa voiture. Comme elle longeait le potager, la colère lui revint au souvenir de la façon dont Kenny Kronek l'avait snobée.

Mais quoi, que lui importait ? Il lui suffirait, durant son séjour, d'éviter ce voisin aussi rustre qu'empoté.

Mais le carré de terre retournée, aisément distinguable, au clair de lune, du tapis bleuté de la pelouse, lui fit ralentir le pas. Ce jardin suscitait en elle une exaspération inexplicable. Pour commencer, en quoi une vieille femme de soixante-quatorze ans, qui avait deux mauvaises hanches et une fille milliardaire, avait-elle besoin d'un potager ?

La maison Kronek était tout éclairée, à l'étage comme au rez-de-chaussée, la porte du garage encore ouverte. Une autre voiture était garée. Tess ne l'avait pas vue arriver et se demanda de qui il pouvait s'agir. Quelle importance ? Vu la façon dont les demeures étaient situées, elle allait assister quatre semaines durant aux allées et venues du voisinage, mais ce que Kenny Kronek faisait chez lui ne l'intéressait absolument pas.

Rentrée avec son téléphone, elle verrouilla la maison avant de monter à l'étage. Les lumières brillaient toujours chez Kronek lorsqu'elle atteignit le haut de l'escalier et l'inévitable fenêtre. Irritée, elle baissa le store et s'assit sur son lit pour appeler son agent, Peter Steinberg, à Los Angeles, où il n'était que sept heures du soir.

— Salut, Peter.

— Mac ! Où es-tu ?

— A Wintergreen.

— Ta mère a bien supporté l'opération ?

— C'est seulement demain.

— Oh ! J'espère que tout se passera bien. Dis, c'est bien que tu aies téléphoné...

Il se lança alors dans le détail des pénalités qu'il leur faudrait verser suite à l'annulation de deux concerts ce mois-ci, puis l'informa que la direction de sa maison de disques avait choisi un photographe pour prendre les clichés du prochain album, et qu'ils réclamaient un titre ferme le plus vite possible pour l'album en question afin de tout planifier avant la fête des fans — une semaine de rencontres avec le public qui se déroulait au mois de juin. MCA projetant de promouvoir le prochain disque à cette occasion, il devenait impératif de choisir bientôt le titre définitif. Aussi, le service publicité de MCA leur faisait savoir que le magasin Tower Records à Nashville avait requis une séance d'autographes dans ses murs au cours de la semaine de la fête des fans. Tess était-elle d'accord ?

Leur conversation terminée, elle appela sa publicitaire, Charlotte Carson, et laissa un message sur le répondeur, lui demandant d'appeler Tower Records afin de répondre par l'affirmative à leur invitation. Elle ajouta qu'il faudrait faire suivre le coup de fil d'une lettre personnelle accompagnée d'une photo dédicacée. Charlotte pouvait-elle également faire savoir à l'éditeur Putnam qu'elle acceptait de figurer dans le répertoire des chanteurs de country qu'il s'apprêtait à publier, mais à quelle date avait-il besoin de sa photo ? Pouvait-il attendre la nouvelle ?

Ensuite elle téléphona à Cathy Mack, sa styliste, laissa un nouveau message lui assurant qu'elle tenait à ce que ce soit elle qui la coiffe et la maquille pour la photo de couverture de l'album, quel que soit le photographe engagé par MCA. Elle rappellerait dès qu'elle aurait davantage d'informations.

Pour finir, elle tenta de joindre sa secrétaire à Nashville et, une fois de plus, tomba sur un répondeur.

— Salut, Kelly, c'est moi. Juste pour te dire que je suis bien arrivée chez ma mère. Désolée de ne pas avoir pu t'appeler plus tôt, mais, comme tu as le numéro de mon portable, j'ai pensé que tu arriverais à me contacter s'il y avait quelque chose d'important. Bon, j'ai eu Peter. Il s'est occupé des annulations pour Lubbock et Fort Worth, tu peux donc les rayer du planning. Il y aura peut-être des pénalités à leur verser, alors sois gentille de vérifier sur les contrats pour me dire ce qu'il en est. Et puis, j'ai oublié de dire à Ivy Britt où je serai ce mois-ci.

Appelle-la, s'il te plaît, et dis-lui bien que je veux voir sa chanson dès qu'elle aura fini de l'écrire — on approche de la date limite pour l'album et je n'ai toujours pas choisi les deux dernières chansons. Donne-lui les numéros de ma mère et de mon portable. Rappelle-lui que j'aime vraiment ce qu'elle fait, que je voudrais voir figurer une autre chanson d'elle dans cet album mais que ce ne sera pas possible si elle ne boucle pas très vite. Ah, oui, MCA veut que je recoure aux services d'un photographe qu'ils apprécient. Peux-tu leur demander son nom, son adresse, et ce qu'il a fait? Si tu obtenais quelques échantillons de son travail, ce serait chouette. Encore une chose : le Minnesota m'invite à me produire l'été prochain à sa foire d'Etat, mais j'aurais besoin de connaître les chiffres de leur public, en particulier les recettes des concerts, en matinée et en soirée. Tu peux me trouver tout ça et me l'adresser ici? Bon... je crois que c'est tout pour ce soir. L'opération a lieu à six heures et demie demain matin, alors je pense que je resterai à l'hôpital toute la journée. J'aurai mon portable, n'hésite pas à m'appeler si besoin est. Merci de t'occuper de tout ça, Kelly, et à bientôt au bout du fil.

Son travail achevé — le mot était impropre, son travail n'était jamais vraiment terminé —, elle sortit son pyjama et descendit prendre un bain, sur la pointe des pieds dans l'escalier grinçant. La tuyauterie émettant les plus bruyants borborygmes, elle dut régler le débit d'eau au minimum afin de ne pas risquer de réveiller Mary. Il lui fallut donc patienter un temps fou pour obtenir dix centimètres d'eau. Elle détestait les baignoires, leur préférant de loin les douches.

Une fois dans l'eau, elle laissa son regard errer sur les carreaux de plastique rosâtre ornés de volutes grises qui habillaient les murs jusqu'à mi-hauteur. Une sorte de frise noire courait juste au-dessous de la dernière rangée, ceinturant la salle de bains. C'était absolument hideux. Tess ferma les yeux et se mit à penser à son album. Elle avait enregistré huit chansons qui tenaient la route, il en fallait dix. Jack, son producteur, préférait toujours en avoir onze, de façon à pouvoir en supprimer une le cas échéant. Il lui en fallait donc trois autres. Trouver de bonnes chansons… C'était la clef du succès dans ce métier. Nashville regorgeait de musiciens fabuleux, mais il leur fallait la chanson avant de commencer leur travail, et les chanteurs à succès étaient nombreux à guetter les œuvres des meilleurs paroliers.

Aussi Tess avait-elle investi dans l'édition musicale et recruté une équipe de douze compositeurs. Elle savait la vie d'un interprète limitée : quand sa voix commencerait à la trahir, les droits d'auteur de sa maison d'édition continueraient de lui fournir le revenu qui lui assurerait un style de vie luxueux, quel que soit son âge.

Ce qui ne résolvait pas pour l'instant le problème des trois chansons manquantes… Ivy Britt en écrivait de bonnes, mais elle était tellement lente ! Il lui fallait parfois un mois pour boucler une chanson. Tess envisagea de passer un peu de temps à écrire au piano tant qu'elle était là. Le moment était parfaitement choisi puisqu'elle serait loin de tous les soucis ou sollicitations professionnels, et son séjour auprès de Mary lui laisserait amplement le temps de composer.

Peut-être écrirait-elle sur le retour à la maison natale…

Une première phrase lui vint à l'esprit et elle se mit à la fredonner.

C'est sens unique pour circuler dans la petite ville.

Elle chantonna la mélodie quatre fois puis articula doucement les paroles au rythme du robinet qui gouttait dans l'eau du bain. Mesure à quatre temps, accords majeurs, une ballade.

Elle trouva un deuxième vers.

Dix-huit années déjà qu'elle a rompu le fil…

Et un troisième.

Elle a couru le monde, et voilà qu'elle revient.

Qu'est-ce qui rimait avec revient ? Devient, bien, tien, lien, soutien, chien…

Tess ouvrit les yeux et se redressa pour savonner son gant, tout en continuant de fredonner le vers afin de faire surgir le quatrième. Elle en essaya deux.

C'est comme une impression d'être sortie du chemin...
Elle cherche ses traces, mais elle ne trouve rien...

Aucun ne la satisfaisait, alors elle en chercha d'autres. Une chanson était en train de naître. Certaines venaient ainsi, une extension de ce que Tess vivait, transposant ses expériences sur un plan créatif.

Quand elle fut séchée, talquée et revêtue de son pyjama de soie, elle tenait ferme les trois premiers vers et avait hâte de monter pour les coucher sur papier.

Dans sa chambre, elle s'assit à la petite coiffeuse et écrivit, regrettant de ne pouvoir aller au piano pour y jouer les accords qu'elle avait en tête. Contrairement à la plupart des chanteurs de country, elle n'avait jamais joué de guitare. Les trois filles McPhail avaient pris des leçons de piano. Certes, elle avait essayé la guitare, mais elle avait les doigts trop courts et puis cela lui abîmait les ongles, elle avait donc renoncé. Mais souvent elle enviait les musiciens qui pouvaient emporter leur instrument dans un car, dans une chambre d'hôtel, et jouer, chanter ou composer où qu'ils se trouvent.

A onze heures, elle se glissa dans son lit d'autrefois et éteignit la lumière. A minuit, elle ne dormait pas, galvanisée par la chanson, et tenue plus encore en éveil par un matelas très peu confortable.

La dernière fois qu'elle regarda l'heure, il était une heure trente-huit. Et dire qu'elle devait se lever à quatre heures et demie !

3

Tess continua de dormir malgré la sonnerie du réveil et s'éveilla en sursaut lorsque sa mère l'appela du bas de l'escalier.

— Tess ? C'est l'heure de se lever, ma chérie. Il est déjà cinq heures cinq.

Cinq heures cinq... Il existait donc des gens pour se lever à une heure aussi indécente ?

— D'accord, maman, je suis réveillée, grogna-t-elle en se redressant sans conviction.

Une lueur rosée commençait à colorer le store de la fenêtre orientée à l'est. La jeune femme se gratta la tête en clignant des yeux puis posa les pieds au sol, s'efforçant de se mettre dans l'idée qu'il lui fallait réellement se lever et s'habiller. Pas le temps de prendre une douche — et, zut, de toute façon il n'y avait pas de douche.

— Au fait, maman, lança-t-elle en se traînant vers l'escalier, où allons-nous exactement ?

— A Poplar Bluff.

Wintergreen était une trop petite agglomération pour avoir son propre hôpital.

— Une demi-heure ?

— Une demi-heure, ça n'a pas changé.

En passant devant la fenêtre, Tess souleva le store pour vérifier que c'était bien le soleil qui projetait cet éclat doré. Oui. D'ici une vingtaine de minutes, il apparaîtrait au-dessus de la maison de Kenny Kronek. Avec une grimace, elle rabaissa le store et partit en grommelant à la recherche de sa brosse à dents.

Le temps étant compté pour les ablutions matinales, elle se contenta de s'asperger le visage et de se mettre un peu de rouge à lèvres avant d'enfiler un jean, des santiags, une chemise polo et enfin un sweat-shirt blanc avec le mot «Boss» imprimé sur le devant en grosses lettres noires. Elle prit le temps de se mettre des boucles d'oreille — elle se sentait nue sans elles, quel que soit le style de ses vêtements. A l'instant où elle désespérait de pouvoir remédier à l'état hirsute de sa coiffure, Mary revint l'appeler à la porte de la salle de bains.

— Tu es prête? Il faut partir.

— Oui, une seconde.

Le problème fut résolu par une queue de cheval et une casquette à visière. Dieu, que c'était moche! Mais enfin, on ne se permettait pas d'arriver en retard à une opération, et sa mère attendait dans le salon, son sac à main déjà au poignet.

— Je vais chercher ta valise pour la mettre dans la voiture, dit Tess, puis je reviens t'aider pour les marches de derrière. Tu m'attends, d'accord?

A son retour, elle trouva Mary dans la cuisine, la main sur l'interrupteur électrique, qui observait les lieux comme si elle craignait de ne jamais les revoir. Son regard caressait affectueusement ses vieux trésors : la gazinière sur laquelle elle cuisinait depuis des décennies, les pots de verre en forme de légumes avec leurs couvercles ébréchés, le plan de travail usé, le papier peint criard, la table ornée de l'affreux napperon en plastique, encore plus laid à la lumière du matin.

Au milieu trônait un lierre en pot sur lequel le regard de Mary s'arrêta.

— J'ai arrosé mes plantes d'intérieur hier, alors ça devrait aller.

— Tout ira très bien. Je m'en occuperai.

— Judy a acheté du lait et du pain pour toi, et quelques hamburgers qu'elle a mis dans le congélateur. Oh, et des œufs! Ils sont tout frais.

— Ne t'inquiète pas pour moi.

Mary hésitait encore, cherchait un prétexte pour s'attarder davantage, et Tess attendait. Trois mots, une phrase toute simple prononcée la veille au soir par Kenny Kronek, revinrent à l'esprit de la jeune femme. «Vous avez peur?» avait-il demandé en s'accroupissant près de la chaise de Mary. A ce moment-là, Tess lui en voulait tellement de sa présence et de sa familiarité qu'elle n'avait pas prêté l'oreille à la conversation. Or à cet instant, en voyant Mary dans cet état, elle s'aperçut qu'elle ne s'était même pas souciée de savoir si sa mère redoutait cette seconde opération. Manifestement, oui.

— Allons, maman, la pressa-t-elle doucement. Nous ferions mieux d'y aller. Je m'occuperai de tout.

Elles quittèrent la maison. Le soleil projetait leurs longues ombres sur le petit escalier et le mur. En voyant sa mère se cramponner à la rampe pour négocier péniblement la descente des trois marches, Tess éprouva un sentiment de pitié et plus d'amour qu'elle n'en avait ressenti depuis son arrivée. Elle ne s'était guère attardée à imaginer ce que Mary avait enduré du fait de la détérioration de ses cartilages. «C'est une opération banale aujourd'hui, avait-elle simplement songé. Beaucoup de gens passent par là. Elle s'en tirera aussi bien que la première fois.» Les minutes écoulées la rendaient plus attentive et plus compatissante. Elle prit le bras de sa mère et l'aida à parcourir l'étroit passage qui menait à l'allée.

— Tu arroseras le jardin, dis, Tess? questionna Mary pendant qu'elles longeaient le potager.

— Bien sûr que oui.

— Le tuyau est...

Elle voulut se retourner mais vacilla et porta vivement la main à sa hanche, retenant une exclamation de douleur.

— Je saurai bien voir où est le tuyau. Ne t'inquiète pas.

— Si tu ne sais pas où se trouvent les choses, demande à Kenny. Il faudra tondre avant mon retour. Tu peux voir avec Nicky. Il est assez occupé avec ses compétitions sportives en ce moment, alors je ne sais pas s'il aura le

54

temps... Enfin, pose-lui toujours la question. Sinon, Kenny s'en charge quelquefois, sans rien dire, s'il voit que c'est nécessaire.

Pour l'amour du ciel! Elle devenait malade à force d'entendre parler de Kenny! Il y avait peu de chances pour qu'elle demande quoi que ce soit à cet individu.

Elles atteignirent la 300 ZX, Tess ouvrit la portière passager mais il devint vite évident, à la première tentative de Mary, que se glisser dans l'habitacle serait trop pénible pour elle. Le siège était beaucoup trop bas.

— Attends, maman... C'est stupide... Tu peux attendre que je sorte ta voiture? Ce serait plus sage de la prendre.

— C'est mon avis aussi.

— Tu as les clefs dans ton sac?

— Non. Elles sont accrochées derrière la porte.

Tess revint en courant à la maison, trouva les clefs, mais avant de sortir la voiture de Mary, il fallait qu'elle déplace la sienne. Elle effectua une marche arrière dans l'allée étroite, laissa tourner le moteur et redescendit du véhicule.

— Tu peux utiliser la commande à distance sur le porte-clefs. C'est une ouverture automatique.

— Vrai? Waouh, maman, qu'est-ce que tu es branchée!

— C'est Kenny qui me l'a installée.

L'enthousiasme de Tess retomba comme un soufflé. Saint Kenny Installateur de Portes de Garage Automatiques! C'était à se demander ce que ce type fabriquait dans un trou pareil!

La porte se souleva doucement, Tess se fraya un chemin dans la remise encombrée, monta à bord de la Ford Tempo, la fit sortir à reculons... Elle s'apprêtait à aller chercher la valise de Mary dans sa voiture quand elle découvrit sa mère en train de sourire à saint Kenny en chair et en os, qui traversait l'allée. Il était en jogging gris et mocassins, pas encore douché ni rasé, les cheveux hirsutes. Il ne semblait pas se soucier beaucoup de son apparence.

Tess resta plantée près de la Ford sans bouger ni regarder l'intrus. Le moteur de la 300 continuait de ronronner.

— Bonjour, Mary, lança joyeusement Kenny.

— Bonjour. Que fais-tu debout à cette heure?

— Je prenais mon café. En lisant le journal. Comme je vous ai vue dehors, je suis venu vous voir partir. Il ne vous manque rien?

— Ma valise est encore dans l'auto de Tess. On allait prendre la sienne mais la mienne est plus spacieuse.

— Voulez-vous que je la transporte?

— Oh... oui, si ça ne t'ennuie pas. La pauvrette doit manœuvrer ces deux engins et...

Il alla vers la 300, ouvrit la portière passager et extirpa le bagage de l'espace exigu derrière les sièges. Quand il l'eut rangé sur la banquette arrière de la voiture de Mary, il aida cette dernière à s'installer.

— Attention, doucement...

La vieille dame s'accrocha au toit d'une main pour se glisser précautionneusement dans l'habitacle.

— Oh, ces vieux os... murmura-t-elle avec un rire sourd. Ils ne m'obéissent plus beaucoup... J'ai dit à Tess que si elle cherchait quelque chose, elle pouvait s'adresser à toi. Le tuyau d'arrosage ou... Oh, j'ai oublié l'essence pour la tondeuse. Je crois que Nicky devra tondre pendant mon absence, mais il ne sait pas qu'il faut mélanger l'essence avec l'huile, sinon...

— Ne vous faites pas de souci pour ça. J'y veillerai.

— Le jerrican d'essence est...

— Je sais où il est, Mary, occupez-vous seulement de vous et de votre santé. Allez, au revoir, conclut-il en lui pressant l'épaule. Et bonne chance.

Il claqua la portière et, pour la première fois ce matin, regarda Tess par-dessus le toit du véhicule. Il était capable d'arborer une expression d'une parfaite neutralité. Tess attendit de voir s'il la saluerait d'une façon ou d'une autre. Il n'en fit rien, se contentant de laisser son regard tomber sur le «Boss» inscrit sur le sweat-shirt de la jeune femme puis glisser sévèrement sur ses pendants d'oreille en argent et turquoise. Pour finir, il recula de deux pas.

Tess se jeta dans la voiture et claqua violemment la portière. Sans doute ne la croyait-il pas capable de faire reculer la Ford ! Il allait voir ! Et si elle pouvait du même coup rouler sur ses fichus grands pieds d'empoté... Etendant le bras sur le dossier du siège voisin, elle jeta un œil en arrière pour découvrir, à son grand dam, qu'elle n'avait pas suffisamment reculé sa propre voiture. Trente centimètres de plus et ç'aurait été bon ! Exaspérée, elle serra le frein à main et rouvrit sa portière.

— Je m'en occupe, dit Kenny en se dirigeant vers la 300.

— Inutile ! cria-t-elle.

Ignorant cet ordre mâtiné d'une désapprobation hautaine, il s'installa dans le bijou à quarante-deux mille dollars — la voiture de rêve de tout homme —, laissant la jeune femme ruminer sa colère. La voiture de sport recula et attendit. Tess ne put que reprendre le volant de la Ford et dégager l'entrée du garage.

— Ce Kenny est tellement prévenant ! commenta innocemment Mary.

« Oui, pensa Tess, saint Kenny le Déplaceur de 300. Il doit jouir là, du seul fait d'y avoir posé ses fesses. »

Elle abaissa sa vitre et attendit, furieuse, tandis qu'il replaçait la voiture devant le garage, descendait et prenait tout son temps pour détailler la silhouette sensuelle du long véhicule noir.

Enfin, il s'en écarta d'un pas nonchalant et déposa les clefs dans la main tendue de Tess, lâchant un désinvolte « jolie bagnole ».

Tess rentra vivement le bras et embraya pour s'éloigner dans l'allée aussi vite que le lui permettait la Ford, qui n'était plus de la première jeunesse.

Comme elle atteignait le bout de l'allée, elle jeta un coup d'œil dans le rétroviseur pour constater que Kronek avait royalement ignoré sa retraite et continuait d'admirer la 300.

Elle tourna à gauche dans Peach Street.

— Tu ne devrais pas être aussi désagréable avec Kenny, Tess, dit alors Mary.

— C'est lui qui est désagréable et grossier! Et personne ne touche à ma voiture! Personne!

— Mais enfin, Tess, il voulait juste rendre service.

— S'il veut me rendre service, qu'il disparaisse de ma vue!

— Je ne vois pas quel mal il a commis en bougeant ta voiture de quelques centimètres. C'est un homme soigneux.

— Il ne m'a même pas demandé! Il a tout simplement... Il est carrément monté dedans comme s'il s'agissait de la vieille caisse de n'importe qui! Tu sais combien vaut cette voiture? Quarante-deux mille dollars, pas moins! Il n'avait qu'une envie : prendre le volant! J'imagine qu'il va s'empresser d'aller raconter partout en ville qu'il l'a conduite! Personne, sauf moi, n'a jamais conduit cette auto! Personne! Je ne la confie même pas aux gars des parkings!

Mary fixait sa fille avec une expression de stupeur muette.

— Quand même, Tess...

— Et, zut, n'en parlons plus, maman. Disons qu'il y a de la friction entre lui et moi.

— Vous ne vous êtes même pas adressé la parole. Comment peut-il y avoir de la friction?

— Encore une fois, le sujet est clos, maman! s'écria Tess, incapable de se dominer bien qu'elle se rendît compte de son ton. Tu veux bien?

— Bon... D'accord... marmonna Mary à l'issue d'un silence perplexe. Je voulais juste...

Sa voix mourut et elle tourna la tête vers la vitre.

«Je n'aurais pas dû m'emporter contre elle, pensa Tess. Surtout aujourd'hui.» Mais Mary se montrait si obtuse, parfois! Pourquoi fallait-il qu'elle radote ainsi sur les vertus de saint Kenny, sans s'apercevoir que son chevalier servant avait une seconde fois snobé sa fille, et qu'il était absolument inacceptable qu'il touche une voiture de cette valeur sans autorisation? Au silence qui se prolongeait et à la façon dont Mary gardait le visage tourné, elle devina que sa mère ne comprenait pas ce qui avait pu lui valoir un savon pareil.

— Maman?

Mary posa sur elle un regard blessé. Les excuses n'avaient jamais été le fort de Tess, et les mots ne lui vinrent pas cette fois-là, malgré ses remords.

— On oublie, d'accord?

Elles roulèrent durant un moment mais le silence restait pesant. Le soleil qui irradiait au beau milieu de la route obligea Tess à mettre ses lunettes noires. Rien ne semblait avoir changé par ici. Ripley était une région pauvre, marquée par le chômage, et la moitié des habitants vivaient dans des caravanes. Cependant le paysage était joli : une terre rouge argileuse, une herbe très verte, une abondance de ruisseaux, quelques cornouillers à la lisière des bois, une explosion de boutons-d'or formant de larges tapis. Dans les vallonnements des contreforts des monts Ozark se nichaient de petites fermes d'élevage de chevaux et, de-ci de-là, de petites églises campagnardes. Des vaches à robe beige paissaient dans les champs, quelques chèvres caracolaient dans leurs enclos ou se perchaient sur le toit de leur abri. Un grand dindon déploya sa queue en éventail en regardant passer la voiture. Un peu plus loin, elles franchirent la Little Black River dont le flot généreux scintillait sous le soleil du matin.

Tess laissa cette belle matinée combler le vide laissé par les excuses qu'elle n'avait pas prononcées et dissiper progressivement la tension qui régnait dans l'auto.

— Veux-tu entendre ma nouvelle chanson, maman? finit-elle par demander.

Désireuse de rentrer dans les bonnes grâces de sa fille, Mary cessa de regarder le paysage.

— Oui, bien sûr.

La jeune femme enclencha la cassette.

— C'est celle où il y a une note qui ne te plaît pas?

— Exactement.

Elles continuèrent de rouler vers le soleil tandis que la voix de Tess chantait le marasme d'un mariage en péril.

— Je n'ai rien entendu qui me choque, déclara Mary quand la chanson fut terminée. C'est très joli, ma chérie. Elle passera bientôt à la radio?

— Pas avant l'automne. La maison de disques va sans doute sortir un autre single, peut-être deux, avant l'album complet.

— Il a déjà son titre?

— L'album? Non, on discute encore. Jack voudrait que je l'appelle *Water Under the Bridge*[1], qui est le titre de la première chanson, mais la direction de la maison de disques trouve que c'est négatif pour mon image. Alors ils ne sont pas d'accord. J'avais envie de l'intituler *Single Girl*[2], d'après la vieille chanson de Mary Travers qu'on a « relookée », mais là encore les types de MCA ne veulent pas du titre d'une chanson déjà existante, même si elle est ancienne et même si notre version est très différente. Alors voilà, je ne sais pas.

— *Single Girl*, ça te convient bien, non? souligna Mary.

Tess réprima un soupir exaspéré.

— Je sais que tu aimerais que je sois mariée, maman, mais ce n'est pas compatible avec ma carrière. Et de plus, je n'ai rencontré personne.

— Et ce Burt dont tu m'as parlé?

Elles atteignaient une intersection; Tess tourna vers Poplar Bluff.

— Je le connais à peine. Ne va pas te faire un roman, maman. Je suis heureuse de la vie que je mène et, pour le moment, le mariage ne m'intéresse pas.

— Mais tu as déjà trente-cinq ans.

— Et alors? Tu veux dire que je n'ai pas d'enfants?

— Tu devrais y penser.

— Je serais une mère épouvantable.

— Absolument pas. Tu ne t'es pas donné la chance de le savoir.

1. « L'eau sous le pont. » *(N.d.T.)*
2. « La Fille seule. » *(N.d.T.)*

— Je t'en prie, maman...

— Tes sœurs sont de bonnes mères. Qu'est-ce qui te fait dire que tu ne le serais pas?

— Maman, je n'en ai pas envie!

— Ça, c'est ridicule. Toutes les femmes ont envie d'être mères.

C'était faux, mais inutile d'essayer d'en convaincre Mary. Elle appartenait à la vieille école qui estimait que c'était le rôle de toute femme de donner le jour pour la simple et bonne raison qu'elle était dotée du matériel adéquat! Sans doute pensait-elle aussi que les sans-abri méritaient d'être à la rue, et que les gens atteints du sida étaient forcément homosexuels. Bien qu'elle n'élevât jamais la voix, il y avait dans son attitude aussi calme qu'immuable quelque chose d'impitoyable, un entêtement absolu qui révélait la fermeture de son esprit. Il en allait de même quand elle s'obstinait à ne pas apporter d'améliorations à sa maison, à cuisiner des plats trop riches, à ne pas se débarrasser des vieux vêtements ou à entretenir un jardin potager inutile. A l'aube de ce deuxième jour de son séjour forcé auprès de sa mère, Tess trouvait les quatre semaines à venir de plus en plus longues.

— On ne va pas se disputer là-dessus, maman.

— Je ne cherche pas la dispute, ma fille, rétorqua Mary d'un ton si suave que Tess eut envie de la bâillonner avec la ceinture de sécurité. Je dis simplement qu'il n'est pas naturel de rester seule et de ne pas avoir d'enfants. Il faut tourner à gauche ici.

Quand elle eut pénétré dans l'enceinte de l'hôpital, Tess n'éprouva qu'une hâte : sortir de cette voiture.

— Attends-moi, maman. Je vais te chercher un fauteuil roulant.

Elle respira un grand coup pour se calmer, avant d'entrer dans le bâtiment en brique brune. «Comment puis-je l'aimer et avoir envie de l'étrangler en même temps?»

Deux femmes levèrent la tête au bureau de la réception. L'une, la trentaine, était trapue, avec des cheveux bruns cassants et des joues rebondies. Son prénom était inscrit sur le badge qu'elle portait sur sa blouse : Marla. Sa compagne était plus âgée, plus anguleuse, avec une chevelure poivre et sel et des verres de lunettes sans monture. Elle s'appelait Catherine.

— Bonjour, mesdames. J'aurais besoin d'une chaise roulante pour ma mère. Elle se fait opérer aujourd'hui.

La femme courtaude se mit à bredouiller.

— Oh, vous... vous êtes Tess McPhail, n'est-ce pas ?

— C'est moi, oui.

— Oh, bonté divine, j'adore votre musique !

— Merci.

— J'ai deux de vos disques.

— Ça me fait plaisir. Je peux avoir un fauteuil ?

— Oh ! Bien sûr.

Marla prit le risque de se rompre le cou à l'allure à laquelle elle contourna la réception. Comme Tess retournait vers l'entrée, elle la rattrapa avec le fauteuil roulant. L'adoration se lisait dans ses yeux.

— Vous avez un nouveau disque en préparation ?

— Je travaille sur un album actuellement, répliqua laconiquement Tess.

Elle connaissait bien ce phénomène de fascination qui se produisait chez les gens qui la reconnaissaient. Les réactions, d'ailleurs, étaient variées. Certains se retrouvaient paralysés. D'autres se comportaient comme s'ils la fréquentaient depuis l'enfance et s'arrogeaient le droit de la bombarder de questions. D'autres déployaient des trésors de sollicitude qui allaient jusqu'à l'obséquiosité, ignorant tout ce qui pouvait se passer alentour. Marla alliait les trois attitudes.

— Quand est-ce qu'il sort ?

— A l'automne.

— Mince, quand je vais dire ça à ma mère... C'est elle qui m'a fait écouter vos chansons au début, quand je...

— Excusez-moi, mais j'aimerais vous présenter ma mère à moi, Mary McPhail.

— Oh, mince, pour sûr ! Voici donc la maman de la vedette de Butler County ! Dites donc, vous devez être sacrément fière! babilla Marla en aidant Mary à descendre de voiture.

— Ripley County, corrigea Mary. Nous sommes de Wintergreen.

— J'avais toujours entendu dire que vous étiez de Poplar Bluff.

Tess était habituée à ce que les gens croient toujours tout savoir d'elle. Elle ne jugeait pas utile de les détromper, sachant que le monde fourmillait de pinailleurs, capables de continuer à affirmer qu'ils avaient raison quand ils avaient tort; elle regretta presque que sa mère ait tenu à rétablir la vérité.

En revenant vers le bâtiment, l'attention de Marla se porta manifestement plus vers la vedette que vers la patiente hospitalisée. Quand il fallut procéder aux formalités d'admission, la collègue plus âgée, Catherine, se montra plus professionnelle, mais Tess la soupçonna d'avoir prévenu le personnel de la présence d'une célébrité car, durant l'enregistrement sur ordinateur, plusieurs personnes vinrent tourner autour du bureau, sous prétexte de déposer des papiers, fouiller des tiroirs ou utiliser le photocopieur. Tout en feignant de s'activer, elles observaient Tess du coin de l'œil.

Les formalités terminées, Marla glissa un papier vierge sur le comptoir.

— Je peux avoir un autographe, Mac? Je peux vous appeler Mac, hein?

— Moi aussi? renchérit Catherine.

Tess signa rapidement pour les deux et leur adressa le sourire de rigueur avant de leur rappeler la raison de sa venue :

— L'opération de ma mère est prévue à six heures et demie. Il faut peut-être y aller?

Une fois parvenue dans l'aile réservée à la chirurgie, Mary fut emmenée par le personnel qui devait la préparer. Leurs sourires disaient assez que la nouvelle de la présence de Tess était arrivée jusque-là. La jeune femme, pour sa part, fut dirigée vers une salle d'attente réservée aux familles. Située au premier étage, elle surplombait un petit espace vert doté de bancs et de deux tables de jardin. La pièce était vide quand Tess y entra. Un poste de télévision fixé au mur, le son coupé, diffusait le bulletin d'information du matin. Le mobilier était celui auquel on peut s'attendre dans ce genre d'endroit : canapé orange foncé flanqué de fauteuils marron, table ronde style cafétéria et chaises empilables. Dans un renfoncement, se trouvaient un petit évier et une cafetière électrique allumée. Tess s'y dirigea tout droit après avoir abandonné son grand sac à main gris sur une chaise.

Le café était chaud, odorant. Elle se remplit un gobelet en papier et le porta à ses lèvres. Au moment où elle se retourna, elle rencontra le regard de sa sœur Judy, qui se tenait sur le seuil.

Elles se dévisagèrent longtemps, Tess abaissa sa tasse et n'eut aucun mouvement.

Contrairement à Renee, Judy ne manifesta aucun élan spontané. Elle se contenta de laisser la bandoulière de son sac glisser de son épaule, marmonna un « bon... » à peine audible, et s'avança dans un lent dandinement teinté d'insolence.

— Salut, Judy.

— Je vois que tu as amené maman à l'heure.

— Comme tu es aimable.

— Il est beaucoup trop tôt pour les amabilités, figure-toi, lâcha Judy.

Ses sandales à lanières claquèrent sur le sol tandis qu'elle se dirigeait vers la cafetière pour se servir à son tour. En la voyant de dos, Tess constata qu'elle avait encore pris du poids. La pauvre était faite comme un tonneau et couvrait ses rondeurs de chemisiers trop grands qui cachaient tout sauf ses jambes courtaudes et boudinées. Aujourd'hui elle arborait un tee-shirt blanc géant à l'effigie de Mickey sur un caleçon court d'un noir délavé. Comme elle possédait un salon de beauté, ses cheveux étaient toujours teintés et coiffés, et elle se maquillait légèrement, mais malgré cela elle restait peu séduisante.

Mary avait toujours dit : «Judy tient de la famille de papa.» Quand elle souriait, ses yeux semblaient se perdre dans ses joues ; quand elle ne souriait pas, ses joues devenaient des bajoues très peu seyantes. Sa bouche était trop petite pour être jolie et elle s'était malheureusement arrangé les cheveux en un balayage qui accentuait l'aspect grassouillet de son visage.

Durant des années, Tess avait été convaincue que leur mésentente venait du fait que Judy était jalouse.

Comme son aînée se retournait, son gobelet de café à la main, leur face à face parut accréditer la vraisemblance de l'hypothèse. Aussi peu apprêtée que fût Tess ce matin-là, elle était attirante dans son jean moulant. Le léger désordre des mèches qui auréolaient son visage donnait une idée de la coupe recherchée que dissimulait sa casquette. Avec un peu de rouge à lèvres pour tout maquillage, son visage possédait cette photogénie qui lui avait permis de figurer avec succès sur les couvertures de dizaines de magazines, spécialisés ou non dans la musique : une peau laiteuse éclaboussée d'un soupçon de taches de rousseur, des yeux en amande bordés de cils auburn et de belles lèvres. Ses mains aussi, avec leurs ongles longs de près de deux centimètres, peints en vert kaki. Judy leva son gobelet entre des doigts courtauds aux ongles coupés très courts et non vernis.

Un étranger entré dans la pièce n'eût jamais cru avoir affaire à deux sœurs.

— Pour ne rien te cacher, dit Judy, je n'ai jamais vraiment cru que tu viendrais.

— Pour ne rien te cacher, je n'ai pas aimé la façon dont on m'a mise au pied du mur.

— Je suppose que personne ne te donne jamais d'ordre dans ton entourage professionnel.

— Tu ne sais rien des gens avec qui je travaille ni de la façon dont nous nous y prenons, parce que tu n'as jamais posé de questions. Tu te contentes de suppositions.

— Exact. Et j'ai supposé que tu agirais comme tu l'as toujours fait depuis que tu as quitté Wintergreen, à savoir que tu nous laisserais toutes seules, Renee et moi, nous occuper de maman.

— Tu aurais pu demander, Judy.

— Que m'aurais-tu répondu? Que tu devais partir en tournée au Texas, ou que tu répétais pour un show télévisé, bref, quelque chose d'assez crucial pour que le monde entier doive tourner autour de toi.

— Quand ai-je dit cela?

— Tu n'es même pas venue pour son anniversaire! Ni à Noël dernier!

— Je lui ai envoyé un cadeau d'anniversaire de Seattle, et à Noël, alors que j'étais exténuée, je n'ai pris que quarante-huit heures de repos.

— Elle ne veut pas de cadeaux, tu ne comprends pas? Tout ce qu'elle demande, c'est de te voir de temps en temps.

— Tu parles comme si je ne venais jamais.

— A quand remonte ta dernière visite?

— Judy, on ne pourrait pas...

Tess leva les bras au ciel en signe d'impuissance.

— ... laisser tout ça de côté et essayer de s'entendre pendant que je suis là? La prochaine fois que tu as besoin de quelque chose, évite de me passer tes ordres par téléphone. Essaie de demander, d'accord? Je ne dors plus dans le lit du fond, et je ne suis plus la petite sœur qui lisait ton journal intime et se servait de ton maquillage. Je suis grande, et je n'ai pas d'ordres à recevoir de toi. Vu?

— En tout cas, tu as bien dû t'y plier cette fois, n'est-ce pas... Mac?

Dans la famille, personne ne l'appelait Mac. Pour eux elle restait Tess, Mac étant devenu son surnom professionnel. Celui que les fans avaient plébiscité, celui qu'ils scandaient en attendant qu'elle paraisse sur scène, celui qui était imprimé sur les tee-shirts vendus lors des concerts, celui que le pays reconnaissait, à l'instar de quelques autres artistes choisis qu'on ne baptisait que d'un seul nom : Elvis, Sting, Prince.

Mac.

La syllabe résonnait encore dans la pièce quand une femme en uniforme blanc se présenta à la porte.

— Miss McPhail ? J'ai su que vous étiez ici. Ça ne vous ennuie pas trop si je vous demande un autographe ? Je vous laisse le bloc sur la table, vous pourrez le déposer au bureau des infirmières quand ça vous conviendra. Je m'appelle Elly.

La fan idéale, aux yeux de Tess, qui formulait sa requête avec respect et bon goût. Tess apprécia la façon dont elle s'était exprimée.

— Merci beaucoup, ajouta-t-elle en s'éloignant. Vous avez une voix super.

C'était plus que Judy n'en avait dit durant toute sa vie.

Tess s'assit à la table, posa son café, et signa sur la feuille de papier. Judy se taisait, la tête baissée.

A cet instant Renee apparut à son tour.

— Ah, vous êtes là, toutes les deux ! Je viens de rencontrer un aide-soignant qui m'a dit qu'on devait descendre avant qu'ils n'emmènent maman en salle d'opération. Venez.

Tess se leva et fila comme une flèche sous le nez de la nouvelle venue.

— Qu'est-ce qu'elle a ? demanda celle-ci à Judy.

— Comme d'habitude, tiens. Elle se croit trop bien pour nous.

— Judy ! As-tu besoin d'être après elle tout le temps ? Elle vient d'arriver.

—— Oui, il était temps, grommela Judy, tandis que toutes deux emboîtaient le pas à leur benjamine.

Mary était couchée sur un chariot dans le couloir, couverte jusqu'aux épaules. Chacune à son tour, ses filles l'embrassèrent, se gardant bien sûr d'évoquer leur dernière querelle.

— Nous serons là à ton réveil, maman, dit Tess.

—— Ça va très bien se passer, ajouta Renee. Comme la dernière fois. Ne te fais pas de souci.

— Les enfants et Ed m'ont chargée de te transmettre leur affection, ajouta Judy, et de te dire qu'ils viendront te voir. A très bientôt.

Elles regardèrent le chariot s'éloigner et demeurèrent sans bouger, trois sœurs au milieu d'un couloir d'hôpital qui sentaient leur discorde se dissiper et laisser place à une inquiétude commune pour leur mère. Mary leur avait paru sans défense, couchée ainsi, immobile, le visage tendu, grave, ses cheveux défraîchis, négligés, dégageant une odeur médicale. L'opération qu'elle allait subir était courante désormais, mais à son âge, soixante-quatorze ans, qui savait ce qui pouvait se passer ? Elle était routinière dans son mode de vie, parfois négligente, obtuse à certains moments, exaspérante à d'autres. Mais elle était celle qui les faisait sœurs. Elle était la source des souvenirs de leur enfance commune, la pourvoyeuse de nourriture et d'amour qui avait toujours été présente. Et durant ces quelques secondes où elles suivirent des yeux le chariot qui l'emportait pour la confier aux soins d'étrangers, elles se sentirent unies.

Les portes battantes se refermèrent derrière le chariot, les blouses et les chaussures des aides-soignants disparurent. Un son de cloche assez doux se fit entendre dans un haut-parleur et une voix féminine appela : «Docteur Diamond... Docteur Diamond.» Puis plus rien.

Renee soupira et se tourna vers ses compagnes.

— Que diriez-vous d'aller prendre quelque chose de chaud à la cafétéria ?

Elle avait assumé le rôle de conciliateur pendant tant d'années qu'il lui était naturel de l'endosser à nouveau, maintenant qu'elles se retrouvaient toutes les trois ensemble. Leur prenant le bras à chacune, elle les obligea à la suivre.

— Allez, vous allez arrêter vos chamailleries !

Dix à douze personnes occupaient plusieurs tables dans la cafétéria, et deux femmes de service officiaient derrière le comptoir. L'une, la cinquantaine, avait la tête auréolée d'une permanente maison. Elle cessa d'aligner ses packs de jus de fruit sur l'inox immaculé du comptoir et fronça les sourcils en apercevant Tess.

— 'jour, lança-t-elle.

— Bonjour.

L'autre femme d'âge mûr, au teint terne et aux lunettes démodées, encaissa le prix de leurs consommations. Dès que les trois sœurs furent installées à une table, il fut manifeste que les deux serveuses discutaient pour savoir si elles ne se trompaient pas et si Tess était vraiment Tess. Celle-ci leur tournait délibérément le dos.

En fin de compte, celle qui était coiffée de frisettes s'approcha.

— Dites un peu, seriez pas par hasard quelqu'un que je dois connaître ?

Pour avoir maintes fois vécu ce genre de situation, Tess savait s'y prendre.

— Je suis Tess McPhail.

— Tu vois, je te l'avais dit, Blanche ! C'est elle ! tonitrua la femme à travers la cafétéria. J'avais entendu dire que vous étiez née et que vous aviez grandi quelque part dans le coin. Eh dites, vous voulez bien me signer un autographe ? J'ai pas de papier mais là-dessus ça ira.

Tess vit atterrir devant elle sa propre serviette en papier.

— Sinon, mon mari me croira jamais. Désolée, pas de stylo, mais vous devez bien en avoir un dans ce grand sac...

Tess avait accroché son sac au dossier de sa chaise. Elle s'apprêtait à le prendre quand Renee, l'œil amusé, lui tendit de quoi écrire.

— Mettez que c'est pour Dolores, précisa la femme. Et mettez aussi que la nourriture est drôlement bonne ici, ou quelque chose dans le genre, comme ça les gens sauront que vous êtes venue en vrai.

Quand elle eut son autographe en main, la femme s'illumina.

— Merci, ma petite jolie. Z'êtes quelqu'un, vous, aussi gentille que mignonne. Merci encore.

Elle assena une solide tape sur le dos de Tess puis retomba dans la contemplation béate de sa serviette en papier.

Dès qu'elle fut partie, Renee tendit la main pour récupérer son stylo. Tess le lui rendit et se leva.

— Excusez-moi, dit-elle avec un humour un peu désabusé. Je vais me chercher une autre serviette.

A son retour, Renee se mit à imiter discrètement le parler de Dolores :

— Vingt dieux, si j'aurais pensé que Mac McPhail mangeait et se servait de serviettes en papier comme nous aut'. Dire qu'a s'contente de chanter et de passer à la télé et d'porter ses sous à la banque... C'est terrifiant, poursuivit Renee en retrouvant sa voix normale. Ils sont tous comme ça ?

— Dieu merci, non. Certains ont de la cervelle.

— Et tu en rencontres souvent de cette espèce ?

— Trop souvent.

Renee se mit à pouffer dans sa serviette.

— J'ai cru qu'elle allait t'expédier à l'autre bout de la salle quand elle t'a tapé dans le dos.

— Je préfère ça à ceux qui tiennent à m'embrasser.

— Maman m'a raconté que tu en avais trouvé un dans ta loge une fois.

— L'angoisse.

— Comment était-il arrivé jusque-là ?

— Personne n'a vraiment su. Il y a toujours un service de sécurité aux concerts, mais enfin il avait réussi à passer. J'ai ouvert la porte et je l'ai trouvé en train de renifler ma bouteille de parfum. L'horreur.

— Maman a eu une jolie frousse rétrospective. Elle se fait du souci quand elle te sait sur la route.

— C'est beaucoup plus sûr maintenant que je ne me déplace plus en car, et je suis généralement avec les musiciens de l'orchestre. En gros, il n'y a pas à s'inquiéter.

— Sauf quand tu découvres un type en train de respirer ton parfum dans ta loge.

— Changeons de sujet, suggéra Tess.

Judy n'avait pas prononcé un mot depuis leur arrivée à la cafétéria. Son antipathie silencieuse pesa comme une chape durant tout le petit déjeuner.

Renee avait commandé du porridge.

Tess mangeait un demi-pamplemousse et un petit pain grillé, sans beurre ni confiture.

70

Judy dévora deux beignets accompagnés d'un chocolat chaud.

« N'as-tu aucun respect pour ton corps ? pensa Tess en la regardant. Trois cents calories le beignet, et tu les engouffres par paire ! » Apparemment, ce n'était pas le souci de Judy car, les deux beignets avalés, elle alla en chercher un troisième.

— Elle devrait suivre un régime, dit Tess à l'adresse de Renee.

— Tant que tu seras plus mince qu'elle, elle pourra t'en vouloir pour cela autant que pour ton succès.

— Tu as remarqué ?

— Depuis toujours.

— Est-elle obligée de me traiter comme si j'étais malade de ma propre célébrité ? Ça fait partie de mon métier d'avoir des fans. Je peux détester cette situation par moments mais ce sont eux qui me font vivre. Elle devrait comprendre.

— Je suis certaine qu'au fond d'elle, elle comprend.

Une expression de tristesse sur le visage, Tess observa son énorme sœur debout devant le comptoir.

— Tu sais, elle n'a jamais eu un seul mot gentil pour ce que je fais. Comme si ça n'existait pas. Elle ne m'a jamais dit qu'elle avait acheté une cassette ou entendu une chanson à la radio — encore moins qu'elle appréciait. Ça la blesserait tellement ?

— Judy n'est pas heureuse, Tess. Chut, la voilà.

Elle revenait avec un gros beignet à la cannelle, imbibé de caramel et truffé de noix de pécan ; elle se réinstalla poussivement à la table.

Au moment de porter le gâteau à sa bouche, elle jeta un coup d'œil sur la pendule murale.

— Maman est à la mi-temps à cette heure-ci, dit-elle pour détourner l'attention.

Elle continua de distiller sa profonde hostilité envers sa plus jeune sœur.

4

Tess eut du mal à rester éveillée quand elles eurent regagné la salle d'attente réservée aux familles. Son rythme de quasi-noctambule était bouleversé du fait qu'elle s'était levée à l'aube. Elle se détendait sur le canapé quand une voix masculine la tira de sa somnolence.

— Mesdames ? Je suis le docteur Palmer.

Elle se leva ; le médecin serra la main de ses deux sœurs aînées puis la sienne. Il portait encore sa tenue bleue de chirurgien. Ses cheveux étaient gris et ondulés, courts, peu abondants, ses lèvres presque inexistantes, son menton carré et volontaire, son nez chaussé de lunettes cerclées de métal.

— Notre vedette locale, dit-il en lâchant la main de Tess. Enchanté. Votre mère se porte bien, continua-t-il à l'adresse des trois sœurs. L'opération s'est très bien passée et nous n'avons rien trouvé d'inhabituel, aucune trace de cancer, ce qui est toujours une bonne nouvelle. L'articulation coxo-fémorale de la hanche était très usée, donc grâce à la prothèse elle devrait désormais ne plus souffrir. J'ai cru comprendre que l'une de vous allait s'occuper d'elle pendant un moment.

— Oui, moi, répondit Tess.

— Vous la ferez lever demain, et marcher après-demain. Les infirmières seront là pour vous montrer comment procéder, bien sûr, mais sachez bien qu'il est préférable de commencer à utiliser la nouvelle hanche tout de suite. On ne laisse plus les gens couchés comme par le passé. Elle aura un peu de kinésithérapie ici, ensuite vous l'aiderez chez elle par quelques gestes simples. Le kiné vous les indiquera.

— Quand pourra-t-elle quitter l'hôpital?

— D'ici cinq ou six jours, tout dépendra de ses progrès. Puis il y aura une visite de contrôle dans deux semaines. On lui enlèvera les agrafes à ce moment-là. Je la reverrai ensuite quatre semaines plus tard. Là, nous ferons une radio et, sauf imprévu, il suffira après qu'elle consulte une fois par an.

— Quand pourrons-nous la voir?

— On est en train de la reconduire dans sa chambre. Le temps qu'on l'installe, une dizaine de minutes, et vous pourrez monter.

— Elle est groggy?

— Pas mal, oui.

Quand les filles entrèrent dans la chambre, Mary somnolait dans un lit dont la tête avait été relevée. Sentant qu'elle n'était plus seule, elle ouvrit les yeux et eut un faible sourire.

— C'est fini, lui dit Renee. Le chirurgien dit que ça s'est très bien passé.

Mary hocha vaguement la tête. Elle avait un tuyau d'oxygène dans le nez, un goutte-à-goutte en intraveineuse au poignet, un drain qui sortait sous le drap. Un oreiller adducteur lui maintenait les jambes écartées.

— Si fatiguée, murmura-t-elle.

Ses paupières se refermèrent. Tour à tour, les filles lui caressèrent la main, l'embrassèrent sur la joue, lui dégagèrent quelques cheveux du front, mais il était manifeste qu'elle avait plus besoin de sommeil que d'autre chose. Une infirmière vint lui prendre le pouls.

— Elle va dormir pendant un moment. Si vous préférez patienter dans la salle d'attente, nous vous appellerons dès qu'elle se réveillera.

Les trois sœurs McPhail regagnèrent donc le petit salon où elles reprirent du café et passèrent les heures en se relayant auprès de leur mère. A mesure que la journée avançait et que les effets de l'anesthésie se dissipaient, la douleur de Mary s'accrut. Les infirmières lui administrèrent des antalgiques et un léger sédatif. Elle dormait et les filles se trouvaient toutes trois dans la salle d'attente lorsqu'une adolescente y déboula.

— Salut, tout le monde. Comment ça va?

— Oh, salut, Casey, répondit Judy en levant le nez de son magazine.

— Bonjour, Casey. Qu'est-ce que tu fais là? demanda doucement Renee.

— Je me promenais à cheval. Comment s'en sort Mary?

Elle était vêtue d'une chemise délavée avec des boutons de nacre, d'un jean largement troué aux genoux, et coiffée d'un vieux chapeau de cow-boy en paille d'où dépassait une longue natte blonde. Une forte odeur d'écurie entra avec elle.

— Plutôt bien. L'opération s'est déroulée à la perfection et elle dort beaucoup.

— Génial!

L'adolescente se déplaçait comme un vieux routier des rodéos, avec un balancement dépourvu de grâce. Elle tendit la main à Tess.

— Je ne crois pas que nous nous soyons déjà rencontrées. Je m'appelle Casey Kronek. J'habite de l'autre côté de l'allée, par rapport à votre maman.

— Bonjour, Casey. Je suis Tess.

— Je sais. D'ailleurs, tout le monde le sait. Dès que j'ai appris que vous alliez arriver, j'ai dit à mon père : «Dis donc, je vais la rencontrer!» Et je peux vous le dire, je suis drôlement contente de vous serrer enfin la main. Alors votre maman va bien?

— Très bien.

— Je suppose qu'on ne peut pas encore lui rendre visite.

— Demain, ce sera préférable. Elle dort beaucoup.

— Oh, c'est aussi bien, parce que j'empeste.

74

Sur ce, l'adolescente abaissa les yeux vers son jean et ses bottes encore plus éculées. Tess éclata de rire.

— On peut le dire, en effet.

— C'est parce que je suis sortie faire prendre l'air à mon cheval, et comme ce n'était pas si loin que ça, j'ai pensé que je pouvais faire un petit détour, histoire de voir comment se portait Mary. C'est quelqu'un de sympa, votre maman. Elle a toujours été comme une grand-mère pour moi, et j'étais triste qu'elle souffre tellement à cause de sa hanche. Au fait, poursuivit Casey en se tournant brusquement vers Judy, j'ai appris que Tricia allait au bal de fin d'année avec Brandon Sikes.

— Oui, il a fini par lui demander d'être sa cavalière.

— Qu'est-ce qu'il est mignon! Et gentil, avec ça.

— C'est aussi l'avis de Tricia.

— Elle va à l'université l'an prochain?

— Oui, elle a l'intention de devenir institutrice. Et toi?

— Oh, moi, certainement pas! s'exclama spontanément Casey. Pas d'études supérieures, merci bien! Je n'ai pas la tête pour ça. Elever des chevaux serait plutôt mon truc. Dis, Renee, on a reçu l'invitation au mariage de Rachel, et c'est sûr qu'on viendra. Ça va être chouette, hein?

— Oui, ce n'est plus très loin maintenant. Moins d'un mois.

— Ils habiteront ici?

— Pendant un moment.

— Je parie que tu es soulagée. On ne doit pas avoir envie de voir partir ses gosses dès qu'ils sont mariés. Ça flanquerait un coup.

— Je suis contente qu'ils restent, au moins pendant un temps. Tu chantes toujours avec ton groupe?

— Non, on s'est séparés. C'était impossible de trouver des endroits où se produire dans le coin, et puis papa disait que ça me faisait rentrer trop tard et que même si je ne voulais pas aller en fac, je devais terminer le lycée. Les répétitions m'en empêchaient.

— Casey est comme toi, expliqua Renee à Tess. Elle chante sans arrêt.

— Chut! gronda Casey. Ta sœur va croire que je suis venue lui demander de me donner ma chance ou un coup de main quelconque. Elle doit se dire : «Au secours! Encore une!» Alors que, sincèrement, je venais juste prendre des nouvelles de Mary. Et lui porter ça, ajouta-t-elle en tendant quelque chose à Renee. C'est un trèfle à quatre feuilles. Je l'ai trouvé dans le pré. Tu lui donneras, en lui disant que je pense à elle et que je reviendrai demain ou après-demain. D'accord?

— Sans faute, Casey, et merci d'être passée. Je sais que maman appréciera.

— Eh bien...

Casey s'attarda encore, les doigts glissés dans les passants de son jean. Puis, d'un geste brusque, elle tendit de nouveau la main à Tess.

— C'était vraiment sympa de faire votre connaissance, miss McPhail... euh, Tess... Mac... Je ne sais pas encore trop comment vous appeler.

Tess réprima de justesse un tressaillement sous la vigueur de la poignée de main de l'adolescente. Hormis son joli petit minois, elle n'avait pas grand-chose de féminin, mais apparemment elle se voulait masculine dans ses manières comme dans son attitude.

— Ici tout le monde dit «Tess». Ailleurs... c'est Mac. Fais ton choix.

— Alors ce sera Mac, répondit Casey en lui lâchant la main avec un sourire. Oh, il y a juste une chose que je voudrais vous demander. Comme on va à l'église méthodiste, où votre maman va aussi, où vous alliez vous aussi... Voilà, c'est mon père qui dirige la chorale, et il paraît que vous allez rester ici un moment pour vous occuper de Mary... Alors, est-ce que vous accepteriez de venir chanter avec nous un dimanche? Ce serait chouette, non? Tess McPhail chantant avec la chorale de la première Eglise méthodiste de Wintergreen! Je parie qu'on ferait le plein ce jour-là!

L'idée de figurer dans un chœur dirigé par Kenny Kronek ne pouvait que rebuter Tess.

— Tu me laisses y réfléchir?

— Bien sûr. Prenez votre temps. Je suppose que cent personnes par mois au moins vous demandent de faire des trucs pour leur groupe ou leur association : des discours, des récitals, signer des autographes. Je n'avais pas l'intention de vous pressurer.

— Tu ne me pressures en rien. Les apparitions en public font partie de mon métier, mais je préfère quand même y réfléchir.

— Je comprends, dit Casey avec un franc sourire qui colora légèrement ses joues tachetées de son. Bon, je file. Contente de vous avoir rencontrée, vraiment.

— Moi de même, Casey.

— Au revoir, Judy. Bye, Renee.

— Bye, répondirent les deux sœurs.

Dès qu'elle fut partie, Tess s'adressa à ses aînées :

— Alors, en plus de tout le reste, saint Kenny dirige le chœur à l'église ? En quoi est-il qualifié pour ça ?

— Il ne l'est pas officiellement, répondit Renee. Il n'a jamais rien fait d'autre que de chanter à la chorale du lycée, je crois. Mais quand Mme Atherton est tombée malade, il ne s'est trouvé personne pour prendre la relève, et Casey a convaincu son père d'essayer. Comme il chantait déjà dans la chorale et que personne d'autre ne s'est proposé, il a accepté. C'était il y a six mois environ et, en l'absence d'un autre, il continue.

— Comment s'en sortent-ils ?

— Pas mal du tout. On ne les a pas encore invités à chanter avec Pavarotti mais, je te dis, c'est correct.

— Tu l'appelles saint Kenny ? releva Judy.

— Quoi, ce n'est pas son nom ? J'ai eu l'impression que maman l'avait canonisé.

— Il est très bon pour elle.

— Très bon pour elle ! Bientôt, il s'installera chez elle ! Il lui fait son jardin, met les sels dans l'adoucisseur d'eau, lui remplace sa porte de garage ! Je m'étonne d'ailleurs qu'il ne lui ait pas proposé de l'opérer ce matin ! C'est dingue, chaque fois que je fais un pas, je tombe sur ce type. Alors je vous demande ce qui se passe.

Judy et Renee échangèrent un regard dérouté.

— C'est peut-être toi qui devrais nous dire ce qui se passe, répondit Renee. Kenny rend de nombreux services à maman... Où est le problème?

— Sans compter qu'on le connaît depuis toujours, renchérit Judy. Alors, en effet, où est le problème?

Tess se leva, peut-être pour dissimuler à ses sœurs ce que sa colère avait d'injustifié. Comment leur révéler — surtout à Judy — que Kronek l'avait mise en rage en l'ignorant? Elles auraient raison d'y voir un caprice de star à l'ego démesuré...

— Je lui envoie tout le temps de l'argent. Plein d'argent! Qu'en fait-elle? Elle aurait de quoi payer un installateur pour sa porte de garage, engager quelqu'un pour lui tondre sa pelouse, payer Culligan pour entretenir son adoucisseur d'eau. Mais non. Kenny Kronek se charge de tout. Ça m'exaspère, voilà! Et vous savez aussi ce qui me fait mal? Je lui ai proposé de lui acheter ou de lui faire bâtir la maison de son choix, une villa toute neuve, où elle n'aurait pas à remplacer la porte du garage ni tout le reste, qui tombe en petits morceaux chez elle. Elle pourrait avoir un lave-vaisselle, une buanderie de plain-pied, l'air conditionné, tout ce qui lui ferait plaisir. Non, elle a refusé. Avez-vous regardé ses placards de cuisine récemment? Le formica fait pitié. Et ses marches qui sont de guingois, et le revêtement de l'allée tout craquelé! La moquette de sa chambre a notre âge, et les carreaux de la salle de bains : les mêmes mochetés pourries qu'on a posées au moment de la construction de la maison. Quand je suis en tournée, je lui envoie de beaux vêtements, achetés dans des boutiques de luxe, et elle porte ce pantalon difforme en polyester lavande, qui doit avoir au moins quinze ans. Je ne la comprends plus du tout.

Quand Tess eut achevé sa diatribe, un silence pensif s'installa dans la pièce. Judy et Renee échangèrent des regards discrets.

— Elle vieillit, Tess, finit par prononcer doucement Renee.

— Elle n'a que soixante-quatorze ans!

— Elle est suffisamment âgée pour n'avoir pas envie de changement. Elle tient à ce qui lui est familier.

— C'est absurde.

— Pour toi, peut-être, pas pour elle. Elle a toute sa vie, tous ses souvenirs dans cette maison. Pourquoi souhaiterait-elle en partir?

— D'accord, j'admets qu'elle ne veuille pas quitter la maison, mais ne peut-elle pas la moderniser un peu?

— Tu sais où est le problème? demanda Judy. Tu n'as pas été là pour la voir vieillir. Tu viens une fois par an, ou à peu près, et tu exiges qu'elle soit toujours pareille à elle-même. Ce n'est pas le cas. Je te concède qu'elle est têtue, et elle pense certainement que ce n'est pas la peine de se lancer dans des changements à son âge, mais si elle est heureuse, fiche-lui la paix.

Tess dévisagea Judy. Puis Renee.

— Elle a raison? demanda-t-elle à cette dernière.

— Dans l'ensemble.

— Mais faut-il pour autant que maman ait l'air si négligée? Tu ne peux pas la pousser à s'arranger les cheveux, Judy? Tu as un salon de coiffure, non?

— J'ai essayé. Elle sait qu'elle peut venir quand ça lui chante pour une coupe ou une permanente, ou ce qu'elle veut, mais chaque fois elle invente une excuse. Sa hanche qui lui fait mal ou du travail dans son jardin.

— Oh, ne me parle plus de jardinage! Est-ce qu'elle a besoin d'entretenir un potager?

— Ça lui donne beaucoup de joie.

— Ça lui donne surtout des douleurs, voilà tout.

— C'est vrai, mais tu ne la feras pas changer d'idée. Alors, pourquoi essayer? Elle a cultivé son jardin toute sa vie. Nous savons bien qu'elle n'a pas besoin de faire pousser ses légumes mais si ça la rend heureuse, laisse-la.

— Et tant que tu y es, ajouta Renee, laisse Kenny Kronek lui rendre service. D'ailleurs, il semble même qu'il l'ait convaincue de procéder à certains changements quand nous n'y étions pas arrivés. Jim lui avait conseillé je ne sais combien de fois de se faire installer une porte de garage automatique, parce qu'elle souffrait de la hanche en se baissant pour attraper la poignée. Il avait même proposé de la lui monter. Elle disait toujours non. Puis un beau jour, elle nous annonce comme ça qu'elle en a acheté une et que Kenny la lui a posée. Je ne cherche pas à comprendre, mais le fait est qu'ils s'entendent très bien tous les deux, alors je suis reconnaissante à Kenny d'être là.

Lorsque Tess se rendit dans la chambre de Mary pour la dernière fois cet après-midi-là, elle la considéra différemment, s'efforçant d'intégrer le fait qu'elle prenait de l'âge, qu'à soixante-quatorze ans elle avait un peu le droit de n'en faire qu'à sa tête. Peut-être Judy avait-elle raison. Peut-être ses visites trop rares avaient-elles entretenu chez Tess l'illusion que le temps ne faisait pas son œuvre d'usure.

Elle glissa le trèfle à quatre feuilles dans la main de Mary.

— De la part de Casey Kronek. Elle est passée prendre de tes nouvelles et nous a dit de te donner ça. Elle l'a trouvé dans le pré où elle met son cheval. Elle t'envoie son affection et elle reviendra te voir.

— Oh, comme c'est gentil! Une brave petite, cette Casey.

— Maman... Je m'en vais maintenant, mais je serai là demain. Si tu veux quoi que ce soit, dis-le-moi. Et si tu souffres pendant la nuit, n'hésite pas à demander un cachet. D'accord?

— D'accord.

— Nous partons aussi, annoncèrent les deux autres filles.

Après l'avoir embrassée toutes les trois, elles la laissèrent, encore somnolente et pâle.

Une fois dehors, elles aspirèrent l'air printanier à grandes goulées, contemplant le ciel bleu. Mais elles gardèrent le silence en se dirigeant vers leurs voitures. Sur le parking, Renee serra brièvement Tess dans ses bras pour lui dire au revoir mais Judy se contenta de lui frôler la joue dans un semblant de baiser.

Tess éprouva une impression de libération en reprenant la route de Wintergreen, même dans la vieille Ford Tempo. Cette journée de printemps était superbe, chaude. Phlox et iris fleurissaient en bordure des jardins ; çà et là des rhododendrons ajoutaient une touche de couleur. La jeune femme prit son temps, s'arrêta dans un supermarché pour acheter des légumes frais, de la vinaigrette allégée et des escalopes de poulet. Tout en roulant sur les routes familières, elle réfléchit aux sentiments ambivalents que lui inspirait son retour au pays.

A vivre loin de sa famille, elle s'était épargné le déclin de la santé de sa mère, la jalousie de Judy et les autres sujets d'irritation qui s'étaient condensés depuis vingt-quatre heures. Se retrouver sur les lieux de son enfance éveillait en elle un peu de nostalgie, mais surtout la conscience aiguë de ne plus être la même que celle qui était partie. Ses valeurs et ses priorités avaient changé. Son rythme avait changé. Comme son cercle de relations, ses ambitions, ses obligations. Etait-ce nécessairement mal ? Elle ne le pensait pas. Ce qu'elle avait fait de sa vie avait exigé une énergie formidable qui, au jour le jour, laissait peu de place dans son esprit pour ce qu'elle considérait comme des broutilles.

La jalousie de Judy était une broutille.

L'entêtement de sa mère aussi.

Lorsqu'elle était absorbée dans le travail, elle oubliait. A la maison maternelle, parce qu'elle était oisive, elle se laissait obnubiler par ces détails, et cela prenait des proportions démesurées.

Un autre sujet d'agacement l'attendait quand elle arriva dans l'allée à cinq heures : Kenny Kronek était en train de tondre la pelouse de Mary, vêtu d'un jean, d'un tee-shirt blanc et d'une casquette de base-ball. Il leva la tête mais continua de pousser la tondeuse tandis que Tess freinait et activait la commande de la porte du garage. Durant le petit jeu de pousse-pousse de voitures auquel elle dut se livrer, il eut le temps de tailler toute la bordure le long du jardin. Une fois la Tempo dans le garage et la 300 à nouveau garée devant la porte, Tess prit ses paquets et se dirigea vers la maison. Kronek était quasiment sur son chemin.

Une femme qu'ils aimaient tous les deux s'était fait opérer le jour même. Ils pouvaient difficilement se croiser sans en parler. Il s'arrêta et mit le moteur de la tondeuse au ralenti.

— Comment ça s'est passé ? interrogea-t-il sans esquisser un sourire.

— Très bien, lâcha Tess, aussi impolie que possible.

— Mary ? Ça va ?

— D'après le chirurgien, elle se porte au mieux. Pas de complications en vue. Ils vont la faire lever demain.

— Voilà de bonnes nouvelles.

Tous deux se sentaient mal à l'aise de s'exprimer ainsi, malgré eux, avec cette feinte amabilité.

— J'ai rencontré ta fille aujourd'hui, reprit Tess.

Kronek se baissa pour ramasser un petit bâton devant la tondeuse et le lancer plus loin.

— Elle m'avait dit qu'elle passerait à l'hôpital. Je lui avais pourtant conseillé d'attendre au moins demain, que Mary aille un peu mieux.

— Elle est d'un naturel assez rafraîchissant.

— Tu veux dire qu'elle sent le cheval, c'est ça ?

Cette question fût-elle venue de quelqu'un d'autre, Tess aurait éclaté de rire. Comme c'était Kenny, elle dissimula son amusement.

— Un peu. Mais elle s'en est excusée.

— Elle adore les chevaux, dit Kronek.

Tout son poids basculé sur une seule jambe, dans une attitude qu'elle jugea suffisante, il ne la regardait pas, promenant les yeux un peu partout sauf sur elle.

— Elle m'a demandé de venir chanter avec votre chorale à l'église.

Il lui lança un coup d'œil furtif et marmonna quelque chose qui semblait bien être un juron, avant de reprendre, plus explicite :

— Je lui avais dit aussi de ne pas t'enquiquiner. J'espère que tu n'es pas allée t'imaginer que j'étais derrière cette requête.

Tess se souvint du béguin qu'il avait eu pour elle au lycée.

— Pourquoi irais-je croire une chose pareille? rétorqua-t-elle, suffisamment narquoise pour l'irriter.

Kenny ajusta sa casquette sur son crâne et darda un long regard dégoûté sur son interlocutrice avant de reprendre sa tondeuse.

— Je ferais mieux de me remettre au travail.

Le moteur recommença à pétarader. Tess dut s'approcher.

— Tu n'as pas besoin de tondre cette pelouse, tu sais! cria-t-elle afin de se faire entendre par-dessus le vacarme. J'avais l'intention d'appeler mon neveu!

— Ce n'est pas un problème!

— Alors je tiens à te payer!

Il lui lança un regard à lui donner envie de rentrer sous terre.

— Dans le coin, on ne se rémunère pas les services... miss McPhail, ajouta-t-il avec toute l'insolence possible.

— Je suis née dans le coin, au cas où tu l'aurais oublié! Alors parle-moi autrement, monsieur Kronek!

— Oh, excuse-moi... Il faut dire Mac, c'est ça?

— Tess ira très bien, chaque fois que tu daigneras descendre de ton piédestal assez longtemps pour m'adresser la parole!

— J'ai pourtant l'impression que c'est moi qui suis «descendu» le premier aujourd'hui!

— Mais tu avais oublié qui j'étais hier soir chez ma mère, je me trompe?

— Ça ne doit plus t'arriver souvent, je parie.

— Non. Généralement, les gens ont de meilleures manières!

Ils continuaient tous deux à hurler.

— Tu sais, reprit Kenny, tu as toujours été une poseuse.

— C'est absolument faux!

Laissant échapper un ricanement, il se remit à pousser la tondeuse, lançant par-dessus son épaule :

— Ça reste à voir... Mac!

Il avait une façon de prononcer « Mac » tellement insultante qu'elle eut envie de l'étriper. Elle fonça droit dans la maison et jeta ses sacs sur le plan de travail. Au cours des dix-huit dernières années, rien n'avait pu la mettre dans une rage pareille. Durant tout le temps où elle prit son bain, se changea, ouvrit les fenêtres pour aérer le salon confiné et rangea ses achats au réfrigérateur, la tondeuse ne cessa de tourner autour de la maison.

Afin de se changer les idées, elle appela Jack Greaves, qui l'informa que Carla Niles s'apprêtait à enregistrer le nouvel accompagnement du chœur pour *Tarnished Gold* et qu'il le lui expédierait le lendemain. Elle téléphona ensuite à Peter Steinberg, qui lui communiqua quelques chiffres de ses ventes à l'étranger et lui demanda si elle acceptait de chanter afin de rassembler des fonds pour un hôpital d'enfants en août. Elle joignit alors Kelly Mendoza, la pria de consulter son planning du mois d'août et de joindre les organisateurs de la manifestation caritative. Kelly lui signala le courrier et les appels téléphoniques du jour. Ah, et puis un fax était arrivé, donnant les ventes de la semaine : son tube du moment avait cédé une place au palmarès radiophonique. Enfin, ses bottes faites sur mesure étaient arrivées de Fort Worth. Voulait-elle qu'on les lui expédie à Wintergreen ?

Comme elle téléphonait de la cuisine, Tess vit une voiture s'arrêter devant le garage ouvert de Kronek — le même véhicule que la veille, une Dodge Neon blanche. Une femme en sortit et traversa l'allée pour rejoindre Kenny. Elle frôlait la quarantaine, portait des chaussures basses et un tailleur d'été pastel, couleur pêche. A son approche, Kronek cessa de tondre et fit quelques pas dans sa direction. Ils bavardèrent un moment, amicalement, et elle désigna la maison de son interlocuteur. Il pointa le pouce vers celle de Mary, elle y jeta un coup d'œil rapide. Puis, avec un sourire, elle repartit vers la demeure de Kronek, et il reprit la tondeuse.

« Qui est-ce ? » se demanda Tess en la regardant pénétrer sous la véranda.

Une demi-heure plus tard, Tess lavait un cœur de laitue quand, par la fenêtre, elle revit l'inconnue. Celle-ci avait troqué son ensemble contre un pantalon et une chemise blanche, et transportait un plateau jusqu'à la table de jardin. Un moment après, Casey sortit à son tour, avec un second plateau. La femme appela Kenny — il avait fini entre-temps de tondre la pelouse de Mary et s'était attaqué à la sienne —, et tous trois s'attablèrent pour dîner.

Sa maîtresse ? s'interrogea Tess. Etait-il possible que saint Kenny ait une vie sexuelle ? A l'évidence, la femme était plus qu'une simple femme de ménage puisqu'elle s'était changée et dînait avec eux. Une familiarité indéniable les unissait tous les trois.

Agacée de se poser ce genre de questions, Tess se détourna de la fenêtre. Elle mit son escalope de poulet à cuire à la vapeur et gagna le salon pour s'y livrer à l'activité qui l'avait démangée toute la journée. Armée d'un petit magnétophone, d'un bloc de papier et d'un crayon, elle s'assit au piano afin de travailler l'idée de chanson qui lui était venue la nuit précédente.

Le vieux piano droit aurait eu grand besoin d'être accordé, mais la souplesse du clavier et sa sonorité exceptionnelle faisaient qu'il surpassait bien des instruments sur lesquels elle avait joué. C'était là l'un des moments privilégiés du métier de Tess. Composer était pareil à un jeu pour elle, au point qu'elle trouvait parfois ridicule d'être payée pour une activité qui lui donnait un plaisir si total. Et cependant les droits de ses chansons originales lui rapportaient des centaines de milliers de dollars par an. Elle avait toujours été imaginative, et le processus créatif qui consistait à unir un thème, un texte et une mélodie en une seule entité la captivait. Au cours des années où son orchestre et elle avaient tourné en car, elle avait souvent écrit tandis qu'ils filaient sur l'autoroute, trouvant les mots d'abord, en même temps qu'une ligne mélodique, à laquelle elle ajoutait des accords en recourant à un clavier électronique miniature — deux octaves ! — qui tenait sur ses genoux et qu'elle pouvait écouter au casque. Parfois, son premier guitariste travaillait avec elle.

Les premières phrases trouvées la nuit précédente, alors qu'elle prenait son bain, commencèrent à prendre une forme musicale concrète, une tonalité, un rythme.

C'est sens unique pour circuler dans la petite ville
Dix-huit années déjà qu'elle a rompu le fil
Elle a couru le monde, et voilà qu'elle revient...

Le vers suivant ne venait toujours pas. Oh, les idées abondaient, mais elle les écartait les unes après les autres. Aucune ne lui plaisait. Elle était complètement absorbée quand une voix l'appela depuis la porte de la cuisine.

— Coucou, Mac ? C'est moi, Casey !

Tess tenait un accord de la main gauche et le transcrivait sur papier de la droite quand l'adolescente déboula dans le salon sans y avoir été invitée.

— Salut !

Tess fit volte-face sur son tabouret. Casey était crânement plantée au milieu de la pièce, souriante. Elle ne portait plus sa piètre tenue de cavalière mais un jean propre avec un tee-shirt jaune glissé dans la ceinture, qui soulignait sa taille menue. Elle n'affectait plus de jouer au vieux cow-boy. En fait, avec son petit nez mutin, sa grosse natte, ses grands yeux avides, elle évoquait maintenant une ingénue des temps modernes.

— Je vous ai entendue jouer.

— Je travaille sur une chanson qui m'est venue en tête.

— Vous voulez dire que vous l'écrivez ?

— Voilà.

— Ça parle de quoi ?

— Disons... de ce que je ressens en revenant ici après en être partie depuis si longtemps. Les gens de la ville, ma mère, cette maison... Rien ne change, y compris certaines choses qui en auraient grand besoin.

Elle continua d'exposer à Casey certains de ses sentiments et ses tentatives pour les saisir, les concentrer dans une chanson.

— Je peux l'entendre ?

Tess eut un léger rire et se gratta la tête pour se donner le temps de réfléchir.

— Eh bien, je n'ai pas l'habitude de faire écouter mes trucs avant qu'ils n'aient reçu un copyright et qu'ils soient enregistrés.

— Vous voulez dire : parce que je pourrais vous voler votre chanson ? s'exclama Casey en riant. Ah, elle est bonne, celle-là ! Vous croyez que je serais assez fortiche pour faire une chose pareille ? Il y a peu de chances. Allez, jouez-la-moi, insista-t-elle, cajoleuse.

Et elle se jeta dans un énorme fauteuil, balançant une jambe sur l'accoudoir.

— Elle n'est pas encore faite.

— On s'en fiche. Jouez ce que vous avez.

Tess revint au piano, impressionnée malgré elle par l'adolescente. Elle rencontrait des fans quasiment tous les jours, dans la rue, en coulisse ou lors de ses apparitions en public. Leur attitude souvent trop révérencieuse ou obséquieuse la lassait. Casey Kronek était à mille lieues de cela. Pourquoi sa familiarité ne la rebutait-elle pas ? Elle n'aurait su le dire. Il y avait du naturel chez elle et suffisamment d'admiration tenue en réserve. En vérité, avec sa vie trépidante, Tess avait peu d'amis en dehors de l'industrie musicale. Casey se présentait comme telle, et Tess ne bouda pas le cadeau.

— D'accord. J'en suis là...

Elle joua les trois premiers vers, y ajouta le quatrième temporaire, en essaya un autre. Il était clair qu'aucun ne collait.

— Jouez encore, invita Casey.

Tess s'exécuta jusqu'à :

... Elle a couru le monde, et voilà qu'elle revient...

— «A ses yeux grands ouverts, tout paraît si mesquin», continua Casey d'une voix veloutée de contralto, parfaitement dans la tonalité. «Je ne peux pas revenir. J'ai trop à dire.»

Ces deux dernières phrases que Casey venait d'ajouter créaient une réflexion rétrospective qui pouvait conclure chaque strophe. Tess fut parcourue d'un frisson. Elle entendit l'accompagnement dans sa tête, le joua sur le clavier, les yeux clos, et maintint le dernier accord qui résonna dans le silence comme pour les envelopper dans une brume.

— Parfait, déclara-t-elle au bout d'une dizaine de secondes.

— C'est bien de ça que vous parliez, n'est-ce pas? s'enquit Casey. Les immobilismes d'une petite ville vus à travers le regard de quelqu'un qui y a vécu autrefois.

— Exactement. J'aime beaucoup l'idée du refrain. Ça fonctionne toujours.

La jeune femme nota sur son bloc paroles et mélodie.

— Essayons encore, dit-elle en reposant son crayon.

Pendant qu'elle chantait, Casey balançait la jambe sur l'accoudoir du gros fauteuil, la tête renversée en arrière, paupières closes, enroulant sa natte autour de son index, et fredonnait une deuxième voix, comme pour elle-même.

— Tu sais quoi? lui dit Tess quand elles eurent terminé. Ça m'a donné des frissons.

— A moi aussi.

— C'est bon signe. Sans compter que tu m'as l'air de posséder une voix superbe. Pourquoi t'es-tu retenue?

— Parce que c'est votre chanson.

— Mais si tu veux chanter avec moi, n'hésite pas. Tu veux bien recommencer, que je t'entende?

Casey ne parut pas surprise de cette requête et acquiesça sur-le-champ. Tess apprécia.

Lorsqu'elles chantèrent de nouveau, elle reconnut chez sa jeune partenaire un timbre unique. Rauque, charnel, mélodieux à la fois. L'adolescente avait l'oreille musicale et, plus important encore, l'audace qui devait aller de pair. Tess ne connaissait pas beaucoup de filles de dix-sept ans capables de chanter avec quelqu'un de célèbre sans perdre leurs moyens. Casey y parvenait, tout en continuant à balancer la jambe sur l'accoudoir du fauteuil, les yeux toujours fermés.

Quand elle les rouvrit, la star de country la considérait par-dessus son épaule, avec une expression stupéfaite.

— Dis-moi... Tu es venue me montrer ce que tu sais faire ?

— En partie, reconnut l'adolescente.

— Eh bien, je suis impressionnée. Ta voix me plaît, avoua Tess sans détour, se tournant carrément vers la jeune fille.

— Le problème, c'est qu'elle ne colle jamais avec le reste. Tout le monde dit que ça ressemble à des graviers qui roulent.

— Elle ne colle jamais... dans un groupe, tu veux dire ?

— Voilà.

— Genre chorale d'église ?

— Exactement. Oh ! ce qui me fait penser ! Mon père n'est pas content que je vous aie demandé de chanter dans le chœur. Il trouve que j'ai été indiscrète et il m'a envoyée m'excuser. C'était la vraie raison de ma visite. Donc, je vous prie de m'excuser. Je n'avais pas l'intention de m'immiscer dans votre vie privée tant que vous êtes là, mais je n'ai pas réfléchi. Bref, papa m'a dit comme ça : « Tu files en face et tu la débarrasses de ce boulet ! » Alors voilà.

S'asseyant au bord du fauteuil, l'adolescente laissa pendre les mains entre ses genoux et haussa les épaules.

— Il faut que vous puissiez revenir chez vous et vous déplacer tranquillement sans que les gens vous sautent dessus comme ils le font partout ailleurs.

— C'est ce qu'a dit ton père ?

— Oui.

— Ça me surprend, reconnut Tess. Dis-moi, c'est une bonne chorale ?

— Pas vraiment. Mais ne répétez pas à papa que j'ai dit ça.

— Je m'en garderai bien, promit Tess en riant.

— Leurs voix ne sont pas si vilaines que ça, reprit Casey, mais... je ne sais pas. Je ne dois pas être bon juge. De toute façon, j'aime chanter — la country est ma musique préférée, alors ce n'est pas si mal de chanter dans la chorale. On ne peut pas dire que ça déménage, mais c'est quand même chanter. Je suis contente que papa ait accepté de la diriger, sinon je ne sais pas ce que nous aurions fait. Vous vous rappelez Mme Atherton ?

— Et comment ! Très grande, des lunettes, des cheveux noirs ondulés.

— Gris, maintenant. Il a fallu lui faire un pontage, alors je ne sais pas si elle reviendra nous diriger.

— Manque de chance, compatit Tess en se levant. J'ai mis du poulet à cuire, je ferais mieux d'aller voir ce qu'il devient.

Casey la suivit dans la cuisine et s'appuya au mur pour la regarder s'activer. Tess vérifia que son escalope était cuite, éteignit le feu, sortit du réfrigérateur de quoi se préparer une salade et commença à mélanger les ingrédients avec la vinaigrette.

— Vous avez quelqu'un pour vous faire ce genre de truc, chez vous, à Nashville ? interrogea Casey.

— Tu veux dire la cuisine ?

— Oui.

— J'ai une gouvernante, elle le fait si je le lui demande, mais les jours où j'enregistre, je reste en studio tard le soir, et on se restaure sur place à la mi-temps. Les soirs de concert, je préfère attendre la fin pour dîner. Je n'aime pas chanter l'estomac plein.

— Quel effet ça fait de se retrouver devant des milliers de gens ? Ce doit être intimidant.

— C'est la seule chose que j'aie jamais voulu faire. J'adore.

— Je comprends. Je chante depuis l'âge de trois ans. D'abord, c'était pour mes poupées, ensuite pour papa et maman, et puis pour n'importe qui si on accepte de m'écouter.

— Toi aussi ? dit Tess en prenant des couverts dans le tiroir. Quand j'étais petite, c'était pareil.

— Je vais vous laisser dîner, proposa Casey en se décollant du mur.

— Si ça ne t'ennuie pas de me voir manger, moi ça ne me gêne pas que tu restes. Assieds-toi et bavardons. Je n'ai fait qu'une seule escalope, mais je peux te proposer de la tarte aux noix de pécan.

— Faite par Mary?

— Tu as deviné.

— Je ne dis pas non, accepta Casey. Non, non, ne bougez pas, ordonna-t-elle comme Tess s'apprêtait à la servir. Asseyez-vous et mangez. Je vais me débrouiller.

Effectivement, elle sut où trouver assiette, fourchette et pelle à tarte.

— Il y a de la glace? demanda-t-elle après s'être servie.

— Bien sûr. Tu sais où.

Quelques secondes plus tard, l'adolescente déposait son copieux dessert face à l'assiette de Tess.

— Dans quel genre d'endroit habitez-vous à Nashville?

— J'ai une maison, mais je n'y vis que la moitié du temps. Sinon j'ai beaucoup de concerts ici et là.

— Ce n'est pas pénible d'être tout le temps partie?

— C'était pire quand je voyageais en car. On a l'impression d'être coincé, à force de vivre jour après jour dans la proximité des mêmes personnes. Parfois j'avais la nausée du car, la nausée des gens, la nausée d'essayer de me rappeler dans quelle ville nous étions pour ne pas me tromper à l'émission de radio locale. Mais je devais aimer ça puisque j'ai continué. Et c'est beaucoup plus agréable depuis que j'ai mon propre avion.

— J'étais tellement impressionnée quand Mary nous a dit que vous vous étiez acheté un jet!

Comme Tess laissait échapper un petit rire face à la candeur de Casey, celle-ci s'empressa d'enchaîner sur un autre sujet :

— Racontez-moi quand vous enregistrez.

Tess lui expliquait mille détails du métier quand la voix de Kenny retentit dehors, à la porte du jardin.

— Casey? Que fais-tu encore là à déranger?

La nuit était tombée, les lumières brillaient dans la cuisine. Kronek n'hésita pas à coller le visage dans l'angle de la moustiquaire, d'où il pouvait voir la table et les deux femmes assises face à face. Tess l'imita en se penchant pour le distinguer dans la pénombre.

— Elle ne me dérange pas. C'est moi qui lui ai proposé de rester.

— Nous bavardons, papa, c'est tout, lança Casey.

Sans y être invité, il tira la moustiquaire et pénétra sur le seuil, plus bas d'une marche par rapport au niveau de la cuisine. S'appuyant des deux mains au chambranle, il passa la tête dans la pièce.

— Allons, viens maintenant, Casey. Je t'avais dit de rentrer tout de suite.

— Je peux finir ma part de tarte? questionna-t-elle avec une patience contrainte.

— Tu es certaine qu'elle ne te dérange pas? insista Kenny à l'adresse de Tess.

— Elle peut terminer son dessert.

— D'accord. Dix minutes, concéda-t-il, et il disparut dans la nuit.

— Je ne sais pas ce qu'il a à être toujours sur mon dos aujourd'hui, confia l'adolescente quand la moustiquaire se fut refermée. Il n'est jamais comme ça.

«Moi, je me demande pourquoi un homme qui m'est si hostile prend la peine de traverser l'allée dans la nuit pour venir dire à sa fille de rentrer quand il aurait pu utiliser le téléphone», pensa Tess.

— Quel est le métier de ton père? s'enquit-elle.

— Expert-comptable. Il a son propre cabinet en ville, tout près de la place et à trois portes de la boutique de vêtements où travaille Faith.

— Faith?

— Faith Oxbury, sa copine.

— Celle qui a dîné avec vous ce soir?

— Mmmm, acquiesça Casey en léchant sa cuillère enduite de glace. Elle vient dîner presque tous les soirs. Ou alors c'est nous qui allons chez elle. Ils sont ensemble depuis un temps fou.

Si elle se demanda ce que signifiait un «temps fou», Tess se garda de poser la question. Son assiette bien nettoyée, Casey la repoussa et posa un pied sur une chaise voisine, adoptant une attitude un peu plus avachie.

— Papa et Faith se voient depuis tellement longtemps

que les gens les considèrent comme mariés. Ils jouent au bridge ensemble, sont invités à des soirées ensemble, et s'il se passe quoi que ce soit à mon lycée, généralement elle accompagne papa. A Noël, elle envoie même des cartes de vœux signées de nos trois noms.

— Dans ce cas, pourquoi ne se marient-ils pas?

— Je ne sais pas. J'ai demandé à papa un jour. Il m'a répondu que c'est parce qu'elle est catholique et que si elle épouse un homme divorcé elle n'aura plus le droit de communier à son église. Mais à mon avis, c'est un drôle de prétexte pour ne pas se marier quand on est avec un homme depuis huit ans.

— Huit ans. C'est long, en effet.

— Vous l'avez dit. Et je vais vous dire autre chose : ils aimeraient me faire croire qu'il ne se passe rien en dessous de la ceinture. Il lui fait un bisou sur la joue de temps en temps, et ils se tiennent par la main quelquefois, mais elle ne dort jamais à la maison, et lui ne reste jamais chez elle non plus. Mais s'ils croient me faire avaler ce boniment, ils sont plus bêtes que je ne pense.

— Un boniment, tu en es sûre?

— Ils se croient obligés de me jouer la comédie comme si j'étais encore en sixième. Mais ça n'existe pas les gens qui se fréquentent pendant si longtemps sans coucher ensemble.

Aussitôt lâché cet avis catégorique, Casey darda un regard franc sur Tess.

— Vous êtes d'accord? demanda-t-elle comme si le doute, soudain, l'avait saisie.

— Je ne peux pas te répondre.

— En tout cas, c'est mon opinion. Au fond, je crois que mon père se soucie trop du respect que j'ai envers lui pour risquer de le compromettre. Alors, nous faisons semblant de croire que c'est une relation platonique. Faith vient, prépare le dîner, reste jusqu'à neuf ou dix heures, puis il la raccompagne à sa voiture où ils se disent bonne nuit. Le jeudi, ils jouent au bridge, et une fois par semaine elle vient repasser ses chemises blanches parce qu'il n'aime pas qu'elles reviennent mal pliées du pressing, et lui, une fois par semaine, va lui tondre sa pelouse. Le dimanche, elle assiste à l'office de son église, et lui va à la nôtre. Au moins, nous nous entendons bien. Faith est très sympa avec moi.

Casey s'interrompit, ôta son pied de la chaise et claqua les mains sur ses genoux.

— Bon... Les dix minutes sont passées, il faut que je rentre.

Elle se leva, emporta son assiette dans l'évier, ouvrit le robinet et se retourna vers son hôtesse, qui lui avait emboîté le pas.

— Merci de m'avoir fait écouter le début de votre chanson, merci aussi pour la tarte et pour m'avoir permis de vous poser des questions. Désolée si j'ai eu l'air curieuse, je n'ai pas pu m'en empêcher. Je peux vous embrasser?

Tess avait à peine déposé sa propre vaisselle dans l'évier qu'elle se retrouva prise dans une étreinte spontanée à laquelle elle répondit.

— Ooh, vous êtes carrément géniale! murmura Casey. Ça m'a toujours soufflée que vous ayez grandi ici, de l'autre côté de l'allée, et que vous ayez si bien réussi. Je veux devenir exactement comme vous!

Sur ces mots, l'impétueuse adolescente fonça vers la porte.

— Bonne nuit, Mac. Dites à Mary que j'irai la voir demain après-midi!

5

Le lendemain de l'opération de Mary, Tess arriva à son chevet en milieu de matinée. Contrairement à ce qu'elles avaient promis, ses sœurs n'étaient pas là, et leur présence lui manqua. Elle avait le souvenir d'une mère robuste et vigoureuse ; il lui fut pénible de la voir les jambes gainées de bas anti-fatigue, se cramponner à son déambulateur et s'efforcer de tenir debout durant quinze petites secondes.

Une fois de plus, elle se sentit mal à l'aise, incompétente dans son rôle de garde-malade, ou même de simple visiteuse. Sans Judy et Renee, la conversation languissait, ponctuée de silences quand elle n'aboutissait pas purement et simplement à une impasse. Elle raconta néanmoins à Mary la visite de Casey et lui dit combien elle avait apprécié l'adolescente.

— Il paraît qu'elle chantait avec un groupe, avança-t-elle, espérant avoir trouvé un sujet intéressant.

— Oui, mais je ne l'ai jamais entendue.

— C'était de la country ?

— Je crois.

— Elle a une voix vraiment particulière, un contralto qui étreint le cœur.

— Kenny n'a pas voulu qu'elle continue. Il n'aimait pas le groupe qu'elle fréquentait, alors ne va pas l'encourager maintenant.

— Décidément, Kenny a une dent contre les chanteuses de country...

— Oh, Tess, faut-il encore que tu t'en prennes à lui après toutes ces années?

C'était une impasse.

La journée mit Tess à rude épreuve.

Une kinésithérapeute nommée Virginia vint en fin de matinée lever plusieurs fois les jambes de Mary, lui arrachant des plaintes sourdes tandis que ses paupières closes se contractaient violemment.

— Comme c'est vous qui l'aiderez à faire les exercices chez elle, dit Virginia à Tess, voulez-vous essayer tout de suite?

— Non! Enfin… continuez. Je le ferai demain.

L'idée de faire souffrir sa mère lui causait presque un vertige. Qui avait fait cela la première fois? Renee? Judy? S'en chargeraient-elles un peu cette fois ou la laisseraient-elles se débrouiller toute seule une fois qu'elle aurait ramené leur mère à la maison?

En milieu de journée, une infirmière coupa l'alimentation en oxygène par le nez, et Mary parut soudain beaucoup moins vulnérable. Elle gardait cependant la perfusion, le cathéter et la chemise réglementaire de l'hôpital, ouverte dans le dos.

Lorsque Judy se montra aux environs de deux heures, Tess l'accueillit avec un enthousiasme dont elle fut la première surprise. Judy demeura froide, réservant son affection à sa mère.

— Salut, maman, comment vas-tu aujourd'hui?

— Pas terrible, j'en ai peur. J'ai tellement mal!

— Rappelle-toi la dernière fois. Si tu arrives à tenir bon les deux premiers jours, ensuite le rétablissement va très vite.

Tess nota que ses sœurs savaient toujours trouver les mots, ce qu'il fallait dire exactement, alors qu'elle se sentait maladroite et impuissante à consoler sa mère.

— Renee a beaucoup de choses à faire aujourd'hui pour la préparation du mariage, reprit Judy. Elle viendra te voir demain. As-tu reçu d'autres visites?

A ce moment-là, des bruits de voix approchèrent dans le couloir et la porte de la chambre s'ouvrit sur trois personnes : Casey, son père — une boîte de chocolats dans les mains — et un homme d'une cinquantaine d'années vêtu d'une chemise à manches courtes avec un col de pasteur.

— Révérend Giddings, dit Mary en souriant.

— Mary, répondit-il affectueusement, lui prenant la main.

On échangea des bonjours.

— Un vrai comité des fêtes, s'exclama gaiement Casey. Figurez-vous, Mary, que je suis tombée sur ces deux messieurs dans le couloir !

— Casey, Kenny... comme c'est gentil !

Le père et la fille l'embrassèrent chacun leur tour.

— Alors, cette nouvelle prothèse est-elle un animal de bonne compagnie ? plaisanta gentiment l'adolescente.

— Je veux bien l'apprivoiser, répondit Mary avec un faible sourire, mais tout ce que je sais, c'est qu'elle me fait un mal de chien aujourd'hui.

— Voilà qui va vous aider à passer le cap, reprit Casey, prenant la boîte de friandises des mains de son père pour la déposer sur le ventre de la patiente. Vos préférés. Chocolats noirs extra.

— Mon Dieu, oui, ce sont mes préférés.

Mary entreprit de déchirer la cellophane — Casey supervisant l'opération — tandis que la conversation s'animait autour d'elle. Le révérend Giddings transmit les bons vœux de rétablissement de la part de ses paroissiens. Dans le relatif désordre où chacun se cherchait une place, Kenny se retrouva debout au pied du lit près de Tess et de Judy.

— Eh bien, Judy, dit-il, ça fait un moment que je ne t'ai pas vue.

— Sans faire de bêtises ?

— Dans cette ville ? rétorqua-t-il avec une ironie désabusée. Ce serait difficile.

Adoptant l'attitude typique des hommes en visite à l'hôpital — campé sur ses deux jambes et les bras croisés —, il jeta un bref regard à Tess.

— Bonjour, comment ça va aujourd'hui ? lui

demanda-t-il d'un ton plus sourd que celui qu'il avait employé avec Judy.

Il s'adressait poliment à elle par respect pour Mary, et parce que le pasteur se trouvait là, mais tous deux se sentaient mal à l'aise, côte à côte, à ne converser que pour les autres.

— Bien. Un peu fatiguée. Je ne suis pas habituée à ces horaires.

— J'imagine que d'ordinaire tu travailles tard le soir.

— La plupart du temps, oui.

— Prenez un chocolat, les filles, proposa Mary.

— Non merci, maman, dit Tess.

Mais Judy se précipita sur la boîte généreuse.

— Et toi, Kenny ? Un chocolat ?

— Sans façon, Mary. C'est mauvais pour la ligne.

Presque à l'écart des autres, qui continuaient de bavarder, Tess et Kenny se sentirent obligés d'entretenir une conversation contrainte :

— Casey était folle de joie quand elle est rentrée hier soir. Je te remercie de lui avoir consacré un peu de ton temps.

— J'ai pris plaisir à sa compagnie.

— Elle m'a dit que vous aviez chanté ensemble.

— Un peu, oui.

— Tu as dû te rendre compte que tu as allumé une vraie passion en elle.

— La passion était là bien avant qu'elle vienne me voir, je crois. Si ça te contrarie...

— Qu'est-ce qui te fait penser que je suis contrarié ?

— Maman m'a dit que tu n'aimais pas qu'elle chante avec son groupe.

— Parce que c'était un ramassis de marginaux qui n'avaient pas inventé la poudre et s'étaient tous fait virer du lycée, voilà pourquoi. Rien au monde ne pourrait empêcher Casey de chanter.

— Ai-je bien entendu mon nom ? s'enquit l'adolescente en les rejoignant. De quoi parlez-vous ?

— D'hier soir, dit Tess.

L'exubérance naturelle de Casey se manifesta de nouveau.

— Oh, c'était trop génial! La plus belle soirée de ma vie. Je n'ai même pas pu m'endormir après.

— Moi non plus. La chanson a continué à me trotter dans la tête.

— Vous avez déjà le deuxième couplet?

— Mmm... Il est mauvais, je crois.

— Vous êtes incapable d'écrire quelque chose de mauvais.

— C'est bien ce qui te trompe. Il m'est arrivé d'écrire des choses tellement nulles que mon producteur grimaçait de dégoût en les écoutant.

— C'est lui qui écoute vos chansons en premier?

— Généralement, oui.

— Pourquoi?

— Parce qu'il a une bonne oreille et un bon jugement musical. C'est pour cette raison que je l'ai engagé.

— Et s'il aime et que vous n'aimez pas?

— Ça s'est déjà produit. Il m'a demandé de réécouter un morceau que je tenais pour une vraie nullité, mais avec une orchestration. Et là, j'ai changé d'avis. Je me suis aperçue que la chanson me plaisait une fois orchestrée. Et au bout du compte, ce fut une de mes meilleures ventes.

— Laquelle?

— *Branded*[1].

— Oh, je l'aime beaucoup.

Un peu en retrait, Kenny écoutait sa fille et Tess parler comme si elles avaient oublié toute présence autour d'elles. Il était sincèrement surpris de l'attention que Tess portait à Casey, vu les souvenirs qu'il gardait d'elle du temps du lycée. Hier il l'avait accusée d'être une poseuse, aujourd'hui elle avait une tout autre attitude. Elle s'adressait à Casey comme à une de ses connaissances de Nashville, comme à une consœur, et il devait reconnaître que leur conversation était intéressante. Il avait également

---

1. «Marqué au fer rouge»; au sens figuré, «étiqueté». *(N.d.T.)*

conscience que Judy, tout près de là, n'en perdait pas un mot. Elle affichait une mine hautaine, supérieure, mais se gardait d'intervenir, affectant d'être bien au-dessus du battage médiatique qui allait de pair avec la célébrité de Tess. Celle-ci évoquait des aspects du métier que l'auditeur lambda avait rarement l'occasion de connaître. Quand le dialogue, qui durait depuis plusieurs minutes, finit par capter l'attention de tous dans la pièce, Judy l'interrompit, changeant de sujet afin de ne pas laisser la vedette à Tess.

— Kenny, il paraît que tu as tondu la pelouse de maman, hier.

— Euh... oui... reconnut-il, fâché de se retrouver sur la sellette, surtout devant Tess. Elle devenait plutôt broussailleuse.

— Oh, Kenny, comme c'est gentil de ta part! s'écria Mary. J'avais dit à Tess de voir avec Nicky, mais sans doute était-il trop occupé.

— Ce n'était pas un problème, reprit Kenny. Je devais tondre la mienne, de toute façon.

— Kenny dit toujours que ce n'est pas un problème, commenta Mary à la cantonade, mais je me demande bien ce que je ferais sans lui. Je le disais à Tess l'autre jour...

Le révérend Giddings était le seul à ne pas s'être entretenu en tête à tête avec Tess. Il choisit ce moment pour s'approcher d'elle et lui tendre la main.

— Je ne crois pas avoir eu le plaisir de vous rencontrer. Je me présente : Sam Giddings. J'ai succédé au révérend Sperling, à l'église méthodiste de Wintergreen, quand il a pris sa retraite.

Il semblait sous-alimenté. Ses cheveux couleur sable se faisaient rares sur le sommet de son crâne, et ses incisives, tout en se chevauchant, lui retroussaient légèrement la lèvre supérieure.

— Enchantée, répondit Tess avec un sourire. Maman m'a parlé de vous.

— Ma mère à moi me parle souvent de vous! C'est une de vos admiratrices. Tout comme ma femme et la plupart de mes ouailles. Les gens du pays sont très fiers de votre succès, et j'avoue que je partage leur sentiment. Je n'ai guère de temps pour écouter de la musique, mais les rares fois où j'ai eu l'occasion d'entendre vos chansons j'y ai pris grand plaisir.

— Je vous remercie.

— Ma femme sera très dépitée quand elle saura que j'ai fait votre connaissance. Evidemment, je ne vous cache pas que les rumeurs vont bon train, et que toute la ville a su que vous veniez aider Mary pendant sa convalescence. Ma chère moitié m'a donc dit ce matin au petit déjeuner : «Si tu rencontres la fille de Mary à l'hôpital, essaie de voir si elle ne pourrait pas venir chanter avec la chorale pendant qu'elle est là».

Le pasteur marqua une pause étudiée, se balança sur ses talons puis jeta un coup d'œil en direction de Kenny.

— Vous devez savoir que c'est Kenny qui dirige notre chorale, et Casey en fait partie. Je ne doute pas qu'il saura vous trouver un livret si vous avez la bonté de vous joindre à nous un de ces dimanches.

Fichue Casey, pensa Kenny en faisant les gros yeux à sa fille. L'adolescente leva les deux mains en l'air.

— Ne me regarde pas comme ça, papa ! Je n'ai pas dit un mot !

— Révérend Giddings... commença d'expliquer Kenny. Miss McPhail ne...

— Elle aime qu'on l'appelle Mac, coupa Casey.

— Mac... répéta-t-il d'un ton forcé. Eh bien... oui... euh... Mac a déjà entendu une requête semblable de la part de ma fille, et... disons que cela confine au harcèlement. Je suis certain qu'elle subit ce genre de demande partout où elle se rend, et à mon avis nous devrions la laisser tranquille pendant qu'elle séjourne chez sa mère.

— Je ne vois pas en quoi utiliser sa voix pour louer le Seigneur serait une telle contrainte. Après tout, c'est Lui qui lui a donné cette voix. L'offre tient toujours, miss McPhail. Kenny vous donnera un livret, je prendrai moi-même le soin de vous présenter, et je ne doute pas que la congrégation vous sera reconnaissante. Pour ne rien vous cacher, dimanche en huit nous avons notre fête paroissiale annuelle, et un peu d'imagination de notre part pourrait concourir à remplir l'église et à ramasser de l'argent supplémentaire. Si vous acceptez de chanter ce jour-là, cela nous laisse le temps de publier la nouvelle dans notre bulletin de dimanche. Un peu de publicité ne fait jamais de mal. Qu'en dites-vous?

Tess et Kenny étaient aussi embarrassés l'un que l'autre. Ce fut Mary qui intervint pour trancher :

— Bien sûr qu'elle accepte. N'est-ce pas, Tess?

A cet instant, la jeune femme eût volontiers étranglé sa chère maman. Elle darda un regard malheureux sur le révérend Giddings, puis sur Kenny, et retour au pasteur.

— Eh bien... Euh...

Ses yeux rencontrèrent ceux de Kenny, et elle lui adressa un faible sourire. Il semblait aussi mal à l'aise qu'elle.

— Je ne peux pas me dérober, dit-elle avec un haussement d'épaules exagéré. Alors, pourquoi pas?

Et elle partit d'un rire forcé qui n'abusa personne.

Pourquoi pas, en effet. Il existait au moins cinq bonnes raisons pour qu'elle refuse, mais ni elle ni Kenny ne pouvaient les exprimer devant le pasteur, qui souriait, fort satisfait de lui.

Jusqu'à la fin de la visite, ils gardèrent leurs distances l'un vis-à-vis de l'autre, profondément mécontents de la situation.

Pour finir, le révérend Giddings prit congé. A peine avait-il refermé la porte que Casey décida de mettre les choses au point :

— Je ne lui en avais pas parlé. Je n'y suis pour rien, Mac! Pour rien du tout! déclara-t-elle. Vous me croyez, dites?

Tous les regards demeuraient braqués sur Tess. Elle serait passée pour un grossier personnage si elle avait refusé son concours, surtout vu le peu de temps et d'efforts que cela exigeait d'elle.

— Je ne pense pas que j'en mourrai, tu sais.

— Mais je ne vous aurais jamais fait un coup pareil!

insista Casey. Surtout que vous m'aviez fait comprendre que ça ne vous emballait pas vraiment!

— Enfin, Tess, intervint Mary depuis son lit, pourquoi ne chanterais-tu pas avec la chorale si tu vas de toute façon à l'office?

— Si nous en restions là? suggéra la jeune femme. Voilà, c'est accepté. Point à la ligne. Et n'en parlons plus.

Bien qu'on n'en parlât plus, et malgré le départ de Kenny et de Casey peu de temps après, l'incident resta sur le cœur de Tess bien après qu'elle eut quitté l'hôpital.

Qui croire? se demanda-t-elle sur le chemin du retour. Casey avait paru sincère dans ses dénégations, et Kenny semblait aussi décontenancé qu'elle par la requête du pasteur. Néanmoins, elle rechignait à lui accorder le bénéfice du doute, simplement parce que c'était Kenny. Oh, quelle différence cela faisait-il maintenant? Ce n'était pas la première fois qu'elle acceptait de participer à une bonne œuvre à laquelle elle aurait préféré échapper. Le sort en était jeté. Il lui fallait maintenant se faire à l'épouvantable perspective de chanter dans la chorale de saint Kenny, debout face à lui, qui la dirigerait.

Maudit Giddings, quand même...

Elle pestait encore intérieurement quand elle arriva à la maison, déposa ses achats, vérifia qu'il n'y avait pas de colis exprès à la porte et entreprit de passer ses coups de fil quotidiens. Ensuite, elle lava une grappe de raisin qu'elle se monta à l'étage, agacée d'être confrontée à la vue de la maison de Kenny chaque fois qu'elle tournait en haut de l'escalier. Entre la fenêtre au-dessus de l'évier de la cuisine et celle du grenier, cette maudite baraque était toujours dans son paysage!

Il faisait chaud dans la chambre. Cet après-midi, le thermomètre était monté à vingt-sept degrés. Elle mit un short en coton et redescendit chercher du raisin. Debout devant l'évier, elle remarqua que les pieds de tomate étaient tout flétris.

Zut, elle avait oublié d'arroser le jardin la veille.

Elle sortit et installa le dispositif — tuyau, enrouleur, etc. — à proximité du potager. Elle commençait juste à arroser quand la porte de la véranda de Kenny claqua. Elle le vit traverser son jardin. La voiture de Faith Oxbury était rangée devant son garage, la 300 de Tess devant celui de Mary. Il contourna les deux véhicules pour s'approcher d'elle.

— A titre d'information, lança-t-il alors qu'il se trouvait encore à une dizaine de pas d'elle, je n'ai rien à voir avec l'invitation du révérend Giddings! Simplement, je n'ai pas voulu le dire devant ta mère.

Elle lui jeta un coup d'œil. Planté à deux mètres d'elle, il affichait une expression renfrognée. Apparemment, il sortait de la douche; il avait troqué son costume de travail contre un polo blanc et un pantalon kaki.

Déroulant un peu plus de longueur de tuyau, elle s'éloigna de lui pour aller arroser les carottes.

— Donc, tu ne veux pas que je chante avec la chorale?

— Je n'ai pas dit ça. Seulement que ce n'est pas moi qui lui ai soufflé cette idée.

— Je te crois, dit-elle, refusant de le regarder à nouveau.

Il parut dérouté de n'avoir pas à se défendre davantage, et resta un instant désarmé avant de ronchonner :

— En tout cas, nous répétons le mardi. Si tu as l'intention de chanter avec nous, tu as intérêt à venir mardi prochain.

Tess coupa l'arrivée d'eau du tuyau, le jeta dans l'herbe.

— Ça commence à bien faire! s'exclama-t-elle.

Elle marcha sur son interlocuteur pour mieux l'affronter. Il avait le regard belliqueux, un regard brun, ourlé de cils épais qui étaient peut-être ce qu'il avait de mieux. Sa bouche n'aurait pas été mal s'il ne l'avait pas crispée autant. Et surtout, avait-il besoin d'afficher cet air supérieur, cette attitude dominatrice? Elle se campa face à lui, les poings sur les hanches.

— Tu me fais la tête depuis l'instant où tu es entré chez ma mère et où tu m'as vue. Tu as bien donné le change cet après-midi à l'hôpital devant le pasteur, mais nous savons tous les deux que tu fais un ulcère chaque fois que nous nous trouvons dans la même pièce! Alors as-tu envie que je chante avec ta chorale ou non? Moi ça ne me fait ni chaud ni froid, figure-toi! Je n'en ai pas besoin, espèce de rustre! Ce n'est pas mon église et ce n'est pas mon pasteur! Si tu n'as pas les tripes d'aller lui dire que tu ne veux pas que je chante, au moins aie l'honnêteté de me le dire à moi! Parce que je n'ai pas l'intention, sous prétexte de chanter dans une chorale qui ramassera du fric pour ta paroisse, de subir tes humeurs, tes sarcasmes et ton attitude humiliante.

— Ça te va bien de parler d'attitude humiliante, tiens! s'écria-t-il avec une colère égale à la sienne. La tienne remonte à 1976, tu as oublié?

— Ah, nous y voilà! C'est donc là le problème.

— Et comment! Tu le sais pertinemment!

— Tu parles bien de la façon dont je t'ai traité au lycée?

— Tu étais cruelle! Tu bafouais les sentiments des gens.

— Oh! Et mes sentiments à moi quand je suis revenue, il y a deux jours? A te voir, on aurait cru que j'avais commis un crime de lèse-majesté. Tu n'as même pas eu la politesse élémentaire de me dire bonjour!

— As-tu fait preuve de la moindre politesse élémentaire envers moi quand nous étions au lycée? Tu crois que je ne sais pas que tu as fait de moi la risée de ta petite bande de bêcheuses?

— Oh, Kenny, pour l'amour du ciel, grandis un peu! Ça remonte à dix-neuf ans. Les gens changent.

— Tu l'as dit! Tu as changé suffisamment pour venir pavoiser ici avec une bagnole à trente mille dollars...

— Quarante.

— ... ta plaque d'immatriculation ridicule et un tee-shirt où il y a écrit en gros «Boss». Franchement, madame... pardon : patron, vous m'avez impressionné!

— Je n'ai pas l'intention de t'impressionner! Cette voiture est à moi. Je l'ai payée avec l'argent que j'ai gagné. Pourquoi ne la conduirais-je pas? Et pour ton information, j'ai acheté mon sweat-shirt à un concert de Springsteen.

— Oh, toutes mes excuses ! Je dois m'être trompé aussi sur la façon dont tu te fichais de moi au lycée !

Tess réfléchit brièvement et rétorqua d'un ton plus calme :

— On peut dire que tu as la rancune tenace, Kenny.

— Tu la mérites, Tess, répliqua-t-il, plus calme lui aussi.

C'était la première fois qu'il l'appelait par son prénom, et non plus par ce «Mac» qu'il savait rendre sardonique à souhait.

— D'accord, tu as peut-être raison, mais pourquoi fallait-il que tu sois aussi ballot ?

— Tu vois ? Je t'ai bien dit que tu n'étais qu'une poseuse. Tu l'étais et tu l'es restée.

— Puis-je te rappeler la façon dont tu te coiffais ? Et comment tes lunettes pendouillaient au bout de ton nez ? Au fait, tu continues à saigner du nez ?

— Non. Tu continues à penser que tu es la meilleure chanteuse du Missouri ?

— Je sais que je le suis.

— Et tu continues à envoyer des lettres d'amour anonymes, aussi sottes que mensongères, aux types que tu crois amoureux de toi, juste pour voir leur embarras ?

— Je ne t'ai jamais envoyé de lettre d'amour !

— Et moi je n'ai jamais été amoureux de toi. Je te haïssais.

— Faux. Tu ne pouvais pas détacher tes yeux de moi.

— Tu croyais que tous les garçons n'avaient d'yeux que pour toi. Ils devaient loucher pour la plupart, rien d'autre.

— Oh, très amusant. Et ce voyage en car, quand tu étais en terminale et moi en première, quand tu as essayé de me prendre la main ?

— Tu fais complètement fausse route. J'avais parié avec des copains que j'arriverais à te peloter.

— Kenny Kronek ! Tu es répugnant !

— Nous sommes deux. Kenny Kronek et la fille qui

lui a volé son slip pour le lui renvoyer chez lui avec une marque de rouge à lèvres dessus. Juste pour l'embarrasser. C'est toi qui as fait ça, n'est-ce pas?

— Devine.

— Qui as-tu chargé du vol dans le vestiaire des garçons?

— Devine.

— Tu m'as mis dans un sacré pétrin. Le paquet est arrivé pendant que j'étais en cours et c'est ma mère qui l'a ouvert.

— Génial! s'exclama Tess, brandissant en l'air un poing victorieux. Ça, c'était bien trouvé!

— Pas de doute, tu étais bien la plus peste de tout le lycée.

— Et Cindy Gallamore? Elle était pire que moi.

— Pourquoi? Parce qu'elle a eu le rôle que tu convoitais dans la pièce de théâtre? Ça, on peut dire que ça t'a flanqué un coup, hein?

— Ensuite, elle n'a plus cessé de la ramener avec cette histoire. Jamais!

— Elle a bien fait. J'applaudissais.

— Ta gentille petite fille se doute-t-elle que tu dissimules en toi tant de méchanceté?

— Non, mais elle sait tout de la tienne. Je le lui ai dit.

— Vraiment?

— Elle connaît tous les sales tours que tu m'as joués. Et comment tu te moquais de moi, comment tu me tendais des pièges, bref comment tu t'arrangeais pour m'empoisonner l'existence chaque fois que c'était possible.

— Elle continue pourtant à m'admirer, n'est-ce pas?

— En effet. Alors penses-tu pouvoir traîner ton énorme ego jusqu'à l'église pour lui donner une vague raison de t'admirer?

— Si je le fais, as-tu l'intention de me traiter comme un cloporte ou seras-tu à peu près gentil?

— Je vais y réfléchir.

— Mmmm...

Ils se jaugèrent avec circonspection durant quelques secondes, mais l'atmosphère s'était indéniablement allégée, éclaircie. Soudain tous deux se rendirent compte que cette joute verbale ne leur avait pas déplu.

— Tu sais quoi? dit Tess, inclinant la tête sur le côté.

— Non. Quoi?

— Pour un ancien empoté de première, tu es devenu vif dans la repartie.

— Merci, Tess. Voilà la chose la plus aimable que tu m'aies dite depuis le temps où nous portions des barboteuses. Tu me vois infiniment soulagé d'apprendre que je suis parvenu à m'élever dans ton estime.

Ils ne se souriaient pas franchement, mais la tentation était forte. Vider les abcès d'autrefois leur avait fait un bien étonnant. Ils restaient face à face au bord du potager, l'arrosage oublié, se mesurant du regard quand, de l'autre côté de l'allée, la porte de la véranda s'ouvrit.

— Kenny? appela Faith. Tu es par là?

Il jeta un coup d'œil par-dessus son épaule puis revint à Tess. Celle-ci ramassa le tuyau d'arrosage, rouvrit l'arrivée d'eau et se mit à asperger la rhubarbe.

— Tu ferais mieux d'y aller, dit-elle avec un petit sourire narquois. Ton amie t'appelle.

Il tourna les talons. Depuis le seuil de la véranda, Faith les aperçut et agita gaiement la main. A l'évidence, son exubérance s'expliquait par la présence de la superstar de Nashville, qu'elle apercevait pour la première fois, plutôt que par la vue de l'homme dont elle était quasiment l'épouse.

Tess afficha le sourire publicitaire qu'elle réservait à son public et lui rendit son salut. Mais en regardant Kenny s'éloigner, elle ne put s'empêcher de s'interroger sur Faith et sur la nature exacte de cette longue relation de huit ans.

6

Lorsque Kenny arriva à la véranda, Faith tenait toujours la porte ouverte.

— Tu es parti longtemps, lui dit-elle. Je me demandais où tu étais passé.

— Je parlais avec Tess, expliqua-t-il en passant devant elle, les mains dans les poches.

— Je croyais que tu ne l'aimais pas.

— C'est vrai. Mais elle pensait que j'avais encouragé Giddings à lui demander de chanter avec la chorale. J'ai voulu mettre les choses au point.

— Oh.

Faith laissa la porte se refermer dans son dos. Kenny s'arrêta pour l'attendre et la découvrit songeuse, immobile ; elle l'observait. Faith se situait en tout dans une moyenne, que ce fût sa beauté, sa silhouette, son intelligence, son élégance, son tempérament. Elle offrait l'apparence un peu passe-partout, cohérente surtout, de ces femmes qui posent pour les catalogues de vêtements destinés aux retraitées. Elle avait trente-neuf ans, trois ans de plus que Kenny, et se teignait les cheveux d'un brun plus soutenu que son châtain naturel très légèrement grisonnant — il n'en voyait pas l'utilité. Son visage agréable ne présentait pas la moindre ride et exprimait très rarement la colère — il n'y avait pas de raison, ils s'entendaient très bien. Elle portait des robes de préférence, parfois des pantalons, mais jamais de jeans ni de shorts, et se conduisait toujours en dame. Un parfait exemple pour Casey, pensait-il, qui avait tendance à être un peu fofolle et garçon manqué.

Ce soir, Faith avait gardé le tailleur classique vert clair qu'elle avait mis pour travailler, avec un collier fantaisie de grosses perles autour du cou et des clips assortis aux oreilles. Depuis des années qu'il la connaissait, Kenny ne l'avait jamais vue avec des pendants d'oreille, et certainement rien d'aussi voyant que les bijoux indiens qu'arborait Tess McPhail.

— J'espérais un peu faire sa connaissance, dit-elle.

— Tess? rétorqua-t-il, surpris. Pourquoi?

— Eh bien, elle est célèbre. Je n'ai encore jamais rencontré quelqu'un de célèbre.

— Tu sais, Faith, elle ne te plairait pas plus qu'à moi. Elle est vantarde, fausse, et croit que tout le monde devrait tomber à ses pieds et murmurer une prière sur son passage.

— J'ai du mal à l'imaginer aussi déplaisante, avec une mère comme Mary.

— C'est pourtant le cas, crois-moi. Elle n'a pas changé d'un iota.

— Elle est quand même revenue pour s'occuper de sa mère, souligna Faith en le précédant dans la cuisine. Elle doit bien avoir un cœur.

Casey attendait son père dans la cuisine et lui sauta dessus dès qu'elle le vit.

— Papa, pourquoi n'ai-je pas le droit d'aller parler à Mac? Tu l'as bien fait, toi!

— Je ne veux plus que tu tournes autour d'elle à l'ennuyer.

— Je ne l'ai pas ennuyée. Elle te l'a bien dit à l'hôpital.

— Tu n'iras pas, c'est tout.

— Papa! scanda l'adolescente en tapant du pied.

— Non.

— Mais on écrit une chanson ensemble!

— Elle écrit une chanson, elle seule! Reste en dehors de ça.

110

— J'ai envie de hurler! s'exclama Casey en faisant semblant de s'arracher les cheveux. Dès que j'ai mon bac, je décampe d'ici tellement vite que ça laissera un grand vide! Et tu sais où j'irai? Tout droit à Nashville, voilà! Là, tu ne pourras plus m'empêcher de voir qui je veux!

— Bien. Quand tu auras ton bac, tu iras où ça te chante, dit tranquillement Kenny. Ce soir, tu restes à la maison.

Casey approcha le visage de celui de son père, pour lui déclarer d'un ton moins théâtral :

— Papa, tu n'es qu'un ringard!

— C'est à peu près ce qu'elle pense aussi, commenta-t-il avec un petit rire. Vous devriez bien vous amuser toutes les deux à comparer vos impressions sur ma personne quand tu seras à Nashville. Tu sens le cheval. Si tu montais prendre un bain?

— Hooo! enragea l'adolescente.

Et, tournant ses talons bottés, elle s'élança dans l'escalier. Une minute plus tard, elle grattait sa guitare aussi fort que possible, et entonna à pleins poumons une chanson qu'il ne connaissait pas. Apparemment, le bain ne coulait pas encore.

— Les ados... murmura-t-il en soupirant.

— Elle n'est pas si terrible, dit Faith en lui posant une main sur le bras. Mets-toi à sa place et tu comprendras sa déception : il y a une vedette de la chanson de l'autre côté de l'allée, qui l'a prise en amitié, et tu l'empêches d'aller la retrouver. Toi aussi tu serais furieux, je parie. Fais attention, Kenny, de ne pas la priver d'une opportunité qui pourrait s'avérer primordiale pour elle.

— Quelle opportunité? Tu crois que Tess a envie de l'avoir dans les jambes?

— Que t'a-t-elle dit à l'hôpital?

— D'accord, mais...

— Tu as tellement d'antipathie pour cette femme que ça risque d'influencer ta conduite envers Casey.

— Tu penses que je devrais la laisser aller là-bas?

— Peut-être. Assure-toi seulement que tu portes le

bon jugement. Allez, je monte voir si je peux apaiser la petite tornade.

Et Faith quitta la cuisine avec son flegme coutumier.

— Casey? appela-t-elle en frappant à la porte de l'adolescente. Je peux entrer?

— Comme tu veux, répliqua Casey.

Elle cessa de taper sur sa guitare. Faith entra et demeura le dos appuyé à la porte. La boîte de l'instrument capitonnée de velours rouge était ouverte par terre. Assise sur son bureau, boudeuse, Casey fixait son pouce plié sur le manche de la guitare.

— Tu sais quoi, Faith? J'ai traité papa de ringard, mais en réalité j'avais envie de lui dire qu'il était vraiment nul.

— C'est bien que tu t'en sois abstenue, dit Faith, imperturbable. Tu l'aurais blessé. Il n'est pas nul, tu le sais bien.

— Oui, je sais, admit piteusement Casey.

— Tu veux vraiment devenir chanteuse comme Tess McPhail, n'est-ce pas?

Casey cessa de fixer son pouce, laissa retomber sa main et leva la tête vers son interlocutrice.

— Tu trouves que je suis folle?

— Pas du tout. Je ne suis sans doute pas le meilleur juge, mais je pense que tu es assez douée.

— Papa ne le pense pas, lui, hein?

Faith s'avança dans la chambre et s'assit au bord du lit, les jambes croisées, le coude appuyé sur le genou.

— Ton père a peut-être un peu peur que tu réussisses. As-tu songé à ça?

— Pourquoi redouterait-il une chose pareille?

— Parce que ça t'éloignerait de lui. Parce qu'être un artiste à succès entraîne un genre de vie éprouvant. Parce que beaucoup de musiciens recourent à la drogue et mènent des existences déréglées et suicidaires — du moins, c'est ce qu'on dit. A toi de choisir.

— Mais il sait ce que la musique représente pour moi!

— Mmm, acquiesça tranquillement Faith. Et tu sais ce que tu représentes pour lui.

— Oui, reconnut Casey, plus calme. Il m'aime. Mais

je ne vais pas rester ici toute ma vie. Qu'est-ce que je fabriquerais dans ce bled?

— Je ne crois pas qu'il s'attende à ce que tu restes. Mais il doit s'adapter, s'habituer peu à peu à l'idée que tu vas finir tes études le mois prochain et que tu t'en iras, où que tu ailles.

— Je ne crois pas que Tess McPhail mène une vie déréglée et suicidaire. Au contraire, elle travaille très dur.

— Tu dois avoir raison.

Casey et Faith s'étaient toujours bien entendues. La placidité de Faith offrait un contrepoint idéal à la personnalité plus passionnée de Casey. Faith n'avait jamais réprouvé l'adolescente ni cherché à la faire changer. Dans la mesure où elle n'était pas mariée à Kenny, elle ne s'estimait pas le droit d'agir en parent; en donnant de la latitude à Casey, elle avait gagné sa confiance.

— Dis, Faith, je peux te demander quelque chose?

— Bien sûr.

— Quand je serai partie, tu penses que tu épouseras papa?

Faith ne changea pas d'attitude mais glissa l'ongle de son pouce sous celui de son majeur et considéra ses doigts.

— J'aimerais, répondit-elle enfin, levant les yeux vers l'adolescente. Mais je ne sais pas du tout.

— Vous êtes ensemble depuis tellement longtemps!

— Trop longtemps, peut-être. Nous sommes devenus tous les deux de plus en plus attachés à notre indépendance.

— Tu as peur. C'est ce que tu veux dire?

— Non, je n'emploierais pas ce mot. Je suis sage, plutôt.

— Est-ce parce que tu es catholique?

— Oh... peut-être.

— Mais vous vous voyez tous les jours, papa et toi. En quoi serait-ce différent si vous étiez mariés?

— Je sais que tu ne vas pas y comprendre grand-chose mais ton père et moi jouissons pour l'instant des avantages des deux situations. Nous profitons de la compagnie de l'autre et en même temps de notre indépendance. Je t'avoue que j'aime retrouver ma petite maison et n'être responsable que de moi-même.

— Sans doute parce que je remue beaucoup d'air et que je suis parfois insolente ! Tu es heureuse de ne plus m'avoir à proximité.

Faith eut un sourire affectueux.

— Pas au point que tu ne me manques pas après ton départ.

— Est-ce que papa t'a demandé... de l'épouser, je veux dire ?

Faith décroisa les jambes et appuya les mains sur le lit.

— Pas depuis longtemps.

— Ah...

Le silence s'installa dans la chambre. Casey observait Faith, s'efforçant de décrypter la nature de sa relation avec Kenny. Pour finir, elle rangea sa guitare, ferma le couvercle de la boîte et la dressa dans un angle contre sa bibliothèque. Elle ne comprenait pas pourquoi la réponse de Faith la rendait triste.

— Bon, conclut la jeune femme. Je crois que je vais redescendre. Tu te sens mieux ?

— Pas vraiment.

Faith s'approcha du siège de Casey, posa une main sur son épaule.

— Tu as un bon père, tu sais.

Les yeux au sol, Casey hocha la tête.

— Je te suggère de prendre un long bain paresseux, et de te vider la tête pendant un moment. Après, tout ça te paraîtra moins dramatique.

Casey acquiesça de nouveau.

— Veux-tu dîner avec nous ? invita nonchalamment Faith.

Voilà ce que Casey appréciait chez elle. Elle comprenait que, parfois, on ait envie de solitude.

— Non. Dînez sans moi.

— D'accord. Mais n'attends pas trop longtemps pour reparler à ton père. Plus tu laisseras traîner, plus ce sera difficile. D'accord ?

— OK. Et merci, Faith.

Faith et Kenny dînèrent donc en tête à tête ce soir-là. Dans la maison et non à la table de jardin. Après le repas, elle lui repassa quatre chemises et arrosa les plantes d'intérieur, qui dataient du temps de la mère de Kenny. Puis elle ajouta deux ou trois articles sur la liste des courses et sortit la poubelle. Quand elle s'apprêta à partir, il était huit heures et demie passées et la nuit tombait déjà. Kenny la raccompagna à sa voiture, garée dans l'allée, comme d'habitude. Ils marchèrent doucement, sans entrain, accompagnés par le chant des grillons et le frais parfum de la nuit printanière. Leur humeur restait sombre à cause de la querelle entre Kenny et sa fille. L'éclairage de la véranda projetait une lumière sourde sur la table de jardin et de longues ombres sur l'herbe humide.

Avant de monter en voiture, Faith se tourna vers son compagnon :

— A mon avis, tu devras de toute façon lui laisser faire ses propres expériences si elle tient à se lancer dans la musique.

Kenny soupira profondément, à la fois irrité et attristé.

— Pourquoi n'irait-elle pas en faculté ou dans une école de commerce ? Quelque chose qui lui servira toujours !

— Elle serait malheureuse en fac, sans compter qu'elle laisserait certainement tomber en cours de route.

Appuyé à la portière ouverte, Kenny fixait le bout de ses chaussures que la lumière venait vaguement effleurer.

— Une fois j'ai vu une interview de Henry Mancini, reprit Faith. Il disait que son père n'avait jamais tenu la musique pour une occupation sérieuse. Même alors qu'il avait sorti plusieurs tubes, et remporté les Victoires de la musique, son père continuait à se demander quand il se déciderait à apprendre un vrai métier. J'ai toujours trouvé ça triste.

Kenny se tut, se contenta de hocher doucement la tête.

— Bon, j'y vais, conclut Faith. Bonne nuit.

Elle l'embrassa sur la joue et il émit un sourd murmure comme s'il avait à peine eu conscience de son baiser.

— Bridge chez les Hollingsworth demain soir, lui rappela-t-elle en abaissant sa vitre alors que le moteur tournait déjà.

— Oui, je m'en souviens.

Tandis que la voiture s'éloignait dans l'allée, il resta planté au milieu du chemin, les mains dans les poches, pour la regarder partir, mais il avait l'esprit ailleurs et ce fut machinalement qu'il leva la main dans un geste d'adieu.

Lorsque les feux arrière eurent disparu, il demeura à la même place, à écouter les grillons. Il songeait à ce que Faith lui avait raconté au sujet de Henry Mancini. Pour la première fois, elle lui avait adressé un quasi-reproche. Cette bonne vieille Faith! Que deviendrait-il sans elle? Surtout après le départ de Casey...

Son regard alla se promener de l'autre côté de l'allée, vers la maison de Mary. Les lumières du rez-de-chaussée étaient éteintes, seule brillait la fenêtre du grenier. Il était bien tôt pour aller se coucher, surtout pour une femme pareille, pensa-t-il. Alors que le départ de Faith l'avait à peine touché, la proximité de Tess McPhail, à seulement quelques dizaines de mètres, provoqua en lui un émoi soudain, une subite réaction virile, un peu comme quand ils étaient au lycée et qu'il la guettait dans les couloirs où il avait une chance de l'apercevoir entre les cours. Tout en fixant la fenêtre éclairée sous le toit, il se remémora leur conversation dans le jardin, quelques heures plus tôt. Etait-il possible qu'elle eût encore cet effet sur lui après tant d'années? C'était franchement grotesque. Mais pourquoi? Comment?

Il était parvenu à se construire une vie heureuse, qui leur convenait, à Casey et lui. Il possédait exactement ce qu'il désirait : une petite affaire qui, en tournant rondement, lui permettait de s'offrir une existence confortable, un cercle d'amis de longue date, une compagne très proche en la personne de Faith. Au résultat, la vie paisible et sécurisante d'une petite ville. Mais voilà qu'*elle*

116

était revenue, et les choses se mettaient à changer. Non seulement elle avait encore le pouvoir de le séduire, mais elle séduisait Casey dans la foulée. Quoi que puisse dire Faith, il n'avait pas envie de voir sa fille fréquenter Tess McPhail. Casey était trop fascinée par le phénomène du vedettariat et trop impressionnable pour se laisser influencer, façonner par une femme pareille. Quant à lui, il était temps qu'il commence à se tenir comme un homme lié sentimentalement et qu'il devienne le genre d'homme que Faith méritait.

Quand il rentra, Casey se trouvait dans la cuisine, en train de se tartiner un toast de beurre de cacahuète et de confiture. Ses cheveux étaient encore mouillés et elle portait une nuisette exhibant le chat Garfield imprimé en couleur.

— Tiens, tu es là... dit Kenny en s'arrêtant sur le seuil. Tu as pris un bain.

— Mouais.

— Encore fâchée contre moi?

— Mouais. On a parlé, Faith et moi.

— Moi aussi, j'ai parlé avec elle, rétorqua Kenny, se risquant de deux pas en avant.

— De quoi?

— De toi.

Quand elle eut soigneusement léché son couteau, l'adolescente le reposa.

— Tu veux un morceau de tartine? J'en ai fait deux.

— Ça m'a l'air assez appétissant.

Elle lui tendit un toast et tous deux s'appuyèrent aux placards pour savourer ce dessert improvisé.

— De toute façon, nos disputes ne durent jamais très longtemps, tu es d'accord? aventura Casey tout en croquant trois miettes.

— En effet.

— Papa, si je vais à Nashville après le lycée, est-ce que je pourrai quand même garder Rowdy pour pouvoir le monter le week-end quand je reviendrai?

— C'est très coûteux d'avoir un cheval en pension. Et

puis à quel rythme penses-tu revenir? Il y a cinq heures de route.

— Mais est-ce que tu le monterais, toi, de temps en temps, pour que je ne sois pas obligée de me séparer de lui?

— Ce devrait être dans mes cordes.

Casey cessa de manger jusqu'à oublier le reste de son toast dans le creux de sa main. Son père sentit une tristesse presque palpable pointer en elle à mesure qu'elle envisageait tous les changements qui l'attendaient : se séparer de lui, vivre ailleurs, loin d'ici, quitter les gens, les lieux, les choses qui lui étaient familiers et précieux. Il se la rappela toute petite, et la tristesse l'envahit à son tour. Les souvenirs étaient vivants, comme si c'était hier... Il tendit le bras et elle vint se nicher contre lui, le front dans son cou.

— Oh, papa, c'est tellement dur de grandir!

— Dur d'être parent, aussi.

— Tu vas me manquer. Et qui s'occupera de toi?

— Faith sera toujours dans les parages.

— Alors tu l'épouseras?

— Oh, je ne sais pas. Peut-être, en fin de compte.

— C'est une réponse, ça?

Elle avait redressé la tête et dardait sur lui un regard perplexe, ayant déjà oublié qu'elle luttait contre les larmes quelques instants plus tôt.

— Tu n'as pas envie de te remarier?

— Je ne sais pas. Ma vie me convient comme elle est.

Songeuse, elle continua de l'observer.

— Je peux te poser une question, papa?

— Je te l'ai déjà refusé?

— Tu ne seras pas fâché? demanda-t-elle en enfournant sa dernière bouchée de toast.

— Je ne me fâche pas souvent. Pourquoi cette fois? répliqua-t-il, finissant lui aussi sa tartine.

— Bon. Alors voilà... reprit Casey en s'adossant de nouveau aux placards. Est-ce que Faith couche?

Kenny faillit s'étrangler avec sa bouchée de toast et toussa à deux reprises.

— Mais que signifie cette question?

— Je me demandais, c'est tout, parce que vous êtes tous les deux tellement... je ne sais pas... à l'aise, ensemble. Je veux dire que vous pourriez être mariés depuis cinquante ans. Donc il est naturel que je me pose la question.

— Casey, tu es impossible, maugréa Kenny, légèrement empourpré.

— Ça doit vouloir dire que tu ne veux pas me répondre, observa-t-elle en lui lançant un regard désapprobateur. Je suppose que c'est oui. Tout le monde y vient à un moment ou à un autre. Il n'y a pas de problème, tu sais. Tu peux me le dire, je ne serai pas choquée. Puis je te dirai si je l'ai déjà fait. Marché conclu?

— Casey Kronek!

— Quoi, tu ne te poses jamais la question? J'ai quand même dix-sept ans.

— Avec qui aurais-tu couché? Tu n'as jamais fréquenté aucun garçon un peu sérieusement!

— Mais si j'étais simplement curieuse? Si j'avais eu envie de savoir parce que toutes les autres filles en parlent?

— C'est ça? souffla Kenny en fronçant les sourcils.

Puis une pensée horrifiante le frappa :

— Tu n'es pas enceinte?

Elle éclata de rire.

— Oh, papa, tu devrais voir ta tête!

— Si tu trouves ça drôle, moi pas.

— Je te mettais juste à l'épreuve, histoire de voir à quel point tu serais choqué.

— Très choqué, si tu tiens à le savoir!

— Donc, tu t'imagines que je le serais aussi, si je découvrais que vous couchez ensemble, Faith et toi.

— Tu sais pertinemment qu'elle ne passe jamais la nuit à la maison, ni moi chez elle.

— Oh, à d'autres, papa. Même moi, je ne suis pas assez naïve pour penser que ça n'arrive que la nuit, sous les couvertures.

— Eh bien, je vais te répondre, mademoiselle Je-saistout. Ce qui se passe entre Faith et moi ne te regarde pas, et je serais déloyal d'en parler avec toi. Tu comprends?

— «Déloyal d'en parler avec moi»… Oh, qu'en termes galants ces choses-là sont dites! C'est toi qui devrais écrire des chansons avec Mac.

— As-tu besoin de la faire revenir dans la conversation?

— Pardon, j'avais oublié. Tu ne l'aimes pas parce qu'elle se moquait de toi au lycée.

— C'est plus que ça. Elle est restée poseuse.

— Non, pas vrai. Pas quand on la côtoie sans penser à elle en tant que star, mais simplement comme la fille qui a grandi dans la maison d'en face.

— Je n'ai pas envie de la côtoyer du tout. Moins je la vois, mieux je me porte.

— Tu crois quand même qu'elle viendra chanter avec la chorale?

— Je n'en sais rien. J'espère que non. J'étais atterré que le révérend Giddings le lui ai demandé. J'ai pensé qu'elle croirait que ça venait de moi.

— Je t'ai vu me regarder comme si j'étais à l'origine de manigances. Franchement, je n'y suis pour rien. N'empêche, ce ne serait pas super si elle venait? Super extra?

— Ouais… Super extra, grommela Kenny, sarcastique.

Un instant plus tard, Casey le laissait seul et quittait la pièce, songeant à son idole et rêvant de pouvoir chanter à la chorale avec elle.

Le lendemain, en sortant prendre sa voiture, Tess trouva un morceau de papier glissé sous l'essuie-glace. Une feuille de cahier à spirale et à petits carreaux, écrite au crayon.

«Mac, disait le message, j'ai un deuxième couplet qui pourrait marcher. Essayez-le.»

Ici rien n'a changé, ni maman ni la maison
Une baraque déglinguée qui va à l'abandon,

Sur le mur écaillé, la même vieille pendule,
Maman ne remplace rien, les vieilleries s'accumulent.
Maman est chouette,
Mais elle s'entête.

Debout dans l'allée, Tess lut plusieurs fois le couplet, se le chanta. Elle adorait! Il était beaucoup mieux que celui qu'elle-même avait écrit. Quelle surprise de découvrir quelque chose d'aussi bon sous la plume d'une gamine de dix-sept ans!

Tout en roulant vers l'hôpital, elle appela son producteur :

— Jack, je voudrais caser une nouvelle chanson dans l'album. Je suis en train de l'écrire. Elle n'est pas encore bouclée, mais c'est pour bientôt. Je bénéficie d'un coup de main d'une lycéenne qui vit dans la maison voisine, et tu ne vas pas me croire, Jack, mais c'est très bon, ce qu'elle écrit. Cette fille est douée.

— Une lycéenne! As-tu perdu la tête, Tess?

— Je suis emballée, Jack. Elle est capable d'écrire et elle a une voix.

— Tess! souffla le producteur avec une patience ostensible.

— Je sais, je sais, mais celle-ci est exceptionnelle. Elle est intelligente et elle a le talent qui va avec. Je veux l'encourager et voir ce qu'elle donne. Ce n'est jamais que pour un essai, Jack. Et si la chanson ne fonctionne pas aussi bien que je le crois, on utilisera ce que tu veux, puisé dans des enregistrements dont on ne s'est pas encore servi.

Jack soupira, en homme qui a perdu la bataille.

— D'accord, Tess. Elle a un titre, ta chanson?

— *La Fille d'à côté.*

— C'est une ballade?

— Oui, populaire et optimiste. Je continue à y travailler. Je te l'envoie dans la minute où elle est terminée.

— Tu m'adresses une maquette?

— Bien sûr, avec accompagnement au piano.

— OK, Mac, c'est toi l'artiste. Tu sais ce que tu fais.

121

— Pour la centième fois, Jack, ne dis pas ça, comme si j'étais la seule responsable de mes succès. Tu sais que tu m'es indispensable.

— D'accord, Mac, conclut le producteur en riant. Comment va ta mère ?

Mary se rétablissait à un rythme normal, à savoir, dans le cas d'une prothèse de hanche, lentement. Au troisième jour, on lui avait ôté le cathéter et, quand Tess arriva, Virginia, la kinésithérapeute, se trouvait dans la chambre, en train de faire effectuer à la patiente une série d'exercices destinés à accélérer la circulation sanguine. Couchée à plat dos sur son lit, Mary pliait les chevilles et faisait travailler ses muscles fessiers ainsi que ceux des cuisses. Mais quand on lui demanda d'utiliser une serviette de toilette comme une courroie afin de lever sa jambe convalescente, les choses devinrent plus difficiles. Un aide-soignant arriva pour l'aider à se mettre debout et à faire ses premiers pas avec le déambulateur. Ce fut toute une affaire ; d'abord Virginia lui indiqua comment sortir progressivement du lit sans plier la hanche à plus de quatre-vingt-dix degrés.

— Je sais, je sais. Je l'ai déjà fait.

— Pour commencer, vous allez juste essayer de tenir debout. Rien ne presse. Voilà, asseyez-vous à moitié, un peu en arrière, oui… ne basculez pas encore votre poids sur les pieds…

Le simple fait de soulever le buste donna le vertige à Mary. Elle ferma les yeux, se cramponna aux bras qui la soutenaient.

— Prenez votre temps, il n'y a pas d'urgence, répéta Virginia.

Au bout d'une minute, la patiente fit signe d'un hochement de tête que tout allait mieux, mais elle conservait les paupières closes, les narines dilatées.

— Soyez attentive, s'il vous plaît, reprit la kinésithérapeute, cette fois à l'adresse de Tess, parce que votre rôle consistera à l'encourager et à la soutenir. N'hésitez pas à lui rappeler d'aller lentement et d'être méthodique. Aujourd'hui, Mary, c'est nous qui faisons le plus gros du travail pour vous lever, mais, chez vous, vous vous soulèverez du lit à l'aide des deux mains. Vous allez rester bien à l'intérieur du déambulateur. Faites attention à ne pas avoir un pied en dehors ou trop en avant, parce qu'il peut basculer.

Mary hocha la tête. Quand on la mit debout, elle chancela.

— Vous sentez-vous nauséeuse?

— Je... Ça va, souffla-t-elle.

— Si vous avez la nausée, dites-le-nous.

Elle acquiesça de nouveau, aspira énergiquement par le nez.

— Je sais que vous l'avez déjà fait, mais juste un petit rappel... Les quatre pieds du déambulateur doivent être bien posés au sol avant que vous ne fassiez votre premier pas. Le déambulateur avance en premier, puis votre jambe endolorie, enfin votre bonne jambe. Vous êtes prête?

Mary rouvrit les yeux, fit signe que oui.

Tess était la pire des infirmières. Elle avait toujours aimé sa mère, mais se déplacer ainsi à côté d'elle pour ses premiers pas hésitants avec le déambulateur était pour elle une épreuve traumatisante. Elle retenait sa respiration, portait les yeux des articulations blanches et crispées des mains de Mary à son visage grimaçant, de son front moite au rideau de larmes que la patiente ne parvenait pas à retenir malgré sa volonté. Emprisonnée dans les épais bas couleur chair, ses jambes avaient l'air de poteaux. Tout paraissait étranger à la jeune femme, et elle se dit qu'elle ne trouverait jamais les mots justes. Qu'on lui donne un public de dix mille personnes à divertir, mais pas une mère qui souffrait...

— Tu t'en tires drôlement bien, maman, hasarda-t-elle au troisième pas. N'est-ce pas qu'elle s'en sort bien? ajouta-t-elle anxieusement à l'adresse de Virginia.

— Absolument. Rien ne presse, Mary. Prenez votre temps.

«Prends ton temps, prends ton temps», répéta Tess en silence. Elle aurait aimé être ailleurs, n'importe où sauf dans cette chambre d'hôpital.

— Portez tout votre poids sur le déambulateur et ne regardez pas vos pieds. Relevez la tête.

Mary fit six pas lors de cette première séance. Chacun fut laborieux, qui ravivait la souffrance endurée deux ans auparavant, une souffrance dont Tess était restée ignorante jusqu'à présent. Elle était stupéfaite du courage de sa mère, qui avait accepté de subir cette seconde opération en sachant ce qui l'attendait, et contrariée par sa propre pusillanimité.

Quand la patiente eut retrouvé son lit, il était difficile de dire qui, de la mère ou de la fille, était la plus soulagée. Tess plaça l'oreiller entre les jambes de la malade, la recouvrit du drap, rangea la serviette de toilette. Mary semblait tellement fourbue, si frêle... Elle chercha un sujet de distraction.

— Oh, je t'ai apporté ton courrier! annonça-t-elle en fouillant dans son grand sac gris. Je crois que tu as quelques cartes. Veux-tu que je te les lise?

— Dans une minute, murmura Mary, les yeux fermés, la respiration difficile.

Tess se sentit idiote d'avoir émis cette suggestion au mauvais moment. Elle n'aurait jamais dans ce rôle le naturel de ses sœurs. Se penchant vers Mary, elle lui essuya maladroitement le front avec sa paume, puis l'embrassa, et même ce baiser lui parut forcé.

— Bien sûr. Il y a bien le temps. Repose-toi un peu.

Mary hocha la tête sans ouvrir les yeux. La jeune femme n'eut plus qu'à s'asseoir dans un fauteuil et à la regarder, aspirant de nouveau à être ailleurs.

Renee arriva plus tard dans la matinée, accompagnée de sa fille, Rachel. Toutes deux semblaient savoir instinctivement ce qu'il fallait dire et faire.

— Comment ça va aujourd'hui, maman? s'enquit Renee en l'embrassant. T'ont-ils fait marcher?

— Un peu.

— Et c'était horrible, je sais. Mais cet après-midi ça ira

mieux, et demain encore mieux. Regarde qui je t'ai amené.

— Bonjour, grand-mère, dit Rachel en s'approchant.

— Rachel, ma chérie, murmura Mary avec un pâle sourire.

— Nous t'avons fait des gâteaux, maman et moi. Ceux que tu aimes, au chocolat et roulés dans le sucre glace.

Mary fit l'effort de s'égayer et se redresser un peu. Tandis que Renee ouvrait la boîte métallique contenant les biscuits, Rachel en profita pour saluer sa tante.

— Bonjour, Tess, je ne t'avais pas encore vue.

Elles s'étreignirent avec une certaine raideur : elles se connaissaient à peine.

— Salut, Rachel. Où en sont les préparatifs de mariage ?

— Ça se présente bien. Ne reste qu'à espérer la présence du soleil. Je suis heureuse que tu puisses y assister.

— Oh, Tess, regarde ces biscuits, dit Mary, déjà ragaillardie par les nouvelles visites et la vue des friandises. Il faut que tu en prennes un.

— Non merci, maman.

— Quel mal te ferait un petit gâteau de rien du tout ? demanda Mary, le regard fixé sur les merveilles.

— Tu sais qu'elle ne mange pas ce genre de choses, maman, intervint Renee — et Mary n'insista plus.

Au fil des jours de ce «retour au nid familial», Tess s'apercevait que ses sœurs avaient probablement raison : elle avait perdu le contact avec les siens. Elle aurait été incapable de dire que sa mère aimait le chocolat noir, ou à quel genre de biscuits allait sa préférence. Elle savait trop peu de choses de Rachel pour mener avec elle une conversation déliée. Après le baiser obligatoire, elles n'eurent pas grand-chose à se dire, alors que Renee et sa fille trouvaient amplement sujet à bavarder avec Mary.

Peu après leur arrivée, Faith Oxbury entra à son tour, vêtue d'une robe imprimée dans les tons pastel, rehaussée de quelques bijoux. Elle apportait un grand vase rempli d'iris.

— Coucou, tout le monde, lança-t-elle gaiement

depuis le seuil. C'est bien ici qu'il y a quelqu'un avec une hanche toute neuve?

— Faith! s'exclama-t-on en chœur. Bonjour!

Tess observa cette femme dont la voiture était presque tous les soirs garée de l'autre côté de l'allée.

— Chère Mary, comment allez-vous? Les infirmières m'ont dit que vous vous étiez levée et que vous aviez fait plusieurs pas.

Elle déposa le bouquet de fleurs, embrassa Mary puis prit ses mains dans les siennes.

— Je suis tellement contente que le pire soit derrière vous! Je ne saurais vous dire combien de fois j'ai pensé à vous avant-hier.

— Merci, Faith. Ça me touche beaucoup.

— Kenny vous envoie ses meilleurs vœux et m'a dit de vous embrasser bien fort. Les iris aussi viennent de lui. Je les ai cueillis dans son jardin.

— Ils sont magnifiques. Grand merci.

— Et j'ai aussi quelque chose de la part de Casey, qui vous fait dire qu'elle essaiera de venir ce soir après dîner. C'est elle qui l'a faite, précisa Faith en sortant une carte de son sac.

Mary lut à voix haute :

Certains êtres laissent un éclat,
Une poussière d'amour déposée çà et là,
Des sourires, de la joie, du bonheur en paquet!
Revenez vite pour nous en apporter.

Un murmure approbateur salua cette lecture et la carte passa de main en main. Quand Tess la reçut, elle lut le petit mot que Casey avait ajouté sous sa poésie : «Les hôpitaux sont plus agréables quand on en sort. Contente que ce soit pour bientôt. Vous me manquez! Affection, Casey.»

— Mary, reprit Faith quand Tess eut refermé la carte, je n'ai pas encore fait la connaissance de votre troisième fille, même si je lui ai fait signe du fond du jardin hier soir.

Elle vint à Tess et lui serra la main.

— Je suis Faith Oxbury.

— Bonjour, Faith, répondit la jeune femme avec une chaleur égale.

— Vous êtes aussi jolie que sur vos photos.

Faith possédait un rare alliage de sincérité et de simplicité généreuse qui suscita sur-le-champ la sympathie de Tess.

— Je vous remercie.

— Et gentille aussi, si j'en crois Casey.

— Merci encore, dit Tess.

— Casey vous croit capable de marcher sur l'eau. Depuis votre retour, nous n'entendons plus à la maison que «Mac», «Mac», «Mac». Elle déborde d'enthousiasme à votre sujet.

— J'en ignore la raison. Je n'ai pas fait grand-chose.

— Vous avez écouté et respecté son inclination pour la musique, cela suffit. Je crois que vous avez une disciple pour la vie.

— Elle vous a donc dit que nous écrivions une chanson ensemble?

— Si elle nous l'a dit! Elle ne parle plus que de cela! Depuis que vous êtes là, elle ne lâche plus sa guitare et ne cesse de chanter.

— Je ne savais pas qu'elle jouait de la guitare.

— Depuis qu'elle a dix ans et que ses mains sont devenues assez grandes.

— J'aimerais bien l'entendre un de ces jours.

C'était là une déclaration que Tess faisait rarement, et c'était avec sincérité qu'elle prononçait ces mots aujourd'hui. Souvent, des talents inconnus essayaient de parvenir jusqu'à elle, de jouer pour elle, mais la plupart du temps elle refusait. Dans le cas de Casey, au contraire, elle était presque demandeuse, pour des raisons qu'elle n'avait pas encore clairement définies.

— Il vous suffira de le lui faire savoir et elle sera à votre porte, répondit Faith. Cependant, son père craint qu'elle vous ennuie à venir trop souvent.

— Oh non, pas du tout. A ce propos, pouvez-vous lui dire que le deuxième couplet me plaît?

— Le deuxième couplet?

— Elle comprendra.

— Je transmettrai, assura Faith avec un sourire.

Il n'y avait rien chez elle qui ne soit aimable, songea Tess. Elle était franche, généreuse, bonne envers Mary, à l'évidence aussi chère à toute la famille que l'était Kenny, et exerçant visiblement une influence bénéfique sur Casey.

Tess fut néanmoins troublée de s'apercevoir qu'elle n'analysait pas Faith à la lumière de ces qualités mais bien plutôt en fonction de son statut de maîtresse de Kenny Kronek.

7

A sept heures ce soir-là, Kenny et Faith avaient la maison pour eux seuls et s'apprêtaient à se rendre à leur soirée de bridge hebdomadaire. Casey avait pris la vieille camionnette rouillée pour aller voir Mary à l'hôpital, et Faith avait fini de ranger la cuisine, où ils avaient rapidement dîné de sandwiches. Tout en se passant de la lotion sur les mains, elle traversa le salon en direction de l'unique chambre du rez-de-chaussée, dont elle se servait régulièrement pour se changer. Cette pièce avait été autrefois la chambre à coucher des parents de Kenny mais, après leur décès, celui-ci n'avait jamais voulu s'y installer à son tour.

— C'était leur chambre, disait-il toujours. C'est là que je me les rappelle tous les deux. Je suis aussi bien là-haut.

Sa mère était déjà veuve quand Stephanie, l'épouse de Kenny, avait soudainement déclaré qu'elle n'avait plus envie d'être mariée et qu'elle les quittait, Casey et lui, pour partir en voyage à Paris, qu'elle avait toujours souhaité connaître, et ensuite elle ne savait où. La vie dans cette petite ville où rien ne bougeait, caractérisée par la pauvreté culturelle, l'étouffait. Elle était désolée mais elle devait partir.

Sous le choc et en charge d'une fillette de sept ans, Kenny était tout naturellement revenu vivre chez sa mère ; Lucille s'était occupée d'eux jusqu'à l'attaque qui lui avait fait perdre l'usage de la main gauche. Alors les rôles s'étaient inversés et ils l'avaient soignée jusqu'à sa mort, deux ans auparavant. L'échange s'était avéré équitable et ils s'étaient parfaitement bien entendus.

Depuis sa disparition, la maison était à peu près restée la même. Pour y avoir vécu la majeure partie de sa vie, Kenny l'aimait telle qu'elle était, même s'il n'y avait qu'une seule salle de bains, au rez-de-chaussée, attenante à l'ancienne chambre de ses parents. C'était une salle de bains immense, tapissée d'un papier à petits bouquets jaunes, avec une grande baignoire à pieds griffus et beaucoup de place perdue. Faith jugeait la fenêtre assez particulière pour une salle d'eau — elle allait de la mi-hauteur du mur jusqu'au sol —, mais elle donnait sur un majestueux poirier ornemental et pouvait être obturée par un volet — l'intimité était donc préservée. Le lavabo était encastré à l'ancienne dans un genre de petite commode où Lucille avait toujours rangé le linge de toilette.

Faith sortait un gant du premier tiroir quand Kenny descendit l'escalier et vint se planter sur le seuil de la salle de bains. Il la regarda se laver le visage dans le reflet du miroir fixé au-dessus du lavabo. Elle portait un pantalon beige à plis, des chaussures basses de même couleur, un chemisier en rayonne blanc avec des boutons de nacre et un plastron plissé.

— J'espère que je n'aurai pas Midge Randolph pour partenaire ce soir, dit-elle. Elle joue de façon trop agressive.

Les pensées de Kenny allaient dans une autre direction.

— J'ai eu une conversation intéressante avec Casey hier soir, après ton départ.

— A quel sujet? s'enquit Faith, prenant un poudrier sur une étagère de verre.

— Pas mal de choses, en fait. Principalement, toi et moi.

— Quoi donc? interrogea-t-elle en se poudrant le visage.

— Elle se demandait si nous allions nous marier.

— J'ai eu à peu près la même conversation avec elle.

— Et alors? Allons-nous nous marier? questionna tranquillement Kenny.

— Je n'en sais rien, Kenny. A ton avis?

Il fit quelques pas nonchalants dans la pièce. Faith continuait à se maquiller.

— Nous n'en avons pas parlé depuis un moment.

— Je pensais que tu n'avais pas envie d'en parler.

— Eh bien... dit-il, et il laissa sa phrase en suspens.

— Eh bien... répéta Faith en écho, sur le même ton.

— Casey pense que nous devrions sauter le pas.

— Mmm... dit Faith, qui prit le temps de se mettre du rouge à lèvres avant de poursuivre : Je soupçonne Casey de se faire du souci pour ton bien-être. Elle aimerait te savoir lié à quelqu'un pour la vie quand elle ne sera plus là pour veiller sur toi.

— C'est assez vrai. Mais je lui ai dit que tu serais toujours là.

— Bien sûr, approuva Faith en lui souriant dans le miroir. Grand dieu, où pourrais-je être après tout ce temps ?

Après s'être un peu recoiffée, elle commença à ranger ses produits de maquillage dans une petite trousse.

— Rien n'a changé dans l'église catholique, reprit Kenny. Et je sais que c'est important pour toi de pouvoir communier.

— En effet. Je suis... disons... La situation me convient telle qu'elle est, si tu en es satisfait toi aussi.

— Ça me va, confirma Kenny.

Il regarda Faith lisser le devant de son chemisier, le réarranger correctement dans la ceinture de son pantalon.

— Casey m'a posé une autre question hier soir, dit-il.

— Laquelle ?

— Elle voulait savoir si tu « couchais ».

Faith fit volte-face et s'efforça de réprimer son éclat de rire. Sans grand succès.

— Bonté divine ! Que lui as-tu répondu ?

— « A l'occasion », lui ai-je dit.

— Je ne te crois pas.

— Tu as raison. Mais si mes souvenirs sont exacts, il t'arrive effectivement de « coucher » de temps en temps, n'est-ce pas ?

— Kenneth... protesta-t-elle en abaissant un regard de vierge effarouchée.

Il l'enlaça, elle passa les bras autour de ses épaules.

— Cela fait un moment, reprit-il, et nous sommes seuls dans la maison.

— Je viens de refaire mon maquillage.

— Nous avons vingt minutes avant de partir.

— Quinze, corrigea-t-elle après avoir consulté sa montre. Mais... bon... d'accord.

Ils montèrent dans la chambre de Kenny. Faith ôta son pantalon, sa culotte et les arrangea soigneusement sur un fauteuil. Kenny jeta son pantalon et son caleçon au sol.

— Si on se mettait juste au bord du lit?

Elle se disposa docilement là où il le suggérait, dans une position qui limiterait le désordre sur leurs personnes. Les pans de la chemise de Kenny leur faisant obstacle, elle les écarta. Mais quand son partenaire fit mine de vouloir l'inciter à l'orgasme, elle répondit :

— Nous n'avons pas le temps.

Obéissant à son tour, il renonça et poussa un râle sourd au moment où il atteignait la jouissance. Ce furent les seuls mots qu'ils échangèrent, mais ils se sourirent à la fin. Puis Kenny embrassa sa compagne, pour la première fois de la soirée.

— Dépêchons-nous, dit-elle. Laurie n'aime pas que nous commencions en retard.

Quand ils quittèrent la maison, Faith présentait une apparence aussi impeccable que lorsqu'elle partait travailler.

Ce même soir à neuf heures, Tess dînait de pain azyme tartiné de tomates aux fines herbes et de fromage de chèvre. Assise à la table de la cuisine, pieds nus, habillée d'un grand tee-shirt et coiffée d'une casquette de baseball, elle feuilletait un catalogue de vente par correspondance arrivé le jour même au courrier de sa mère. Posée sur le réfrigérateur, la radio diffusait *Thinkin about You* [1] chanté par Trisha Yearwood.

Devant la maison de Kenny, Casey gara sa vieille camionnette à sa place habituelle, dans la courbe de la rue, puis contourna l'habitation jusqu'à la véranda.

— Papa ? Tu es déjà rentré ? appela-t-elle.

N'obtenant pas de réponse, elle tourna les yeux de l'autre côté de l'allée. C'était une chaude soirée de printemps, pleine du chant des grillons et du parfum subtilement suave des arbres fruitiers qui fleurissaient dans tous les jardins. La cuisine chez Mary était allumée, la porte de derrière ouverte : l'invitation semblait trop franche pour que l'adolescente y résistât.

Le son de la radio lui parvint alors qu'elle gravissait les trois marches. Elle pressa le visage contre la moustiquaire, regarda sur sa droite.

— Salut, Mac. C'est moi, Casey !

— Oh, Casey ! Entre donc ! répondit aussitôt Tess.

— J'ai vu la lumière... expliqua la jeune fille en se montrant. Je reviens juste de voir votre mère.

— Comment va-t-elle ?

— Ils l'ont levée pour la faire marcher une fois pendant que j'étais là, grimaça Casey comme si elle avait encore Mary devant les yeux. Aïe.

— Je sais. Mais elle est solide. Assieds-toi. Veux-tu un peu de pain azyme ?

— Qu'est-ce que c'est ?

— Du pain sans levain. Sans graisse. Et sans tralala. Juste avec un peu de tomate, du fromage, un rien de basilic sur le dessus et tu as un repas tout prêt. Tiens, goûte.

Casey en prit un morceau, mordit dedans.

— C'est quoi, le machin blanc ?

— Du fromage de chèvre.

— Du fromage de chèvre ? répéta l'adolescente, cessant de mâcher et prête à se trouver mal.

— Tu n'en as jamais mangé ? interrogea Tess, se resservant une lamelle. C'est bon.

1. « En pensant à toi. » *(N.d.T.)*

133

— Pouah ! s'exclama Casey. C'est atrocement fort !

— Le monde est vaste, tu sais. Il existe beaucoup de goûts nouveaux, inconnus pour nous.

— Je m'en doute.

Malgré ses récriminations, elle décida de persévérer et essaya une deuxième bouchée. Après tout, si la grande Tess McPhail mangeait du fromage de chèvre, elle devait le faire aussi. Le basilic frais était pour elle aussi nouveau que délicieux et elle ne tarda pas à venir à bout de son morceau.

— Ce n'est pas si mauvais, quand on s'habitue. Je peux en avoir encore ?

— Bien sûr, vas-y. Je vais en préparer d'autre.

Tess s'exécuta puis sortit du réfrigérateur un Coca pour Casey.

— Ton deuxième couplet est bon. Je vais m'en servir.

— Sans blague ! dit Casey, abasourdie.

— Si, si. Il me plaît beaucoup. Je me demandais, puisque nous sommes samedi demain, si tu pourrais venir pour que nous continuions à travailler sur la chanson. Nous pourrions la terminer ensemble.

— Vraiment ? Avec moi ?

— Vraiment. Avec toi. Et, tu sais, quand elle sera publiée, tu toucheras des droits en tant que coauteur.

— Mac, vous êtes sérieuse ?

— Evidemment. J'ai téléphoné à mon producteur et je lui ai dit de garder une place dans le nouvel album. Plus vite nous l'aurons terminée, mieux ce sera.

Casey noua les mains au-dessus de sa tête et s'étira sur sa chaise, adressant au plafond un sourire de pure extase.

— Oh, la la. Mon père ne me croira pas. Personne ! Moi-même, je n'arrive pas à croire que vous fassiez ça pour moi !

— C'est à toi qu'en revient le mérite.

Casey poussa un cri de joie et lança ses pieds sur la chaise voisine. Son bonheur faisait plaisir à voir.

— Je dois aller m'occuper de mon cheval demain matin à la première heure, mais je viendrai tout de suite après.

— Parfait. Mais d'abord, mangeons.

La tomate et le fromage rutilaient sur la nouvelle tartine quand Tess la déposa sur la table.

— Il faut fêter notre association, déclara-t-elle. Nous voilà coauteurs.

Elle s'installa comme Casey, les pieds sur la même chaise.

— J'ai fait la connaissance de Faith aujourd'hui, annonça-t-elle tout en mangeant. Elle est charmante.

— C'est vrai. Faith et moi, on s'entend comme Ricky Skaggs avec sa guitare. Tu connais personnellement Ricky Skaggs ?

— Bien sûr. Nous avons joué ensemble à une fête il y a deux ans.

— Et Alan Jackson ? Tu l'as déjà rencontré ?

— Aussi. Tu as entendu parler de Freer, au Texas ?

— Non.

— Il y a un festival là-bas, chaque année. Je crois qu'Alan Jackson et moi allons nous y retrouver cette année.

Le temps de ce dîner improvisé, Tess fascina l'adolescente par les histoires de ses tournées et de ses concerts avec les plus grands noms de la variété. Quand il ne resta plus un seul morceau de pain azyme à la tomate et au fromage de chèvre, elles achevèrent de froisser leurs serviettes en papier. La radio passa alors un vieux succès de Travis Tritt et Marty Stuart, *The Whiskey Ain't Workin' Anymore*[1], qu'elles se mirent à brailler de concert, tels deux poivrots accoudés au comptoir.

Ce fut ainsi que Kenny les découvrit.

Il avait rangé sa voiture dans le garage peu après dix heures et, à peine dans son jardin, avait entendu leurs voix, identifiant immédiatement celle de Casey qui chantait à pleins poumons. Elle était encore là-bas ? Il se dirigea vers la cuisine illuminée et s'arrêta au pied des marches pour écouter.

Elles beuglaient à rendre sourd, l'une tapait du talon

---

1. « Le whisky ne fait plus son effet. » *(N.d.T.)*

quand Kenny gravit les marches. Jetant un coup d'œil à travers la moustiquaire, il aperçut sa fille de dos et Tess de face, mais à moitié cachée par les montants des portes. Casey était en jean et santiags ; Tess, autant qu'il puisse en juger, ne portait qu'un grand tee-shirt. Elles frappaient sur la table avec leur verre, et le lierre en pot de Mary tressautait en rythme.

La chanson achevée, elles hurlèrent et applaudirent comme dans le plus chaud des bastringues.

— Ma fille, déclara Tess, toi et moi, on va s'entendre comme larrons en foire !

Kenny choisit ce moment pour frapper.

— C'est une soirée privée ou bien on peut entrer ?

Tess se pencha en avant, Casey tourna sur sa chaise.

— Papa ! Qu'est-ce que tu fais là ?

— On vous entend à l'autre bout du pâté de maisons.

— Entre, Kenny, invita Tess dans un élan inhabituellement heureux et communicatif. Nous mangions du fromage de chèvre en faisant un peu travailler nos cordes vocales.

Il ouvrit la porte-moustiquaire, s'avança jusque sur le seuil de la cuisine. Tess avait une tache de tomate sur son tee-shirt et la table était encombrée de vaisselle sale. Apparemment, Casey était là depuis un moment.

— Ça fait plutôt tapage nocturne quand on est dehors. Qui mange du fromage de chèvre ?

— Moi ! déclara fièrement Casey. Et c'est drôlement bon !

— Tiens, assieds-toi, renchérit Tess en poussant une chaise vers lui du bout du pied. Tu vas goûter.

Il s'installa donc et continua d'observer les deux complices. Se rappelant qu'il avait ordonné à Casey de ne pas venir traîner ici, il se dit qu'un bon père serait immédiatement passé à la réprimande. Mais, bizarrement, il n'avait à ce moment-là aucune envie de se fâcher, plutôt de s'amuser.

— Devine quoi, papa, lança Casey. Mac aime bien la chanson que je l'ai aidée à écrire. Elle va l'enregistrer pour son prochain album, et il paraît que je toucherai des droits comme coauteur ! Ce n'est pas vrai, Mac ?

— Absolument exact.

— Ah oui ? interrogea Kenny en les regardant tour à tour.

— Si tu n'y vois pas d'inconvénient, évidemment, précisa Tess.

— Je suppose que je ferais mieux de m'abstenir d'émettre des objections...

— C'est bien mon avis.

Tess alla chercher un morceau de pain azyme et sortit un Coca frais qu'elle déposa devant Kenny.

— Merci, dit-il.

Il avait levé les yeux vers les siens et, tout naturellement, son regard la suivit. Son tee-shirt dévoilait ses jambes nues et la rondeur mutine de ses petits seins sans soutien-gorge. La tache de tomate semblait la ramener parmi le commun des mortels ; cette constatation suscita chez Kenny un sourire qu'il dissimula en buvant une gorgée de Coca. Voilà longtemps qu'il n'avait pas vu une femme agir avec autant de naturel alors qu'elle se promenait en petite tenue. En vérité, il ne savait même pas ce que Faith portait pour dormir, pour la bonne raison qu'il n'avait jamais passé une nuit avec elle. Une chose était sûre : il n'avait jamais vu sa maîtresse avec une casquette. Celle de Tess était rose. Pour une fois, elle ne portait pas ses pendants d'oreille tintinnabulants — tant mieux, il ne les appréciait pas trop. Elle était beaucoup mieux sans. Pour tout dire, il pensa qu'elle était un peu trop bien ce soir.

Le fromage de chèvre s'avéra pas mal non plus, même si la croûte était un peu trop ferme. Quand Tess se rassit, Kenny n'avait envie que de la contempler et il dut faire un effort pour accorder son attention à Casey qui continuait de parler :

— Mac et moi allons retravailler à la chanson demain. Tu es d'accord, papa ?

— Je pense que oui, répondit-il évasivement.

— On dit midi, Mac ?

— Midi, ça me paraît bien, approuva Tess, souriant

face à l'enthousiasme de l'adolescente. J'aurai le temps de rester auprès de maman le matin.

— Nom d'un... Je suis tellement excitée ! Elle n'est pas géniale, dis, papa ? J'ai du mal à croire que ça m'arrive, à moi ! Oh, il faut que j'aille aux toilettes. Je peux ?

Casey bondit sur ses pieds et fila sans attendre d'autorisation, laissant face à face les deux adultes qui feignirent de ne pas s'intéresser l'un à l'autre et entretinrent la conversation de la façon la plus neutre possible.

— Je te remercie de ce que tu fais pour elle, dit Kenny.

Elle écarta le sujet d'un geste de la main, comme si son concours était sans importance.

— Tu sais, je réfléchissais... dit-elle. Finalement, j'ai envie de chanter avec ta chorale. Es-tu certain que ça t'est égal ?

— Certain, affirma-t-il en dissimulant sa surprise.

Il avala une gorgée de Coca en observant la jeune femme par-dessus le rebord de la canette. Habituée à être regardée, elle sut demeurer immobile sous son examen et rencontra son regard sans ciller, en dépit des non-dits et de la tension sourde qui vibrait dans la pièce. Cette tension les ramenait à l'époque du lycée, avivée par cette quasi-inconvenance : le tête-à-tête d'une superstar de la country en petite tenue face à un homme qui avait été autrefois très amoureux d'elle.

— Répétition mardi, c'est bien cela ?

— Oui. A dix-neuf heures. Voudrais-tu chanter un solo ?

— A toi de décider. Je ne veux pas brimer les participants en leur volant leur succès.

— Aucun risque, ils ne sont pas suffisamment bons. Si tu veux un solo, je t'en trouverai un.

— C'est comme tu préfères.

Une publicité passa à la radio. Durant plusieurs secondes, Kenny garda les yeux rivés sur Tess, puis il s'éclaircit la gorge et se redressa pour croiser les bras sur la table.

— Il paraît que tu as rencontré Faith aujourd'hui.

— Oui. Elle est vraiment charmante.

— Elle dit la même chose de toi.

— Ne la crois pas, rétorqua Tess avec une grimace.

— Ne crains rien, dit-il, amusé lui aussi.

Le silence s'installa, chacun savourant cette sorte de défi qui semblait les lier et les opposer, et se demandant s'il en serait toujours ainsi. Rien ne serait jamais facile entre eux — cela, ils le savaient —, mais cette friction permanente épiçait leurs rencontres et faisait qu'ils continuaient de penser l'un à l'autre une fois séparés. Tess posa la main sur le catalogue de vente par correspondance et, de son pouce à l'ongle vert kaki, écorna machinalement les pages.

— Alors, qu'êtes-vous l'un pour l'autre, au juste? demanda-t-elle. Fiancés ou quoi?

— Non. Amis.

— Oh, amis, répéta-t-elle en hochant la tête, l'air songeur. Depuis... quoi? Huit ans? C'est ce que m'a dit Casey.

— Huit ans, oui.

— Maman me parle de Faith dans ses lettres, bien sûr.

— Bien sûr.

— Elle l'adore.

— Et Faith a aussi énormément d'affection pour Mary.

— Huit ans, c'est long.

— A quel point de vue?

— Je ne sais pas... Tout.

— Les amitiés durent longtemps dans les petites villes. Tu dois le savoir.

— Qu'est devenue la mère de Casey?

— Elle en a eu marre de nous et elle est partie à Paris.

— Marre de vous... comme ça, subitement?

— C'est ce qu'elle a dit.

— Dis donc. Un sale coup.

— Oui, un sale coup.

— Alors maintenant tu te méfies des femmes.

— Pourquoi dis-tu ça?

— Huit ans avec Faith et pas d'alliance.

— Par consentement mutuel.

— Ah...

Il désigna l'ongle vert kaki qui continuait d'effeuiller les pages du catalogue.

— Tu veux bien cesser? Ça m'agace.

— Oh... Excuse-moi.

Elle croisa les doigts, les cala sous son menton. Ses ongles soigneusement manucurés et vernis offraient un contraste frappant avec sa casquette à visière et ses cheveux arrangés à la diable. Le silence reprit ses droits.

— Le départ de sa mère a dû être très dur pour Casey, reprit Tess au bout d'un moment.

— Elle s'y est faite. Ma mère était en vie à l'époque, elle a suppléé.

— En tout cas, vous êtes très proches, Casey et toi. Je m'en rends compte.

— Je le crois aussi.

— Et elle aime énormément Faith. Elle me l'a dit.

— Dis donc, vous avez sacrément parlé, toutes les deux. Que t'a-t-elle dit sur moi?

— Que tu ne veux pas qu'elle suive mon chemin et devienne comme moi.

Kenny ne répondit rien, se contenta de la regarder, n'éprouvant le besoin ni de confirmer ni de nier, ce qu'elle apprécia.

— C'est compréhensible, reprit-elle. Cette vie-là ne laisse pas beaucoup de temps pour les relations personnelles.

— Tu veux dire que tu n'en as aucune?

— Tu me demandes si j'ai un ami?

— Tu m'as bien questionné sur Faith.

Elle réfléchit un peu avant de se décider.

— Eh bien, oui, j'en ai un.

— Tu vis avec lui ou vous vivez séparément?

— Séparément. Très séparément. Il est sur la route en ce moment, au Texas, et moi je suis ici.

— Mais quand vous êtes tous les deux à Nashville?

— Cela ne s'est produit que quatre fois depuis que nous nous connaissons.

Sourdement, instinctivement, ils s'efforçaient d'ériger des frontières, de tracer des lignes de démarcation. Tous deux auraient sans doute nié ce qui était en train de se produire, mais avant qu'ils aient eu le temps d'analyser leurs mobiles, Casey réapparut.

— Tu sais quoi, papa ? commença-t-elle, à peine franchi le seuil de la cuisine.

Son arrivée fut comme un léger électrochoc, qui les rendit à leur sens commun. Après cela, ils bavardèrent gaiement avec l'adolescente et celle-ci n'eut pas idée de ce dont ils avaient parlé durant son absence. Père et fille prirent congé un peu plus tard. Sur les marches, Casey étreignit Tess, comme elle savait le faire, dans un élan impulsif et juvénile.

— Merci, Mac. Grâce à toi, mes rêves deviennent réalité.

— C'est bien pour moi aussi, dit Tess.

Elle était sincère. Beaucoup parmi ceux qui recherchaient son amitié ne l'émouvaient guère ; d'autres se révélaient sur-le-champ des opportunistes qui espéraient l'utiliser à leurs fins. Casey était différente. Elle n'attendait ni ne réclamait de soutien pour sa future carrière, mais sa personnalité forte et attachante, alliée à son talent, rendait agréable et stimulant le fait de l'aider. Avec elle, Tess pouvait rire, brailler des chansons — et de tels amis étaient rares dans son existence. Elle se sentit encore plus proche de l'adolescente en lui souhaitant bonne nuit.

— A demain !

En la regardant s'éloigner avec son père, elle vit qu'ils se tenaient par la main. Le murmure de leurs voix résonnait dans la nuit, mais elle ne put saisir leurs paroles. Les ados ne devaient pas être nombreux à tenir encore la main de leurs parents. L'eût-elle fait, elle-même, à dix-sept ans ? Non, certainement pas. Mais les voir ainsi s'éloigner, complices et tendres, lui inspira comme un sentiment de renouveau.

— Tu as vu comme elle est gentille ? disait Casey à son père.

— Je dois admettre qu'elle est très gentille avec toi.

— Avec toi aussi, elle a été sympa.

— Tu sais... C'est juste que je ne voudrais pas que tu

te laisses entraîner par des rêves de gloire et que tu sois
déçue ensuite.

— Mais papa, ce n'est pas toi qui disais toujours que
je serais capable de faire n'importe quoi du moment que
je l'aurais décidé ?

— Je l'ai dit, en effet.

— Alors pourquoi n'es-tu pas très chaud pour que je
travaille un peu avec elle ? Parce que je vois bien qu'au
fond de toi, tu n'es pas vraiment d'accord. Même si tu
ne le dis pas.

Il soupira mais ne répondit pas.

— D'après Faith, tu as peur que si je décide vraiment
de me mettre à la musique, je réussisse et que ça
m'éloigne de toi.

— Faith a peut-être raison. C'est un mode de vie
angoissant.

— Oh, papa... murmura Casey dans un tendre
reproche.

Ils avaient atteint la véranda. Eteindre les lumières et
fermer la maison pour la nuit mit un terme à leur discussion. Bien que le débat restât ouvert, Kenny sentait
qu'il allait être de plus en plus impuissant à contrecar-
rer le charme contagieux que Tess McPhail exerçait sur
sa fille. Etrangement, elle commençait à produire sur lui
le même effet. Mais une chose était sûre : il ne suc-
comberait pas, car ce serait donner son approbation à
Tess aux yeux de Casey, et il préférait éviter cela. Puis
il lui fallait tenir compte de Faith, envers laquelle, marié
ou pas, il se sentait engagé. En outre, il devait se pré-
server lui-même. La convalescence de Mary terminée,
Tess retournerait à sa vie de star, et il était trop avisé
pour se mettre à nouveau en situation d'échec. Il était
certes amusant de discuter et d'échanger des piques avec
elle comme ils l'avaient fait ce soir mais — il pouvait
retourner le problème dans tous les sens — Tess
McPhail restait hors de sa portée, comme dix-neuf ans
auparavant.

A minuit et demi cette nuit-là, le téléphone se mit à sonner dans la cuisine de Mary. Tess s'éveilla en sursaut, étonnée de découvrir qu'elle avait déjà dormi une heure. Elle alluma sa lampe de chevet et se précipita dans l'escalier.

— Allô?
— Tess?
— Burt?
— J'ai enfin trouvé un moment pour t'appeler.
— Où es-tu?
— A Fort Worth. Au Billy Bob's. Les copains sont en train de remballer. J'étais censé les aider mais j'ai eu envie de te téléphoner d'abord.
— Tu as l'air fatigué.
— Je n'en peux plus de faire de la route. Tu sais ce que c'est. Comment ça va de ton côté? Comment s'est passée l'opération de ta mère?
— Bien, je crois. Elle est encore à l'hôpital.
— Quand rentre-t-elle?
— Après-demain, ou le jour suivant.
— Tu arrives à te débrouiller comme infirmière?
— Affreusement mal, j'en ai peur. Mes sœurs savent beaucoup mieux s'y prendre.

Burt eut un petit rire puis laissa passer un silence avant de dire ce qui lui importait :

— Je pensais à toi ce soir. On jouait *I Swear*[1] et les paroles m'ont rappelé la dernière fois que nous étions ensemble.

I Swear était une ballade romantique qui évoquait les amours qui durent toute une vie.

— Burt, ce que tu dis me touche.
— Je me demandais si je connaîtrais jamais quelque chose de pareil.
— C'est ce que tu souhaites?
— Je ne sais pas. Et toi?
— Non, je ne crois pas. C'est trop difficile quand on fait notre métier.

1. «Je jure.» *(N.d.T.)*

— Là, tu n'as pas tort.

— J'ai quand même parlé de toi à ma mère. Je lui ai montré ta photo sur mon tee-shirt.

— Qu'a-t-elle dit?

— Elle voulait savoir s'il y avait une chance que je t'épouse. Maman refuse de désespérer.

— Et si nous faisions ce plaisir à ta maman? Qu'en dis-tu?

— Bien sûr, tout de suite! répliqua Tess, parfaitement consciente qu'il plaisantait. Non, sois un peu sérieux, Burt.

— Oui, acquiesça-t-il avec un soupir de lassitude. En fait, j'avais juste besoin d'entendre une voix familière ce soir.

— Je comprends ce que tu ressens. J'ai vécu cela mille fois. Quelle est ta prochaine étape?

— Quelque part dans l'Oklahoma. J'ai même oublié le nom.

Quelqu'un s'approcha du téléphone et cria quelque chose à Burt.

— Oui, oui, j'arrive tout de suite! lança-t-il. Je dois y aller, Tess. Les gars déconnent. Veux-tu qu'on se voie la prochaine fois qu'on sera ensemble à Nashville?

— Bien sûr.

— Je t'emmènerai au Stockyard pour y déguster leur succulent steak cow-boy.

— Si je peux l'échanger contre un homard, ça marche. Surtout, ajouta-t-elle, n'hésite pas à m'appeler quand tu veux.

— Sans faute. Tu me manques.

— Toi aussi, tu me manques, Burt.

— Allez, ciao.

— Ciao.

Après avoir raccroché, Tess resta un moment dans la cuisine obscure, fixant la fenêtre d'un œil absent. Le fait de ne pas mener une vie «normale» lui inspirait un sentiment de solitude. Quelle belle histoire ils pouvaient vivre, Burt et elle... Séparés ce soir par des centaines de kilomètres, avec la perspective de se croiser à Nashville cinq ou six fois par an... Elle se servit un verre d'eau et, tout en le buvant, détailla les contours de la maison de Kenny, qui se détachait dans la nuit, éclairée de l'autre côté par un réverbère. Les fenêtres étaient noires, tout le monde dormait, sécurisé par le mode de vie qui avait été le sien autrefois. Demain Kenny se rendrait à son bureau, et sans doute dînerait-il avec Faith le soir, et peut-être après joueraient-ils aux cartes. Quelle que soit leur relation, ils avaient leur compagnie réciproque. Kenny avait aussi sa fille, et Tess comprenait sa crainte de la perdre au profit de cette existence incertaine où les liens affectifs étaient mis à rude épreuve par la séparation, le succès et parfois la richesse.

Elle soupira et remonta à sa chambre.

Une fois recouchée, elle pensa à Burt : il était en train de ranger ses instruments, puis il embarquerait dans un car où il essaierait de dormir pour avoir une nuit correcte, tandis que le chauffeur presserait l'accélérateur vers une ville quelconque de l'Oklahoma.

Elle pensa à Kenny, dans son lit douillet de l'autre côté de l'allée.

A Burt et à elle, les rares fois où ils s'étaient vus, s'efforçant de construire une relation en l'espace de quelques heures pressurées, tout en sachant qu'il fallait plus que deux jours de temps en temps pour forger quelque chose de fort.

Il y avait davantage de signification, de poids dans la brève soirée qu'elle avait vécue ce soir avec Casey et Kenny que dans les relations qu'elle avait parfois eu le temps de nouer au cours des dernières années.

Burt à nouveau... Les relations sexuelles étaient plutôt rares chez une star qui n'avait ni mari ni partenaire attitré. Tout le reste était soit dangereux soit nocif.

Oh, zut, pourquoi songer à cela ?

Parce que Burt avait téléphoné, bien sûr. Pourtant, quand elle se retourna sur le ventre afin de chercher le sommeil, ce ne fut pas l'image de Burt qui lui vint à l'esprit, mais celle de Kenny Kronek.

8

Tess et Casey terminèrent la chanson le samedi après-midi. Elles la chantèrent ensemble tant de fois qu'elles en possédèrent bientôt toutes les nuances, les points et contrepoints. Leurs caractéristiques vocales étaient totalement différentes — Tess avait un timbre sonore de soprano, Casey une voix d'alto plus rauque, mais l'alliance créait quelque chose de saisissant.

Lorsque Casey partit à cinq heures, Tess avait un enregistrement sur cassette de leurs deux voix. Elle téléphona à Jack.

— La chanson est bouclée. Je t'envoie la bande par exprès lundi, tu la recevras mardi. Quand tu l'écouteras, peux-tu prêter une attention particulière à la deuxième voix ? Tu me diras ce que tu en penses.

Après ce coup de fil, elle fit quelques pas sans but dans la cuisine ; elle se sentait désœuvrée. Un samedi soir, dans une petite ville, chacun avait ses projets. Casey sortait avec quelques camarades ; Renee et Jim dînaient avec des amis ; Judy... eh bien, Tess n'avait pas grande envie de voir Judy. Alors, que faire ? Tiens, elle nettoierait la maison puisque Mary rentrait le lendemain. Hélas, c'était une belle soirée de printemps et la perspective d'un grand ménage n'avait rien de réjouissant... N'importe où ailleurs, elle aurait chanté ce soir, en concert ou dans un club. Elle se prépara un sandwich de dinde fumée. Elle le mangeait debout près de l'évier quand elle vit Kenny et Faith sortir de la maison d'en face et se diriger vers la voiture de la jeune femme. Eux aussi, ils sortaient. Ils étaient sur leur trente et un, elle en robe rose, lui en veste et cravate. En le voyant ouvrir la portière passager pour sa compagne, Tess se rappela son père, autrefois, quand il avait cette prévenance pour sa mère. Kenny et Faith allaient probablement dîner quelque part. Quoi d'autre, un samedi soir? Et pourquoi le fait de les voir ensemble lui donnait-il l'impression d'être encore plus seule? Au moment où Kenny contournait le véhicule par l'arrière, elle se demanda s'il regarderait dans sa direction. Il n'en fit rien. Son trousseau de clefs à la main, il ne s'intéressait pas à Tess McPhail. Il s'installa au volant et la voiture s'éloigna.

D'où venait ce poids sur son cœur? La déception? Parce que Kenny Kronek n'avait pas cherché son visage derrière les carreaux? Elle se détourna. Qu'est-ce qui n'allait pas? Que lui arrivait-il? L'habitude d'être idolâtrée était-elle devenue si forte chez elle qu'elle éprouvait le besoin de faire la conquête de cet homme? Une deuxième fois?

Dans l'espoir de chasser de son esprit cette pensée déplaisante, elle se lança à corps perdu dans le ménage. Elle changea les draps du lit de sa mère, mit les anciens dans le lave-linge, nettoya la poussière, passa l'aspirateur, récura la salle de bains, enfin suivit à la lettre les instructions de la kinésithérapeute : faire disparaître tous les petits tapis dispersés au sol, s'assurer qu'aucun fil électrique ne traînait dans les passages, écarter tout ce qui risquait de faire obstacle au déambulateur ou aux pieds de la convalescente. Ensuite elle rassembla divers objets que Mary lui avait demandé d'exhumer, destinés à l'aider durant son rétablissement : un siège de baignoire, une brosse de toilette et un chausse-pied tous deux à manche long, un surélévateur pour la cuvette des toilettes. Elle remonta de la cave une étagère métallique roulante à trois niveaux, la nettoya et la chargea de quelques commodités que Mary aurait ainsi à portée de main quand elle serait dans un fauteuil ou au lit. La nuit était déjà tombée quand elle alluma la lanterne extérieure et sortit dans le jardin pour cueillir quelques tulipes et un peu de feuillage. Le bouquet qu'elle composa était épouvantable — Tess McPhail était habituée à recevoir des fleurs, pas à les offrir ni à les arranger. Elle fit disparaître l'affreux napperon en plastique jauni et gondolé dans la poubelle et disposa le bouquet à la place, sur une belle assiette à festons qu'elle dénicha dans le haut d'un placard.

Quand elle traversa la maison afin de se livrer à une ultime inspection de son travail, elle s'aperçut que cette activité inaccoutumée l'avait physiquement épuisée.

Quelque chose de rare et de merveilleux se produisit la nuit même. Tess s'était endormie sur le canapé en regardant les informations de vingt-deux heures à la télévision. Quand elle se réveilla, il faisait nuit noire, les grillons dehors égrenaient leur sérénade. Somnolente, elle tituba jusqu'à l'escalier puis à son lit où elle tomba d'un bloc pour dormir comme une bûche jusqu'à l'aube.

Elle s'éveilla très étonnée de ce qui lui arrivait.

Il était six heures dix et elle se sentait dans une forme fabuleuse ! Tellement qu'elle se leva sur-le-champ, se brossa les dents, se prépara du thé et sortit pour arroser le jardin.

C'était un moment du jour auquel elle assistait rarement. Elle s'immobilisa sur les marches et, resserrant la ceinture de son court kimono en satin vert jade, contempla l'explosion de couleurs qui marbraient le ciel à l'est. Quelle splendide aurore ! Les vibrants fuseaux jaune tournesol et rose orangé s'élançaient à la conquête des cieux plus pâles. Tess tendit le cou à la recherche de la lune, mais si l'astre nocturne était encore là, ce devait être de l'autre côté de la maison où elle ne pouvait l'apercevoir. Le chant des oiseaux éclatait d'insolence — colombes, moineaux et merles rivalisaient de virtuosité. La jeune femme demeura plusieurs minutes debout sur les marches, écoutant, s'imprégnant, goûtant profondément ce spectacle exceptionnel pour elle. Tout respirait la fraîcheur, la rosée avait éparpillé ses diamants sur l'herbe, les arbres étaient beaux. Elle essaya de fixer le cercle orange du soleil qui commençait d'apparaître au-dessus du toit du garage et du poirier dans le jardin de Kenny mais, au bout d'un moment, l'éblouissement l'obligea à fermer les yeux puis à quitter son poste d'observation.

Elle alla installer le dispositif d'arrosage tournant à peu près au milieu du potager mais, quand elle eut ouvert le robinet, il s'avéra que le jet privilégiait la pelouse aux dépens des légumes. Il lui fallut donc ruser pour le changer de place quand il ne risquait pas trop de l'éclabousser...

Enfin, campée en bordure du potager, elle suivait l'arrosage d'un œil critique quand elle entendit une porte se refermer doucement de l'autre côté de l'allée.

Elle se retourna.

Debout sur la première marche de sa véranda, une tasse de café à la main, Kenny la regardait. Il était vêtu comme le jour où elle avait emmené sa mère à l'hôpital, d'un pantalon de jogging gris et d'un tee-shirt blanc, mais cette fois il était pieds nus. A l'évidence, il sortait tout juste du lit ; même la distance d'un jardin à l'autre ne dissimulait pas ses cheveux aplatis par le séjour sur l'oreiller ni cette langueur des membres qui ne se dissipe pas tout de suite au réveil. Il but une longue gorgée de café. Il observait Tess avec une franchise déconcertante, sans feindre.

Finalement il abaissa sa tasse et leva la main dans un salut silencieux.

Elle le lui rendit et, simultanément, éprouva au fond d'elle un pincement particulier, comme un avertissement. « Pas saint Kenny, se dit-elle. Tu n'y penses pas. »

Mais la façon qu'il avait de la regarder la rendait consciente de ses jambes nues et du faible rempart que représentait le peu d'étoffe qui la couvrait.

Elle reporta son attention sur l'arroseur qui n'était toujours pas à la bonne place. Une fois de plus, elle dut courir entre les rangées de légumes en déjouant le jet tournant pour finir par le disposer où elle le souhaitait. Elle

avait déjà les pieds pleins de terre mouillée et des écla-
boussures de boue sur les jambes quand le jet imperti-
nent revint fort mal à propos pour lui arroser le dos. Elle
poussa un glapissement et crut bien entendre un éclat de
rire de l'autre côté de l'allée — mais peut-être n'était-ce
que l'effet de son imagination mâtinée d'un malaise à
l'idée de gambader en petite tenue, mouillée de surcroît,
sous l'œil de son observateur.

Revenue sur l'herbe, elle s'essuya les pieds, jeta un
coup d'œil vers le jet pour s'assurer qu'il couvrait enfin
la bonne surface et tourna franchement le dos à Kenny
pour regagner la maison. Elle sentait son regard qui la
suivait. En ouvrant la porte-moustiquaire, elle se
retourna : oui, il était encore là, dans la même posture,
ne cherchant toujours pas à dissimuler son intérêt. L'expression de son visage restait impénétrable. Il ne bougeait
pas ; il se contentait de la fixer et de faire battre un cœur
qui ne s'était pas affolé de la sorte depuis des années. Tess
se demanda stupidement si, certains samedis soir, la voiture de Faith demeurait garée dans l'allée jusqu'au
dimanche matin.

«Idiote, pensa-t-elle, ça ne te regarde pas.»

Mais quand elle rentra dans la maison, son cœur continuait de battre à tout rompre.

A dix heures moins vingt, elle remontait dans sa
chambre afin de s'habiller pour l'office dominical quand
elle vit Kenny et Casey sortir de chez eux. Ils se dirigè-
rent l'un derrière l'autre vers le garage, et subitement
Tess se rendit compte de ce qu'elle était en train de faire :
elle notait les allées et venues de ces gens comme n'importe quelle voisine fouineuse.

Elle assista donc au service de dix heures à l'église
méthodiste et entendit pour la première fois la chorale de
Kenny. Ils n'étaient pas mauvais, et elle repéra la voix de
Casey aussi distinctement que si l'adolescente avait
chanté seule. Elle dut résister pour ne pas tourner la tête

et lever les yeux vers la galerie où se tenait l'ensemble vocal.

Elle reconnut de nombreux visages et, dans cette matinée particulière, elle se sentit à sa place, heureuse de son retour au pays. Le révérend Giddings annonça en chaire qu'elle chanterait avec le chœur le dimanche suivant, ainsi tout un chacun sut-il qu'elle était présente, et une bonne douzaine de personnes dans son entourage immédiat lui adressèrent un sourire. Quand commença l'hymne qui marquait la fin de l'office, elle s'engagea avec tout le monde dans l'allée centrale ; les gens en profitèrent pour lui murmurer des compliments et lui exprimer leur plaisir de l'avoir un peu parmi eux. Certains lui touchèrent le bras, comme d'anciennes connaissances intimidées. Elle souriait et finit par lever les yeux vers la galerie. Kenny avait ôté sa veste et relevé ses manches de chemise pour diriger les chanteurs. Apercevant son idole, Casey agita discrètement la main pour lui dire bonjour.

Dehors, elle dut répondre à des salutations plus nourries et ostensibles : on vint la féliciter pour sa brillante carrière et lui demander si elle ferait une séance de signature d'autographes au cours de son séjour. Parmi ses interlocuteurs, elle en connaissait certains, d'autres pas. Beaucoup lui demandèrent des nouvelles de Mary et la chargèrent de lui transmettre leurs vœux de prompt rétablissement. Les familles de Judy et de Renee avaient assisté à l'office précédent, aussi Tess se trouvait-elle seule pour attendre Casey et Kenny.

Ils apparurent alors que le flot des fidèles commençait à se raréfier. Malgré elle, et bien qu'elle les aperçût tous les deux, Tess fixa les yeux sur Kenny. Il réajustait le col de sa veste et — mais peut-être se trompait-elle — cherchait à la repérer dans la foule. A l'instant où leurs regards se croisèrent, il s'immobilisa et laissa distraitement ses mains glisser sur les revers de sa veste. Il vint directement à elle, Casey sur ses talons.

— Alors, qu'en as-tu pensé ? s'enquit-il avec impatience.

— C'est un travail très honnête. Les morceaux m'ont beaucoup plu. J'ai hâte de répéter mardi.

— Salut, Mac, dit Casey en l'embrassant avec chaleur.

— Salut, ma belle.

— J'ai pensé toute la nuit à notre chanson.

— Jack m'appellera mardi, dès qu'il l'aura écoutée.

— Génial. Dis, deux de mes amies aimeraient faire ta connaissance. Ça ne te dérange pas?

— Non, fais-les venir.

Il s'agissait d'adolescentes qui chantaient également dans la chorale. Quand Tess leur eut accordé quelques minutes d'aimable bavardage, les trois jeunes filles s'éloignèrent, la laissant seule avec Kenny.

— Casey est emballée par la chanson que vous avez écrite, lui dit-il.

— Moi aussi.

Elle s'attendait qu'il exprime une opinion quelconque sur le fait qu'elle encourageait Casey, mais rien ne vint. Néanmoins, ce sujet de conversation semblant mener à l'impasse, il s'empressa d'en changer, peut-être pour garder la jeune femme captive quelques minutes de plus par cette belle matinée de dimanche, vibrante des souvenirs de l'aube qui hantaient encore leur mémoire.

— C'est donc aujourd'hui que tu ramènes Mary?

— J'ai déjà entassé les coussins sur le siège arrière de sa voiture.

— Je crois qu'elle est très impatiente de revenir chez elle.

— A dire vrai, moi aussi j'ai hâte qu'elle revienne. Je me sentais un peu seule à la maison hier soir.

Aucun ne fit allusion à leur rencontre muette du petit matin. Ils regardèrent les gens monter en voiture et s'en aller. Bien que conscients de n'avoir plus rien à se dire, ils s'attardaient pour le plaisir de s'attarder.

— Bon... reprit Tess en consultant sa montre. Je ferais bien de partir. Je peux aller chercher maman à partir de midi.

— Moi aussi, je vais essayer de mettre la main sur Casey. On a laissé un jarret cuire au four.

Il y avait un parking derrière l'église. Quand Tess s'y dirigea, il lui emboîta le pas, les mains dans les poches de son pantalon. Ils passèrent auprès d'un pommier sauvage en fleur, leur pas ralentit, tous deux goûtaient la caresse du soleil et le simple plaisir de cheminer côte à côte dans cette délicieuse journée printanière. Il l'accompagna jusqu'à la Ford de Mary ; à dix mètres de là, Casey et ses amies discutaient près d'un autre véhicule.

— A plus, Mac ! lança l'adolescente en agitant le bras.

Kenny ouvrit la portière de Tess comme elle l'avait vu faire la veille pour Faith. Il le fit sans précipitation aucune, en homme qui se montrait galant sans avoir besoin d'y réfléchir.

— Merci, lui dit Tess une fois installée au volant.

La journée était si chaude et l'air si immobile que les oiseaux avaient cessé de chanter. La chaleur irradiait sur le revêtement d'asphalte du parking et le vinyle du siège de la voiture. Tess chercha ses lunettes de soleil. Sans hâte. Les chaussa. Sans hâte.

Puis elle fit démarrer le moteur. Sans hâte. Abaissa sa vitre. Sans hâte.

De nouveau, elle leva les yeux vers Kenny mais ne trouva rien à lui dire. Leur courte marche de l'église jusqu'au parking lui avait semblé aussi naturelle que lorsqu'elle s'était glissée sur le banc d'église un moment plus tôt. A sa grande surprise, elle le quittait à contrecœur.

Il semblait éprouver la même chose.

— A plus tard, dit-il doucement en refermant la portière.

— Oui, à plus tard, répondit-elle.

Comme elle regardait dans son rétroviseur pour effectuer sa marche arrière, elle s'aperçut que les filles les observaient.

Elle pensa beaucoup trop à lui en roulant vers l'hôpital. A lui, à Casey, à Mary, et au fait que Mary les aimait tous les deux. A tout ce qui s'était passé depuis le début de son séjour, et à cette sorte de léthargie étrange qu'elle ressentait ce matin. Il était plus simple de croiser régulièrement Kenny que de l'éviter, et chaque fois, elle perdait un peu plus de ses préventions à son égard.

Parfois, ce n'était pas le hasard qui les mettait face à face. Comme ce matin, quand il l'avait observée en buvant son café. Et elle qui l'avait attendu à la sortie de l'église après l'office. Ce n'étaient pas des rencontres accidentelles, mais bel et bien volontaires.

Pour quel résultat?

Il faisait chaud comme dans un four dans la voiture de Mary. Evidemment, il n'y avait pas l'air conditionné et Tess se demanda une fois de plus ce que sa mère faisait de tout l'argent qu'elle lui envoyait. Pas de radio-cassette non plus, donc impossible d'écouter la bande de sa chanson avec Casey. Elle soupira et regretta de ne pouvoir rentrer à Nashville ce soir. C'eût probablement été préférable pour tout le monde, se dit-elle, y compris pour Kenny Kronek.

Elle trouva Mary habillée, apprêtée et impatiente de sortir.

— Bonjour, maman, dit-elle en l'embrassant sur la joue.

— Bonjour, ma chérie.

— Alors c'est le jour J?

— Enfin. Tu as garé la voiture juste en bas?

— Le plus près possible de la porte.

— Bon, eh bien... emmène-moi vite d'ici.

Une fille de salle vint apporter une petite table roulante.

— Pour les fleurs, expliqua-t-elle.

— Avant de les descendre, dit Mary à sa fille, veux-tu bien signer deux autographes pour des infirmières qui n'ont pas eu l'occasion de te voir? Je leur ai dit que ça ne te ferait rien.

En vérité, Tess avait hâte de quitter cet endroit. L'hôpital lui semblait un lieu encore plus lugubre par un bel après-midi de printemps. Elle apposa cependant son paraphe sur plusieurs feuilles de papier pour les quelques noms que lui communiqua Mary, après quoi elle chargea les fleurs sur le chariot. Elle fut surprise de découvrir des bouquets distincts de Kenny et de Casey, en plus de celui de Faith. Chaque jour elle constatait plus clairement à quel point leurs vies étaient liées à celle de sa mère.

Installer Mary sur la banquette arrière fut assez facile grâce à l'aide du personnel hospitalier. Quand elle fut bien calée contre les coussins, les vitres abaissées, elles prirent la route, la convalescente louant le temps magnifique et exprimant sa joie d'être sortie de l'hôpital.

— Kenny et Faith sont revenus me voir hier soir, dit-elle ensuite.

— Ah bon? Je les ai vus partir mais j'ai pensé qu'ils allaient dîner dehors.

— C'est ce qu'ils ont fait ensuite. Tu sais combien de fois Kenny est venu me voir? Quatre fois! Tu te rends compte? Dire que la plupart de mes petits-enfants n'ont même pas pris la peine de se déplacer une seule fois, et lui... Quatre visites, pas une de moins. Ce Kenny... Je te dis... Je ne sais pas ce que j'ai fait pour le mériter, mais il est comme le fils que je n'ai jamais eu. Je ne l'aimerais pas plus s'il était mon propre fils.

— Maman, puis-je te poser une question? demanda Tess alors qu'elles étaient arrêtées à un feu rouge. (Elle tenta de voir Mary dans le rétroviseur mais n'y parvint pas.) Quelle est sa relation avec Faith, exactement?

— Que veux-tu dire?

— Tu le sais très bien, maman. Sont-ils amants?

— En voilà une question!

— Allons, maman, on est en 1995. Les gens non mariés ont des amants et des maîtresses.

— Eh bien, je n'irai pas leur demander.

— Il ne s'agit pas de leur demander. Il te suffit de voir si la voiture de Faith est parfois là le matin.

— Je ne m'occupe pas de ce genre de chose.

— D'après Casey, ils sont amants.

— Casey ferait mieux de se taire! D'ailleurs, je ne les

imagine pas se donnant en spectacle devant elle. Mais pourquoi veux-tu le savoir?

— Simple curiosité.

— Oh, regarde! C'est bien un cornouiller, cet arbre à fleurs roses?

Et Tess comprit que sa mère n'avait aucune envie d'épiloguer sur la vie privée de son cher voisin.

Une surprise les attendait lorsqu'elles se garèrent dans l'allée. Renee et Jim sortirent de la maison pour les accueillir. C'était la première fois que Tess voyait son beau-frère depuis son retour; il l'écrasa chaleureusement entre ses bras.

Jim avait le sourire le plus taquin qu'elle eût jamais vu, les yeux pétillants et le crâne plutôt dégarni. Elle éprouvait pour lui une affection sincère et constante.

— Dis donc, s'exclama-t-il, tu m'as l'air en pleine forme, la môme!

Ces retrouvailles terminées, il se pencha vers Mary par la portière grande ouverte.

— Salut, chère belle-mère. Comment va? Un coup de main pour grimper les trois marches?

Tess sortit le déambulateur du coffre, après quoi tout le monde resta les bras ballants car Mary était censée manœuvrer seule pour s'extirper du véhicule — agripper le toit, se tracter progressivement... — et l'on devait se contenter de lui prodiguer des conseils. Ensuite, le trajet jusqu'à la maison parut durer une éternité. Poussant son déambulateur, la convalescente avançait à pas mesurés et précautionneux. Au moment où le petit groupe arrivait au pied des marches, Kenny sortit de chez lui et traversa les jardins en courant.

— Attendez-moi! Comme la dernière fois? dit-il à Jim dès qu'il les eut rejoints.

— Comme la dernière fois, d'accord, Mary? Je crois que nous sommes au point.

Chacun d'un côté de la malade, les deux hommes lui passèrent les bras autour de leurs épaules et la soulevèrent pour la porter dans la maison. Là, elle pria ses filles d'aller chercher son vieux fauteuil, celui qui avait l'assise haute. Et comme Tess et Renee lui demandaient si elle ne ferait pas mieux d'aller au lit se reposer un moment :

— J'ai été absente de ma cuisine assez longtemps, et n'est-ce pas une bonne odeur de café que je sens ? Rien ni personne ne pourra me consigner dans ma chambre quand mes enfants sont là !

Sur ce, elle se disposa toute seule dans le fauteuil et se prépara à faire salon.

Effectivement, Renee avait préparé du café. Elle annonça l'arrivée imminente de Judy et d'Ed. Deux minutes plus tard, le couple arrivait avec un gâteau au chocolat. Le bonjour d'Ed à Tess fut beaucoup moins jovial que celui de Jim. Réparateur d'appareils électroménagers, Ed était un homme réservé qui, généralement, obéissait aux ordres de sa femme et, par représailles, avait soin de lui compter le moindre penny qu'elle dépensait alors même qu'elle possédait son propre commerce. Dans la famille, on se racontait l'histoire du jour où il avait finalement accepté d'aller à Hawaii mais, une fois là-bas, avait refusé de payer la location d'une voiture, pour dire ensuite à qui voulait l'entendre qu'il n'aimait pas Maui parce qu'il n'y avait pas grand-chose à faire quand on ne savait pas nager...

— Comment vas-tu ? demanda-t-il à Tess après un baiser sec.

Après quoi il s'assit pour expliquer à Kenny combien de kilos de débris de cuivre il était parvenu à glaner dans son travail et combien lui rapportait chaque kilo.

Vingt minutes plus tard, les trois enfants de Judy et d'Ed arrivèrent à leur tour, suivis vers trois heures de Rachel et de Brent Hill, son futur époux, accompagnés du second enfant de Renee et de Jim : Balluchon. Son surnom lui avait été attribué à l'âge de trois ans un jour qu'il s'était fâché contre sa mère et avait déclaré qu'il quittait la maison. A quoi Renee lui avait obligeamment répondu : «Très bien, mon chéri, veux-tu que je t'aide à faire ton balluchon?» Elle l'avait bel et bien aidé à préparer un petit sac puis l'avait regardé descendre l'allée jusqu'au carrefour, et là faire demi-tour avec des larmes plein les yeux. Le surnom lui était resté.

Tandis qu'on servait le café et découpait le gâteau, l'histoire fut de nouveau racontée, et de nouveau on en rit beaucoup, ainsi que de quelques autres. Cousins et cousines échangèrent quelques mots sur leurs vies, les adultes firent de même. C'était la réunion familiale traditionnelle du dimanche après-midi dans une petite ville américaine, chez la grand-mère, et le plaisir qu'y prenait celle-ci ne put échapper à Tess. Quand quelqu'un fit remarquer qu'ils avaient envahi la maison, qu'ils la fatiguaient et qu'il serait temps de partir, Mary protesta fermement :

— Pas question !

Ils restèrent donc, et Kenny avec eux.

On ne circulait plus dans la cuisine et tout le monde n'avait pu se caser autour de la table. Kenny s'appuyait à l'évier, Tess contre l'embrasure de la porte. Si parfois leurs regards se croisaient par-dessus la tête des autres, ils prenaient garde de ne pas être surpris à se fixer trop longuement.

Les conversations s'entrecroisaient. Le quatrième pot de café fut posé sur la table. Quand le téléphone sonna, Kenny étant le plus près, il décrocha sans demander d'autorisation.

— Mary, c'est Enid Copley. Voulez-vous lui parler ?

— Je ne crois pas pouvoir arriver jusqu'à l'appareil, répondit-elle de l'autre côté de la table. Qu'est-ce qu'elle veut ?

Kenny posa la question à Enid et retransmit :

— Simplement savoir si vous êtes bien rentrée et comment vous vous portez.

— Dis-lui que ça va bien et que je l'appelle demain. Dis-lui que vous êtes tous là, mes enfants.

Quand il eut raccroché, il se resservit une tasse de café puis reprit sa place, appuyé à l'évier, les chevilles croisées. Cette fois, quand ses yeux trouvèrent ceux de Tess, ils ne s'enfuirent pas. Elle l'avait observé, vu se conduire avec autant d'aisance dans la maison que s'il avait été le fils ou le gendre. La constatation la frappa soudainement qu'il était parfaitement en accord, à sa place dans la famille — pas seulement dans la vie de Mary, mais pour tout le monde —, et cela avec l'aisance de celui qui n'a pas le souci de se faire accepter parce qu'il l'est déjà, totalement. Il les connaissait tous, depuis des années. Il les aimait tous et tous l'aimaient. «Dis-lui que vous êtes tous là, mes enfants», avait déclaré Mary, comme s'il était bel et bien la chair de sa chair.

Un peu plus tard, il posa sa tasse vide et se faufila entre les sièges en direction de la salle de bains. Campée sur le seuil du salon, Tess lui barrait le passage.

— Excuse-moi, dit-il tout près d'elle.

Elle s'écarta pour lui laisser la place. Lorsqu'il revint une minute après, il s'arrêta juste derrière elle et elle eut la très nette impression qu'il ne s'était rendu aux toilettes que pour se rapprocher d'elle le plus discrètement possible.

— Où est Casey cet après-midi? lui demanda-t-elle doucement en le regardant par-dessus son épaule.

C'étaient les premiers mots qu'elle lui adressait directement depuis qu'ils étaient dans la maison.

— Elle monte à cheval.

Comme tout le monde continuait à bavarder, leur échange passa inaperçu.

— Les chevaux et la musique, observa Tess. Ce sont ses deux passions.

— Tu as deviné.

Il lui raconta sa conversation avec Casey à propos de l'avenir de son cheval quand elle aurait quitté Wintergreen.

— Et toi, tu montes toujours? s'enquit-il.

— Je n'ai plus le temps. Beaucoup de gens possèdent des chevaux dans les environs de Nashville, mais pas moi. J'habite en ville.

— Ça te ferait peut-être plaisir de monter avec Casey un de ces jours, pendant que tu es là.

— Je croyais qu'elle n'avait qu'un cheval.

— Oui, mais il est en pension chez Dexter Hickey, et

Dexter en a plusieurs, qui ont toujours besoin d'exercice. Nous pouvons les monter quand nous voulons.

— C'est tentant. Peut-être quand maman sera un peu plus stable sur ses jambes. A propos de maman...

Elle se retourna franchement vers Kenny et s'appuya le dos au chambranle de la porte, les bras croisés.

— J'ai appris que tu étais retourné la voir hier soir.

— Eh bien... C'était sur notre route pour aller dîner.

Son regard exprimait une profonde et sincère modestie. Tess avait déjà remarqué qu'il minimisait toujours ce qu'il faisait pour Mary.

— Tu t'es quand même arrêté. Je crois que je ne t'ai jamais remercié correctement de tout ce que tu fais pour elle, ajouta-t-elle après un silence.

— Ce n'est pas nécessaire. Mary est une femme épatante.

— Faith est aussi extrêmement gentille avec elle.

— Oui... disons... Faith est quelqu'un de formidable.

Bien sûr, Faith était quelqu'un de formidable. Sinon, il ne se serait pas lié à elle. Tess le savait désormais.

— Où est-elle aujourd'hui ? ne put-elle s'empêcher de demander.

— Chez elle. Nous ne nous voyons pas le dimanche.

Ainsi les choses étaient dites. Le dimanche, Kenny faisait ce qu'il voulait. En accord mutuel avec Faith.

Soudain, la porte-moustiquaire s'ouvrit en grand et Casey déboula dans la cuisine, encore en tenue d'équitation.

— Salut, tout le monde ! Mais je manque la fête, moi ! Mary, vous êtes là ! Et il y a même un gâteau ! Miam ! C'est toi qui l'as fait, Judy ?

— Pouah ! s'exclama Renee. Tu empestes, fillette. Va ôter ces bottes !

Casey s'exécuta avec autant d'aisance que son père en montrait dans la maison. Après avoir déposé ses bottes sur les marches du perron, elle se servit une part de gâteau et, se promenant en chaussettes, la dégusta tout en parlant avec les petits-enfants McPhail.

— Hé, Mac! s'écria-t-elle à peine avalée la dernière bouchée, si nous leur chantions notre chanson?

— Quelle chanson? interrogea quelqu'un.

Quelques instants plus tard, tout le monde se retrouvait au salon, Mary couchée sur le canapé avec un oreiller entre les jambes, les autres assis sur les meubles ou par terre. La seule qui ne suivit pas le mouvement fut Judy, qui resta derrière Kenny sur le seuil de la cuisine, là où on ne remarquerait rien si elle négligeait d'applaudir.

Tess et Casey se partagèrent le tabouret de piano, tournant le dos à leur public improvisé. Quand elles chantèrent, tout le monde écouta. Et quand elles eurent fini, tout le monde applaudit. Sauf Judy. Elle était retournée dans la cuisine où elle lavait tasses et soucoupes. Kenny était resté une épaule appuyée au mur, les bras croisés, l'index sur la lèvre inférieure dans une attitude songeuse, mais avec dans les yeux l'expression d'un homme partagé entre la joie et la stupeur tandis qu'il regardait et écoutait Casey. Indiscutablement, il entendait que sa fille avait du talent. Mais cela la conduirait dans une voie qu'il désapprouvait, fervente disciple sur les talons de son idole — idole que lui-même approuvait de plus en plus.

Le morceau terminé, ce fut vers lui que se tourna immédiatement le regard de Tess, en quête de sa réaction. Elle entrevit dans son expression un avenir plus ou moins proche où tous les non-dits entre eux seraient exprimés et où il la blâmerait, à moins qu'il ne lui sache gré de son rôle. Il y avait autre chose entre eux : ce jeu du chat et de la souris auquel ils se livraient, à cause de l'attirance embarrassante qu'ils éprouvaient l'un pour l'autre, et puis les paroles de la chanson évoquant une femme qui revient sur ses certitudes, révise ses valeurs et celles des gens qu'elle aime.

Tout le monde se mit à parler à la fois, dans un brouhaha où la surprise se mêlait aux louanges.

— Waouh, c'est super! dit Balluchon à Casey. Tu vas la chanter avec elle?

— Je l'ai déjà fait, sur une cassette.

— Non, je veux dire en vrai.

— Non, elle a des musiciens en studio pour ça.

Kenny s'approcha de sa fille, posa une main tendre et approbatrice sur son épaule.

— C'est à ça que tu travaillais enfermée dans ta chambre quand tu étais en colère contre moi? Bientôt, c'est à la radio que je t'entendrai.

Il la serra dans ses bras. Mais, ensuite, pour parler à Tess, il attendit d'être hors de portée des oreilles indiscrètes.

— Une très bonne chanson, se contenta-t-il de dire.

Le compliment n'avait rien de démonstratif, mais ce n'était pas nécessaire car il sut gommer la blessure infligée par la flagrante jalousie de Judy.

Lorsque tout le monde s'en alla, tasses, soucoupes et petites assiettes étaient lavées et proprement rangées dans le placard. La table avait été nettoyée. En partant, Judy n'oublia pas d'emporter le dernier petit morceau de son gâteau au chocolat.

9

Quand tout le monde fut parti, Mary alla se reposer sur son lit. Tess en profita pour passer son courrier en revue. Chaque semaine, elle recevait au moins une dizaine de lettres d'associations qui lui demandaient des dons pour leur cause : bibliothèques publiques, refuges pour femmes battues, écoles et toutes sortes d'instituts de recherche médicale. La plupart organisant des ventes aux enchères annuelles afin de collecter des fonds, Tess leur envoyait un disque portant son autographe. Kelly lui avait expédié en une seule fournée tout le courrier de la semaine, accompagné d'une pile de CD à signer et d'un paquet de lettres dactylographiées adressées nominalement au représentant de chaque organisme. Quand elle eut terminé, elle rangea le tout dans une boîte d'expédition par exprès afin de le retourner à Kelly, qui, à son tour, se chargerait des divers envois.

Elle consacra également du temps à répondre à quelques lettres d'admirateurs. Bien qu'elle eût des fan-clubs dans la plupart des grandes villes des Etats-Unis, chacun avec un président à sa tête, ainsi qu'une personne dans ses bureaux à Nashville dont l'unique tâche était de coordonner les activités des clubs, certaines missives exigeaient une réponse personnelle. Des fans lui adressaient des cadeaux, d'autres lui demandaient des messages pour des parents atteints d'un cancer, ou victimes d'accidents, ou encore pour des gens dont l'histoire tragique lui était exposée dans tous ses détails déchirants ; alors on requérait de Tess un geste parce que «Elle est votre plus grande admiratrice, et un mot de vous lui ferait plus de bien que tout au monde».

Tess ne pouvait ignorer pareilles sollicitations, mais leur multiplication lui prenait toujours davantage de temps et elle en était parfois contrariée. Certes, elle reconnaissait qu'elle avait plus de chance que la majorité des individus. Elle était riche, en bonne santé, heureuse et gâtée sur bien des plans. Mais les demandes ne cessaient jamais.

Dans le courrier de la semaine, elle trouva la lettre d'une femme qui lui déclarait tout de go qu'elle n'avait pas les moyens de s'acheter des disques ; alors Tess voulait-elle lui envoyer ses deux derniers ? Une autre l'invitait à Coral Gables, en Floride, pour chanter dans une maison de retraite dont les pensionnaires adoraient ses chansons et désiraient la rencontrer ; douze autres correspondants voulaient savoir comment elle avait débuté ; deux lui demandaient le nom de son agent ; plusieurs auraient aimé savoir où se procurer ses albums précédents (avaient-ils jamais pensé à s'adresser aux marchands de disques ?). Une autre lui reprochait les paroles de sa chanson *Cattin*[1], parce qu'elles ne condamnaient pas la liberté sexuelle, ce qui était immoral. Un professeur de lettres de Bloomer, dans le Wisconsin, la réprimandait pour ses entorses aux règles de la versification.

Bien sûr, certaines personnes lui envoyaient des mots gentils, mais les lettres négatives ou hostiles laissaient une empreinte plus durable. Elle venait juste de récolter le zéro pointé du prof de lettres quand Mary se réveilla en geignant :

— Pourquoi ne m'as-tu pas appelée ? J'ai manqué le début de mon feuilleton. Je ne le loupe jamais.

— Tu ne m'as rien dit, maman. Je ne pouvais pas deviner.

Peut-être la jeune femme eût-elle été plus patiente si cela ne s'était pas produit à ce moment précis.

---

1. *To cat* signifie ici rechercher un partenaire sexuel. *(N.d.T.)*

— Et il faut dîner à six heures, je te rappelle, reprit Mary une fois installée sur le canapé devant la TV. Qu'as-tu prévu?

— Des escalopes de poulet avec du riz.

— Pas de pommes de terre?

— Non. Du riz, je viens de te le dire.

— Mais je fais toujours des pommes de terre avec le poulet.

— Ce poulet-là est différent. Je l'ai fait mariner et je vais le faire griller.

— C'est sec cuit de cette façon.

— Pas si on le cuit très longtemps.

— La grillade rend toujours la viande sèche. Je préfère comme je le fais moi, frit à la poêle.

— Maman, on ne fait pas frire du poulet mariné. On le grille, sur un gril, au barbecue, ou encore au four.

— Je n'ai pas de gril ni de barbecue. Et d'ailleurs, je n'ai jamais aimé le goût que donne le charbon de bois.

Tess soupira. Les tâches domestiques n'étant pas son fort, elle s'efforçait de faire de son mieux.

— Veux-tu que j'aille racheter une escalope que je te ferai frire à la poêle?

— Les magasins sont fermés le dimanche soir.

— Dans ce cas, je t'en fais décongeler une au micro-ondes.

— Mon Dieu, non. Je ne veux pas te causer de tracas supplémentaires.

— Mais tu viens de dire...

— Non et non. Je me contenterai de manger ma part comme tu l'auras préparée.

Mais quand Mary se mit à table, son expression n'affichait que dégoût.

Au cours du repas, Tess tenta de parler de la jalousie de Judy et de dire à sa mère combien cela la blessait; une fois de plus, Mary coupa court:

— Ne dis pas de bêtises. Judy n'est pas jalouse. Elle faisait la vaisselle pendant que tout le monde prenait du bon temps.

165

Ainsi en alla-t-il de tous les repas, toujours des récriminations à propos de ce que Tess choisissait de préparer, toujours des opinions divergentes quand elles essayaient de parler. Le napperon en plastique jauni réapparut au milieu de la table de la cuisine. Tess eut peine à croire que Mary soit allée le récupérer dans la poubelle, et pourtant il était bel et bien là, plus laid et gondolé que jamais.

Tess aimait sa mère, réellement, mais elle commençait à s'apercevoir qu'avec l'âge Mary devenait difficile et pinailleuse à tout propos. Elle tenait à avoir raison. Peut-être souffrait-elle de sa hanche, ou d'un manque d'intimité, et sans doute Tess n'était-elle pas la meilleure cuisinière au monde, mais zut, elle faisait des efforts.

A partir du lundi, une routine s'établit. Chaque jour, Tess aidait sa mère à faire ses exercices de rééducation. Chaque jour, elle arrosait le jardin et s'adonnait à toutes les corvées domestiques — lessive, ménage, courses —, aucune ne l'amusant particulièrement, et Mary trouvant chaque fois le moyen de lui adresser des reproches. Chaque jour, Kelly Mendoza envoyait un colis exprès qui requérait l'attention de Tess : des signatures, des décisions à prendre, des coups de fil à passer ou de simples lectures. Il lui devint difficile de trouver des moments pour composer au piano : le matin, elle vaquait aux occupations quotidiennes ; l'après-midi, Mary regardait des séries à la télévision ; elle enchaînait généralement avec le film ou l'émission du soir. Après quoi, quand elle était couchée, la jeune femme hésitait à jouer, de crainte de l'empêcher de dormir.

Jack Greaves téléphona le mardi.

— Ta nouvelle chanson va faire un tabac, et la fille à la voix de basse aussi. C'est la lycéenne dont tu m'as parlé ?

— Oui. Elle s'appelle Casey Kronek. Je pensais bien qu'elle te plairait.

— Qu'est-ce que tu nous mijotes, Tess?

— Je te le ferai savoir en temps utile.

La répétition de la chorale avait lieu le mardi soir à sept heures et demie. Une heure auparavant, Tess prit un bain, se lava les cheveux, s'aspergea d'eau de toilette Jean-Louis Scherrer, mit une jupe en jean, une chemise blanche et des boucles d'argent à ses oreilles. Tricia, qui avait été réquisitionnée pour veiller sur sa grand-mère, arriva au moment où elle mettait la dernière touche à son maquillage.

— Waouh, tante Tess, s'exclama l'adolescente depuis le seuil de la salle de bains, tu es sensationnelle!

— Merci.

— Et tu sens bon.

— Un nouveau parfum que j'ai découvert le mois dernier.

Tricia regarda sa tante se surligner les lèvres puis les colorer de rouge.

— Tu te fais bien belle pour une simple répétition de chorale.

Tess vérifia le résultat dans le miroir. C'était parfait.

— Il s'agit d'entretenir mon image, expliqua-t-elle. Les gens s'attendent à me voir de telle et telle façon quand je me montre en public.

Ce n'était pas du tout cela. Il s'agissait d'impressionner Kenny Kronek, même si Tess ne l'admettait pas en son for intérieur.

Elle sortit de la maison avec un quart d'heure d'avance et se trouvait au milieu du jardin quand Kenny quitta sa propre demeure pour rejoindre sa voiture. Ils se virent et tout de suite éprouvèrent cet élan mystérieux qui leur fit accélérer le pas, sans se quitter des yeux. Leurs deux véhicules étaient garés au-dehors en parallèle.

— Salut, lança Tess, désinvolte, en atteignant sa 300.

— Salut, répondit-il en arrivant près de sa Plymouth.

Elle se sentait hardie, un rien mutine, joueuse aussi.

— Je vais à une répétition de chorale. Et toi?

Kenny se mit tout de suite sur sa longueur d'onde et leva les yeux vers le ciel violacé.

— C'est la pleine lune. Je crois qu'en bon vampire qui se respecte je vais aller mordre quelques gorges.

— Tu es seul?

— Absolument, madame, dit-il en ouvrant sa portière.

— Et Casey?

— Déjà partie. Elle passe chercher ses camarades Brenda et Amy.

— C'est idiot de prendre deux voitures alors que nous allons au même endroit. Tu veux monter avec moi?

— Si tu m'y invites, acquiesça-t-il.

Il claqua sa portière et traversa l'allée.

— Tu ne me mordras pas la gorge, d'accord?

— J'y serai peut-être contraint, pour te voler ton auto.

— Monte.

Installé dans la voiture de sport, ils bouclèrent leurs ceintures et se calèrent au fond des sièges en cuir. Tess démarra, passa la marche arrière.

— Bon sang, elle est chouette, commenta Kenny. Et cette fois je suis sincère.

— Ce qui veut dire que tu ne l'étais pas, la dernière fois?

— On jouait tous les deux la comédie ce jour-là, non? Ta bagnole est incroyable, Tess.

— Merci.

Tandis que la voiture filait dans l'allée, il abaissa sa vitre et tendit l'oreille pour mieux entendre le bruit rauque du moteur.

— Ecoute ça. Comme un lion qui ronronne. Et du vrai cuir, nota-t-il en caressant le bord du siège.

— Absolument.

— Elle monte à combien?

— Je n'en sais rien. Je ne l'ai jamais poussée à fond. Je ne t'aurais pas pris pour un fou de vitesse, ajouta Tess en lui jetant un coup d'œil.

— Je ne le suis pas particulièrement, mais parfois il arrive qu'on soit pressé. Surtout un soir de pleine lune, précisa-t-il en lui rendant son regard. Cette fichue lune qui nous ferait faire n'importe quoi...

C'était un homme totalement différent ce soir, comme si lui aussi avait attendu ce tête-à-tête. Echanger des piques avec lui devenait encore plus facile.

— Dis, Kenny, tu sais quoi?

— Quoi?

— Il n'y a pas de pleine lune.

— Vraiment?

— Il n'y a pas de lune du tout. Elle n'est pas encore levée. Et, si je ne me trompe, quand elle apparaîtra ce ne sera qu'une demi-lune.

— Tu en es sûre? Alors ce doit être autre chose qui me travaille.

Tess lui lança un second regard, plus long que le premier. Il l'observait du coin de l'œil, l'air à moitié intéressé, détendu. Toute son attitude exprimait le badinage. Sa tenue vestimentaire était une surprise : un pantalon kaki et une chemise estivale à manches courtes, à l'imprimé aussi voyant que ridicule, représentant des lunettes de soleil, des poissons et des algues. Le tout en technicolor. Très branché et pas du tout le genre de chose qu'elle se serait attendue à lui voir porter. Il s'était rasé et sentait bon lui aussi. La brise qui entrait par la fenêtre ouverte répandait une fragrance boisée.

— Ta chemise est plutôt extravagante.

— Tu l'as dit, approuva-t-il avec suffisance.

Tess donna un vif coup de volant, juste pour le déstabiliser. Il vola sur la droite, rebondit contre la porte et sourit.

— Espèce de frimeuse, murmura-t-il.

— Je l'ai toujours été, non?

Cette fois, il la regarda franchement.

— Que sont devenus tes énormes pendants d'oreille?

— Ceux-ci sont moins tape-à-l'œil, donc mieux appropriés.

— Tu fais de gros progrès.

— C'est trop d'honneur, dit-elle d'un ton sarcastique.

169

— Tiens, ça me fait penser... J'ai lu quelque part que tu avais un humour caustique.

— Parce que tu lis des articles sur moi?

— Cela peut m'arriver.

— Tu me surprends.

— Pourquoi? Une ancienne copine d'école. Une fille du pays. La petite dernière de Mary.

— Le fléau de ta jeunesse.

— Aussi, oui.

Ils arrivèrent à l'église méthodiste, une bâtisse en brique rouge aux croisées à ogives, rehaussée d'un clocher blanc. Le crépuscule tombait quand ils poussèrent la lourde porte de bois pour pénétrer dans la pénombre du vestibule. L'escalier en colimaçon menant à la galerie se trouvait tout de suite sur la droite. Tess s'y engagea sans attendre son compagnon puis s'arrêta pour regarder la nef. En bas, Kenny alluma les lumières. Le bruit des interrupteurs résonna dans le silence, suivi de ses pas sur les marches. L'odeur du lieu était exactement la même qu'autrefois, un mélange de vieilles boiseries, de fumée de chandelles et de souvenirs. Dans cet endroit, vide comme il l'était ce soir, on était pris d'un grand sentiment de paix.

Kenny s'arrêta auprès de la jeune femme, regarda lui aussi les bancs, l'autel, les courbes familières de la voûte, les vitraux et les piliers latéraux. Même le tapis rouge sombre qui recouvrait l'allée centrale paraissait sans âge.

— Les églises ne changent jamais, dit-elle. On s'asseyait là-bas, continua-t-elle en pointant l'index. Je me rappelle les offices du dimanche quand papa était encore en vie.

— Je me souviens de ton père. Il m'appelait «fiston». Il me disait : «Voyons voir un peu si j'ai du courrier pour toi aujourd'hui, fiston», à l'époque où j'étais bien trop jeune pour en recevoir. Puis il me donnait les lettres pour ma mère, en me recommandant bien de ne pas les semer en route jusqu'à la maison. Un jour qu'il arrivait sur le trottoir avec son énorme sacoche en cuir, j'étais en train d'essayer de remettre ma chaîne de vélo. Il s'est arrêté, il a posé son gros sac et me l'a remise. Tu crois que les facteurs font encore ça aujourd'hui ?

— J'en doute, avoua Tess avec un sourire.

— Une autre fois, il brûlait des trucs dans le jardin et il déchirait un grand carton épais, dans lequel on transportait des bouteilles de liqueur. Il m'a donné les compartiments intérieurs pour que je puisse jouer à la poste avec eux. J'ai installé l'assemblage en carton sur les marches pour figurer les boîtes postales et je m'amusais à y glisser des cartes ou des enveloppes.

Ce fut un moment émouvant que d'évoquer le passé, dans un murmure, tandis que l'obscurité gagnait l'espace en contrebas. Tess éprouvait à présent une infinie nostalgie auprès de Kenny.

— Tu es toujours venu dans cette église ? demanda-t-elle.

— Oui.

— Je ne me rappelle pas. Je me souviens de toi dans de nombreux endroits mais pas ici.

— Nous étions là-bas, dit-il, désignant à son tour le banc familial.

La porte s'ouvrit en bas, on grimpa l'escalier, et un grand garçon roux dégingandé apparut.

— Salut, Josh, dit Kenny. Je te présente Tess McPhail.

Le visage de l'adolescent, parsemé de taches de rousseur, s'empourpra quand il serra la main de Tess et, très ému, il s'empressa d'aller soulever le couvercle du clavier de l'orgue. De son côté, Kenny grimpa sur le dernier gradin de la galerie pour y chercher les pupitres en métal noir.

— Josh est notre organiste. Il finit sa terminale et je ne sais pas qui nous accompagnera l'an prochain quand il ne sera plus là. Evidemment, j'espère que d'ici là Mme Atherton aura repris la direction, ou quelqu'un d'autre.

Tess monta sur un gradin inférieur pour l'aider à descendre les pupitres. Des voix résonnèrent en bas : les choristes commençaient à arriver.

Quand Casey apparut avec ses amies, Tess eut le grand plaisir de pouvoir lui communiquer la bonne nouvelle :

— J'ai eu Jack Greaves, mon producteur, au téléphone. La chanson lui plaît et il a décidé de l'inclure dans l'album.

— Tu es sérieuse ?

— Tout à fait. Tu vas devenir un parolier publié, de ceux qui touchent des droits d'auteur.

Au cri d'enthousiasme de Casey — peut-être un rien déplacé dans l'église — répondit celui de Tess, trop heureuse de lui donner cette joie. L'adolescente la serra dans ses bras et la remercia abondamment. Brenda et Amy partageaient leur excitation.

Les trente-trois chanteurs de la chorale furent bientôt là et Kenny se contenta d'une introduction très sobre :

— Vous avez tous reconnu Tess McPhail, vous savez qui elle est, alors soyez gentils avec elle et mettez-la à l'aise en ne lui demandant pas d'autographes ce soir. D'accord ?

Le rire détendit tout le monde et on se mit au travail. Pour les chauffer un peu, Kenny leur fit entonner *Holy, Holy, Holy,* et dès qu'il leva les bras il devint un autre homme : un chef, qui savait diriger avec entrain et expressivité. Son groupe l'appréciait, et il le lui rendait. Les chanteurs n'étaient pas des professionnels, simplement des gens qui prenaient plaisir à cette activité, et cela se voyait dans la façon dont ils lui répondaient.

Pour Tess, être dirigée par Kenny ne fut pas l'épreuve qu'elle avait redoutée, mais une expérience pleinement agréable ; mêler sa voix aux trente-trois autres la ramenait aux dimanches de son enfance. Elle figurait parmi les sopranos, à la droite de Kenny, Casey parmi les altos, sur la gauche, et quand parfois, en chantant, leurs regards se croisaient, Tess avait le sentiment que le destin ne l'avait pas ramenée à Wintergreen seulement pour s'occuper de Mary. Mais également pour y rencontrer Casey. Et Kenny, aussi ? Ciel, qu'était-elle en train d'inventer ? Il y avait exactement une semaine ce soir qu'elle était arrivée, ce n'était pas assez long pour nourrir de telles pensées.

Pourtant, chaque fois qu'elle se trouvait en présence de cet homme, elle découvrait une nouvelle facette de sa personnalité, et ce qu'elle entrevoyait lui plaisait. De plus en plus.

Il avait sélectionné les cantiques les plus connus pour l'ensemble du groupe et, pour le solo de Tess, *Fairest Lord Jesus*. Elle approuva ce choix de tout cœur, l'ensemble des chanteurs aussi. Le beau chant traditionnel couronna le travail collectif dans un sentiment d'allégresse qui demeura intact jusqu'à la fin de la répétition, quand il fut temps de se séparer. Une femme qui devait avoir l'âge de Mary fut l'une des dernières à partir.

— Vous ne vous souvenez certainement pas de moi, dit-elle à Tess. Je suis Clara Ottinger. Je connais votre mère depuis toujours. Je me souviens de vous quand vous n'étiez pas plus haute que ça, et que vous chantiez déjà sur les marches de votre maison pour les gens qui passaient en auto. J'avais dit, à l'époque : «Cette petite, elle se fera un nom», et vous n'y avez pas manqué. Tant mieux pour vous, ma petite chérie, ajouta-t-elle en pressant le bras de la jeune femme. Sachez que nous sommes fiers de vous avoir parmi nous.

Tout le monde était parti. Il était neuf heures dix et la porte du vestibule résonna en se fermant derrière Mme Ottinger. Sur la galerie, Kenny ramassa un mouchoir en papier tombé à terre et le posa sur l'orgue. En se retournant, il croisa le regard de Tess, dont il était séparé par un désordre de chaises et de pupitres. Etrangement, ils devenaient de plus en plus à l'aise dans leurs silences ce soir.

— Ils t'aiment beaucoup, dit Kenny.

— Toi aussi, ils t'aiment beaucoup.

L'église était plongée dans une obscurité de caverne. Seules deux lampes médiocres suspendues à des chaînes éclairaient la galerie, projetant sur le parquet une lueur dorée mais refoulant dans l'ombre les yeux de Tess et de Kenny. Cette lumière particulière, ce silence contribuaient à créer autour d'eux une intimité certaine. Comme le dimanche matin à l'aurore, ils eurent tous deux pleinement conscience du bouleversement que déclenchait en eux leur familiarité croissante.

Kenny entreprit de ranger les sièges et les pupitres du premier rang, Tess l'imita au dernier. Ils se retrouvèrent à mi-chemin, le travail terminé.

— Merci, dit-il.

— Je t'en prie.

Ils demeurèrent face à face, cernés par le silence, captivés l'un par l'autre mais luttant contre leur attirance. Puis Kenny redescendit vers l'orgue, s'assit sur le banc, éteignit la petite lampe que Josh avait oubliée et ramassa ses partitions.

— Kenny, il faut que je te parle, déclara Tess derrière lui.

— Vas-y, dit-il en glissant les livrets dans une serviette.

— C'est à propos de Casey.

— Eh bien?

— Je peux? demanda-t-elle en désignant la banquette.

— Bien sûr.

Il lui fit de la place et elle se glissa à côté de lui. Croisant les mains sur ses cuisses, elle s'octroya un temps de réflexion, consciente que ce qu'elle s'apprêtait à dire aurait un impact majeur sur la vie de Kenny aussi bien que sur celle de sa fille.

— Je veux emmener Casey à Nashville pour qu'elle chante *La Fille d'à côté* avec moi.

Kenny ne bougea pas d'un cil, mais il la regardait droit dans les yeux, comme s'il s'accordait le temps de s'adapter à ce qu'elle venait de dire.

— Je m'y attendais.

— Je n'en aurais pas parlé à Casey avant de te le demander.

— Zut, murmura-t-il un moment après, en détournant les yeux.

— Tu mesures ce qui est en jeu... Un enregistrement sous le label d'une des maisons de disques les plus importantes.

— Oui, je comprends.

— C'est ce qu'elle désire, et elle a suffisamment de talent.

— Je sais. Je m'en suis rendu compte dimanche après-midi.

— J'ai expédié la maquette de la chanson à mon producteur, et ce qu'il a entendu lui a beaucoup plu.

Elle attendit mais Kenny ne répliqua pas, ni ne la regarda, ni n'acquiesça à ce qu'elle venait d'ajouter. Il fixait l'orgue droit devant lui, le bois du pupitre vide.

— Ecoute, reprit Tess, je sais ce que tu penses de moi et...

— C'était autrefois, Tess, tu le sais bien, coupa-t-il.

— D'accord. Je corrige : ce que tu pensais de moi, mais sache que je ne permettrais pas qu'il lui arrive quelque chose de mal. Je serais auprès d'elle. Je veillerais sur elle, pour que personne ne profite d'elle.

— C'est vrai, et j'apprécie. Mais que sera sa vie?

— Tu penses que ma vie est si moche que ça?

— Elle est hors norme... Pas de foyer à proprement parler, la moitié du temps en voyage, pas de mari, pas d'enfants.

— Ça vaut la peine quand on fait ce qu'on aime.

— Mais ce n'est pas ce que je souhaite pour elle! s'exclama-t-il dans un accès de colère impuissante.

— Le choix ne t'appartient pas, Kenny, lui rappela doucement Tess.

Il lui lança un regard tourmenté puis ses épaules s'affaissèrent devant l'évidence.

— Je sais, reconnut-il.

Bien qu'elle comprît son déchirement, la jeune femme éprouva le besoin de plaider la cause de Casey :

— Elle aurait l'occasion de rencontrer des musiciens de studio, peut-être de chanter dans d'autres enregistrements, si ce n'est pas plus. Nashville est une petite ville. La nouvelle se répandra vite qu'elle est ma protégée. Elle aura des occasions. Je veux lui donner cette chance, Kenny.

Elle se tut. Il laissa passer un moment avant de répondre d'une voix sourde, comme s'il réfléchissait tout haut, en regardant l'ongle de son pouce qui jouait sur la toile de son pantalon.

— C'est difficile. Casey est mon unique enfant, et dans ce cas-là on s'imagine avec des petits-enfants, une maison où on pourra aller les voir quand on sera vieux... Et puis on se rend compte que ce sont des pensées égoïstes, qu'on ne doit pas compter sur les autres pour être heureux. Mais quand même, c'est... C'est dur de renoncer à ces rêves-là.

— Bien sûr, acquiesça Tess.

Elle posa la main sur son bras nu. Kenny la recouvrit de la sienne, la caressa, joua machinalement avec l'énorme bague indienne en argent et turquoise qu'elle portait à l'annulaire, au lieu d'une alliance.

Prenant conscience de son geste, il retira sa main ; Tess fit de même.

— Quand devrait-elle partir ? interrogea-t-il.

— Dès la fin de l'année scolaire. La sortie de l'album est prévue pour septembre. Ils en ont déjà extrait un single. Il faudrait enregistrer la chanson en juin pour laisser le temps du mixage, de la fabrication et de la distribution.

— Combien de temps devrait-elle rester ?

— Tout dépend d'elle. On peut enregistrer une chanson en une seule séance. Parfois deux. C'est très variable. En tout cas, si elle vient, elle pourra habiter chez moi, en attendant de se trouver un logement à elle.

Kenny la fixait, songeur.

— Je connais beaucoup de gens à Nashville, reprit-elle pour le rassurer. Dans les stations de radio et à l'Opry, partout. Elle n'aura pas de problème pour trouver un job. Tu connais l'histoire... De grandes stars ont débuté comme placeurs à l'Opry. Kris Kristofferson, par exemple.

Il ne semblait toujours pas convaincu.

— Oh, Kenny...

Elle le toucha de nouveau mais se ravisa aussitôt.

— Si ce n'avait pas été avec moi, ç'aurait probable-

176

ment été sans moi. N'est-il pas préférable que je sois là pour veiller sur elle ?

Il crispa les mains sur le bord de la banquette, voûta le dos. Elle avait l'impression de lire dans ses pensées.

— Je parie que tu te dis : « Pourquoi a-t-il fallu que Tess McPhail revienne chez sa mère ? »

— Oui, c'est exactement ça.

Leurs regards se rencontrèrent et ils restèrent côte à côte, conscients que Kenny avait plus d'une raison de se faire cette réflexion. Finalement, il redressa les épaules et se leva.

— Allons, déclara-t-il. Emmène-moi faire un tour dans ton luxueux bolide, histoire de compenser.

Dehors, quelques éclats de lumière perçaient la nuit : les fenêtres des maisons avoisinantes, un réverbère à une centaine de mètres, une poignée d'étoiles dispersées.

La lune était loin d'être pleine.

— Tu vois ? dit Tess. Une demi-lune. Pas pleine du tout.

— Ah... Dans ce cas, tu as la vie sauve.

Ils montèrent en voiture. Quand elle eut démarré, Tess laissa le pied sur le frein.

— Alors, où as-tu envie d'aller ?

— Je croyais que nous rentrions.

— Moi, je croyais que tu voulais faire un tour.

Il fixa le reflet des lueurs de la nuit dans ses prunelles.

— Très bien, alors... Va jusqu'au stop de la grande route et tourne à droite.

Tandis qu'elle s'éloignait du trottoir, tous deux baissèrent leur vitre pour laisser entrer l'air de la nuit printanière. Kenny se laissa aller dans son siège, les yeux fermés. Au bout d'un moment, il les rouvrit pour regarder sa compagne. Comme elle était plus petite que lui, donc son siège plus en avant, il pouvait l'observer à son insu. De temps en temps, il lui indiquait la direction à prendre. L'air portait des parfums de verdure, d'humidité nocturne et, hors de la ville, de routes poussiéreuses et de prés. Par moments s'y ajoutaient des effluves du parfum de Tess, une senteur subtile qu'il ne parvenait pas à saisir. La conductrice ne dépassant pas les cinquante-cinq kilomètres heure, ils percevaient tous les bruits de la nuit : les insectes, le roulement des graviers sous les roues, le bruissement du vent.

— J'aurais cru que, toi, tu étais une folle de vitesse.

— J'ai l'impression que tu te fais beaucoup d'idées fausses sur mon compte.

— Pas plus que toi vis-à-vis de moi.

— Tu as peut-être raison. De toute façon, pourquoi se presser ? C'est agréable de quitter la maison un petit moment.

— D'après Mary, vous ne vous entendez pas trop bien.

— Quand t'a-t-elle dit ça ?

— A l'hôpital.

— A mon avis, c'est surtout dû à la différence d'âge.

— Ça a été comme ça entre ma mère et moi, quand elle est devenue plus vieille.

— Je croyais que vous vous accordiez à merveille.

— Tant que je me retenais pour ne pas dire ce que je pensais.

— C'est drôle, n'est-ce pas, comme elles arrivent à user notre patience avec les choses les plus futiles. Tu vois ce lamentable napperon en plastique boursouflé jaune crasseux qu'elle fait trôner au milieu de la table de la cuisine ? Je l'avais jeté pendant qu'elle était à l'hôpital. Dès son retour, elle est allée le récupérer dans les ordures, l'a lavé, et il est là de nouveau ! Elle a dû se livrer à une gymnastique incroyable et dangereuse pour fouiller la poubelle, mais elle y est arrivée pendant que j'avais le dos tourné.

L'anecdote fit rire Kenny.

— Et ce sont des chamailleries à n'en plus finir sur ce que je vais faire à manger, et comment je vais le préparer. Je précise quand même que je suis la pire cuisinière au monde.

— Tu n'aimes pas faire la cuisine ?

— Du tout ! s'exclama-t-elle. Quelqu'un me la fait chez moi. Si je dois me débrouiller, c'est invariablement poulet-salade. Qui fait la cuisine chez toi ?

— Nous trois.

L'allusion à Faith jeta comme un froid. Ils continuèrent de rouler un moment sans parler.

— Je peux te poser une question? finit par demander Tess.

— A quel propos?

— Toi et Faith.

— Non.

— Mais je...

— Non.

Elle lui assena un coup d'œil rancunier mais il ne regardait pas. «C'est ça, fais ta mauvaise tête, songea-t-elle en resserrant les mains sur le volant. Moi aussi, j'en suis capable. De toute façon, je n'ai pas besoin de te poser la question. Nous savons tous les deux que tu couches avec elle.»

Ils n'échangèrent plus un mot jusqu'au moment où Kenny lui dit de tourner. Ils s'engagèrent alors dans un chemin défoncé, bordé d'arbres, qui menait à un groupe de bâtiments parmi lesquels une vaste grange de construction moderne.

— Où sommes-nous?

— Chez Dexter Hickey. Gare-toi près de cette clôture.

Elle s'exécuta, coupa le moteur et ils descendirent de voiture pour s'approcher d'une haute barrière en bois visible au clair de lune. Dans l'enclos se trouvaient six chevaux, tout près les uns des autres. Interrompus dans leur sommeil, certains levèrent la tête. Une forme sombre se détacha paresseusement du groupe pour venir vers eux, la tête haute, ses sabots foulant souplement la terre battue.

Kenny attendit, les bras croisés sur la barrière, jusqu'à ce que le cheval vînt doucement lui souffler sur l'épaule. L'étoile blanche sur le chanfrein de l'animal se détachait nettement sur sa robe sombre. Kenny le caressa entre les yeux.

— Je te présente Rowdy.

— Bonsoir, Rowdy, dit Tess en laissant l'animal la renifler. Tu sens bon.

Ce n'était pas vrai. Il sentait le paddock, mais Kenny fut content que Tess comptât parmi les êtres qui trouvaient l'odeur des chevaux sympathique. Rowdy laissa la jeune femme lui gratter les naseaux.

— Depuis quand Casey l'a-t-elle?

— Depuis ses treize ans. Mais elle en parlait depuis l'âge de cinq ans.

Les naseaux de Rowdy étaient doux comme du velours. Elle pensa qu'il s'était rendormi, car il ne bougeait pas, et elle sentait dans sa main sa respiration chaude, régulière.

— Tu essaies de me culpabiliser d'emmener Casey loin d'ici? demanda-t-elle.

— Peut-être.

— Es-tu toujours aussi franc?

— Je m'y efforce.

Les lueurs du ciel leur permettaient de se voir. Leurs coudes se touchaient presque sur la barrière. Dans l'enclos, un autre cheval hennit doucement. Derrière eux, le moteur de la voiture cliquetait en refroidissant. Au-dessus d'eux, la demi-lune empêchait Kenny de mordre la jeune femme à la gorge...

Soudain elle dit une chose à laquelle il ne se serait jamais attendu, elle parla sincèrement, et une autre barrière tomba :

— Je me rends compte, Kenny, que tu es quelqu'un de très, très bien.

Il avait raison : la lune poussait à des folies, qu'elle soit pleine ou à demi. Mais pour autant qu'il désirât l'embrasser, ce n'aurait pas été sage. Il y avait sa relation avec Faith, le fait que Tess ne faisait que passer, et sa célébrité, avec les exigences qui allaient de pair, peut-être même le risque qu'elle pût croire que c'étaient son succès et sa fortune qui l'attiraient en elle. D'ailleurs, allez savoir! Peut-être, oui. A y réfléchir, il ne le croyait pas. Son attirance remontait à loin, jusqu'au souvenir cuisant d'avoir cherché la main de Tess McPhail dans un car de voyage scolaire, il y avait tant d'années, et d'être devenu pour cela un objet de risée. L'embrasser serait une folie totale, mais il continua d'y penser.

La lune serait peut-être parvenue à ses fins si Rowdy n'avait subitement henni et secoué la tête, les surprenant tous deux. Ils s'éloignèrent de la barrière.

— Alors, ai-je ta permission pour demander à Casey? questionna Tess.

— Oui, lâcha-t-il dans un soupir incertain.

Et ils retournèrent à la voiture comme deux personnes raisonnables.

10

Ils repartirent en direction de Wintergreen dans la nuit printanière, chacun songeant à part soi qu'il serait prudent, jusqu'à la fin du séjour de Tess, de limiter leurs rencontres à un signe échangé de part et d'autre de l'allée. Tess faillit le dire mais elle se ravisa et mit la radio afin qu'ils n'aient pas besoin de parler.

Ils se trouvaient à mi-route de la ville quand une de ses chansons se fit entendre sur les ondes. C'était *Cattin*.

Kenny tourna le bouton pour augmenter le volume.

Elle tendit la main pour le baisser.

— Pourquoi fais-tu ça ? lui demanda-t-il.

— Tu n'as pas besoin de monter le son juste parce que c'est moi.

— J'ai mis plus fort parce que j'aime bien cette chanson.

Sur ce, il réitéra son geste et se mit à battre doucement le rythme. Tess lui lança un coup d'œil malicieux.

— C'est immoral, tu es au courant ?

— Quoi donc ?

— Le texte de cette chanson.

Kenny éclata de rire, d'un rire vif et puissant, sans retenue. Alors elle lui parla de la lettre qu'elle venait de recevoir d'une auditrice furieuse qui qualifiait les paroles d'«obscènes», de ce qu'elle ressentait parfois face à l'absurdité des exigences de ses fans, de son sentiment de ne plus s'appartenir quand sa célébrité donnait aux gens l'impression qu'ils avaient le droit de lui dire comment conduire ses affaires. Elle avoua aussi sa culpabilité de nourrir des pensées si ingrates, parce que son public était ce qui la faisait vivre.

— Je suppose que tous les gens célèbres éprouvent la même chose que toi, dit Kenny. N'y attache pas tant d'importance. Les fans sont des gens comme les autres, certains sont sympas, d'autres pas. Certains sont corrects, d'autres non. C'est pareil dans tous les milieux.

Ils atteignirent très vite, trop vite Wintergreen. Quand Tess eut coupé le moteur, aucun d'eux ne bougea. Le silence était soudain envahissant sans la radio.

— Le problème, Kenny, c'est qu'il est trop facile de parler avec toi.

— Tu appelles ça un problème ?

— Tu comprends ce que je veux dire. Je ne me souviens pas que tu aies été comme ça au lycée.

— Je peux en dire autant. Tu m'apparaissais comme une petite snobinarde bêcheuse.

— Peut-être avions-nous tous les deux des opinions fausses.

Ils étaient maintenant capables de se regarder longuement quand un silence s'installait. Leur changement d'attitude l'un vis-à-vis de l'autre devenait de plus en plus flagrant, et ils hésitaient de plus en plus à se séparer. Mais des lumières brillaient aux fenêtres de leurs demeures respectives, et continuer à s'attarder ne les menait nulle part. Kenny regarda la maison de Tess, elle la sienne. Elle devait reconduire Tricia chez elle, il devait passer un coup de fil à Faith pour lui souhaiter bonne nuit — ce qu'il faisait chaque soir où ils ne se voyaient pas.

— Apparemment, Casey n'est pas encore couchée, dit Tess.

— Ta mère non plus.

— Tricia est avec elle.

— Tu dois la ramener ?

— Oui... Je ferais mieux d'y aller. Elle a classe demain.

— Bon... conclut Kenny en ouvrant sa portière. Merci pour la balade.

— On recommence quand tu veux.

Ils se sourirent dans la demi-pénombre. La lune éclairait le pare-brise arrière et les ombres des arbres dessinaient d'étranges motifs sur les garages. Ils n'avaient plus de prétexte pour s'attarder. Ils sortirent tous deux de la 300.

— Bonne nuit, dit Kenny par-dessus le toit de la voiture.

— Bonne nuit.

Un instant d'immobilité encore, enfin Kenny se détourna et traversa l'allée, sans hâte. Tess le vit devenir une silhouette noire qui se découpait devant l'éclairage de la véranda.

— Kenny! appela-t-elle, mue par le besoin de le retenir encore un instant.

Il se retourna, manifestement aussi peu désireux qu'elle de rentrer chez lui.

— Ça m'a vraiment fait plaisir de parler avec toi ce soir.

— A moi aussi.

— Merci pour ce que tu m'as raconté sur mon père.

— Tu n'as pas besoin de me remercier. Il a fait partie de mon enfance, à moi aussi.

— A Nashville, tous mes amis sont dans le milieu de la musique. Alors c'est le seul sujet de conversation. Ici, en revanche... Oh, ça fait du bien d'évoquer des souvenirs.

— Oui, c'est sûr...

Il mesura combien elle avait changé en quelques jours, combien lui-même avait modifié son opinion sur elle. Quelle serait sa réaction s'il revenait tout simplement sur ses pas pour l'embrasser? A peine se posait-il cette question qu'il se rappela qui elle était, qui il était, et qu'il s'apprêtait à téléphoner à Faith.

— Allez, bonne nuit pour de bon, cette fois, lança-t-il. A dimanche.

— Oui, à dimanche...

Après avoir ramené Tricia et s'être préparée pour la nuit, Tess éteignit la lampe du grenier et demeura quelques minutes à la fenêtre qui donnait sur le jardin. De l'autre côté de l'allée, une lumière brillait à l'étage de la maison, dans ce qui était autrefois la chambre de Kenny. Etait-ce toujours la sienne ? Ou celle de Casey ? Oh, à quoi bon s'interroger ? Une fois couchée, Tess continua pourtant de rêvasser et de songer à cette soirée tellement plaisante. Chanter avec lui, rouler en voiture avec lui, flatter le cheval avec lui, parler du passé. Elle ne lui avait pas menti tout à l'heure, toutes ses relations actuelles étaient plus ou moins liées à la musique. Personne, parmi ses connaissances, ne l'avait connue enfant et donc personne ne partageait ses souvenirs. Kenny, lui, se souvenait même de son père. Ce qu'il lui avait raconté lui était précieux et avait le don de la relier au passé, de la rattacher à cet endroit, comme si ce lieu devait être immuable, toujours là pour elle, avec sa famille, ceux qui étaient en vie et ceux qui n'étaient plus. La nostalgie accomplissait son œuvre. Si dans ses instants de lucidité Tess se disait que c'était temporaire et que tout cela s'effacerait dès son retour à Nashville, dans ses moments d'abandon cette sourde mélancolie qui prenait les traits de Kenny Kronek la poussait à se demander où était sa place, où était sa vie.

A la pleine lumière du matin, elle ne s'interrogea plus. Le colis exprès que lui adressait quotidiennement Kelly Mendoza arriva et marqua le retour à la vie professionnelle, entrecoupée de tâches ménagères. Elle téléphona à Jack Greaves.

— Je vais demander à Casey Kronek de chanter avec moi *La Fille d'à côté*. Tu es d'accord ?

— Je pense que vos voix s'accordent à la perfection.

— Merci, Jack. C'est très important pour moi.

— Pas autant que pour Casey Kronek, je parie.

— Peux-tu programmer l'enregistrement pour la première semaine de juin ?

— Ce sera fait.

Tess alla trouver sa mère pour lui annoncer la nouvelle. Mary était allongée dans son lit, les paupières closes, une tasse de café posée sur son ventre; elle venait de s'assoupir. Comme Tess s'arrêtait sur le seuil de la chambre, une lame de parquet craqua et Mary s'éveilla en sursaut. Ses mains eurent une secousse et le café se renversa.

— Oh, Tess... oh, mon Dieu, regarde ce que j'ai fait. Les draps...

— Ce n'est pas grave, maman, je vais les changer, répondit la jeune femme en s'approchant pour prendre la tasse de café. Je voulais te dire quelque chose. Je vais demander à Casey de chanter la deuxième voix de la chanson que nous avons écrite ensemble.

— Tu veux dire : dans ton disque?

— Oui. Mon producteur est d'accord.

— Mais ça ne va pas plaire à Kenny.

— J'ai obtenu son autorisation hier soir.

— Ah bon?

— Sinon, je n'aurais pas fait la proposition à Casey.

Mary réfléchit un moment.

— Eh bien, dans ce cas... Ce n'est pas rien, dis donc. La petite va être folle de joie quand tu lui diras.

Telle une gamine en veine de confidences, Tess s'assit au bord du lit de sa mère.

— Tu sais quoi, maman? C'est réellement passionnant de découvrir une personne pourvue d'un talent comme le sien, et d'être en mesure de la faire débuter. Et tout est si parfait... Le fait que nous ayons écrit la chanson ensemble... La vedette chevronnée qui prend la jeune sous son aile... Et le fait que nous soyons toutes les deux originaires de la même petite ville. Ça fera une publicité du tonnerre, sans compter que nous allons bien nous amuser, Casey et moi. Je le sais d'avance.

— C'est très gentil de ta part de faire ça pour elle, ma chérie, dit Mary en lui pressant la main.

— J'ai dans l'idée que cela m'apportera autant qu'à elle.

Ce fut l'un des moments les plus sereins que Tess ait

partagés avec sa mère depuis son retour. Elles restèrent main dans la main, contentes de la présence de l'autre.

— Peut-être un jour serons-nous en concert ensemble, rêva Tess à haute voix. Et tu viendras nous écouter toutes les deux.

— Ce serait quelque chose, approuva Mary.

Elle avait assisté à plusieurs concerts de sa fille dans les débuts de sa carrière mais, les voyages en avion devenant plus éprouvants pour elle, elle n'avait pas revu Tess sur scène depuis six ans.

— Bon... reprit la jeune femme, se rappelant aux réalités, je ferais mieux de mettre tes draps dans la machine. Debout, maman, à moins que tu ne veuilles partir au lavage avec eux.

De si bonnes relations ne pouvaient durer. Une demi-heure plus tard, quand la lessive fut terminée, Tess descendit les draps à la cave pour les mettre dans le sèche-linge. Quand elle remonta, Mary l'attendait dans la cuisine, appuyée sur son déambulateur.

— Tu ne les as pas mis dans le sèche-linge? s'enquit-elle anxieusement.

— Eh bien... si, avoua Tess, déconcertée.

— Ils ressortent tout froissés de cette machine. Je veux qu'on les mette sur le fil.

— Pour cette fois, tu crois que ça va les abîmer?

— Je ne mets jamais mes draps dans le sèche-linge.

— Maman, soupira Tess, exaspérée.

— Ils sentent le renfermé et les ourlets sont tout chiffonnés.

— Ils ont séché dans le sèche-linge samedi.

— Je sais, et ils étaient tout froissés. Etends-les dehors.

— Je ne sais pas faire ça, déclara Tess avec une moue têtue.

— Eh bien, il est temps que tu apprennes.

— Pourquoi? s'exclama Tess, se retenant de crier. C'est une méthode démodée, et je n'y aurai jamais recours!

— D'ailleurs, ajouta Mary, c'est idiot d'user de l'électricité par une si belle journée.

187

Tess faillit dire qu'elle paierait volontiers la note d'électricité mais cela n'eût fait qu'envenimer la querelle. Mary se détourna et se percha sur un tabouret de cuisine.

— Remonte-les dans le panier à linge et je vais te montrer, ordonna-t-elle.

Sa bonne humeur envolée, Tess redescendit à la cave. A Nashville, sa gouvernante s'occupait du linge, mais ici c'était elle qui s'en chargeait pour sa mère, et elle estimait s'en tirer plutôt bien, vu son manque d'expérience. Mary ne pouvait-elle accepter les plus légères entorses à ses habitudes pour les deux semaines et demie qu'il leur restait à vivre ensemble?

Sur son tabouret, Mary attendait de pouvoir se livrer à sa démonstration inutile. Tess déposa brusquement le panier à côté d'elle et se redressa, la bouche pincée. Mary lissa les bords du premier drap, le mit en double et rassembla les coins.

— Voilà, tiens-le comme ça. Il est tout prêt pour mettre les pinces. Tu fais pareil pour le second, en faisant attention aux coutures des coins.

Le premier drap fut accroché sans problème. Le second — le drap housse! — s'avéra autrement récalcitrant. On était en milieu de matinée et Tess pria pour que personne ne se trouvât chez Kenny et pût la voir se ridiculiser dans le rôle de la gourde absolue... Dans le quartier, il y avait sûrement des femmes qui ne possédaient pas de sèche-linge, et dire qu'elle ne savait même pas étendre un drap!

Elle était hors d'elle quand elle revint pesamment dans la maison. Mary avait assisté à la scène par la fenêtre.

— D'abord, tu rassembles les coins et, ensuite, tu les accroches, jugea-t-elle utile de préciser afin de compléter le leçon.

« Quand j'aurai fichu le camp d'ici, je ne suspendrai jamais plus un drap sur un fil de toute ma vie, alors laisse tomber! » eut envie de hurler Tess. Mais elle serra les dents et décida que le mieux pour apaiser sa colère était de sortir un moment.

— Je vais au supermarché. Que veux-tu pour le repas?

— Je n'ai pas mangé de rôti de bœuf depuis un moment. C'est facile à préparer.

Et diététique à souhait! A quoi s'était-elle attendue?

La jeune femme passa chez Renee dans l'espoir de se décharger un peu de ses rancœurs refoulées, mais sa sœur était absorbée par les préparatifs du mariage et le téléphone n'arrêtait pas de sonner. Tess ne resta pas longtemps. Comme elle se dirigeait vers la porte, Renee la serra dans ses bras.

— Elle ne fait pas exprès de t'exaspérer, tu sais. Simplement, elle n'est plus habituée à vivre avec d'autres personnes, qui font les choses à leur façon. Elle vit seule depuis si longtemps!

— Je sais, concéda Tess.

Et bien que sa visite à Renee eût été brève, elle en tira un léger réconfort.

Un peu plus tard, elle choisissait des grappes de raisin sur l'étal du supermarché quand elle se retourna pour se heurter à un chariot.

— Oh, excusez-moi, fit-elle.

— Tess? demanda une voix familière. Oh, mon Dieu, c'est bien toi! J'avais entendu dire que tu étais de retour!

— Mindy Alverson!

— Mindy Petroski maintenant.

— Mindy Petroski, bien sûr, je l'ai appris, mais tu t'appelleras toujours Alverson pour moi. Quel plaisir de te voir!

Elles s'étreignirent chaleureusement, se balancèrent en riant comme deux gamines. Puis Mindy prit son amie par les bras et se recula afin de l'examiner.

— Dis donc, tu es superbe, Tess!

— Toi aussi.

Mindy était restée d'un blond lavasse, portait toujours des jeans, et aurait eu besoin comme autrefois de s'épiler entre les sourcils. Ses hanches s'étaient élargies, ses seins affaissés, mais cela ne semblait pas lui poser problème.

— Maman m'a dit que tu vivais de nouveau à Wintergreen et que vous possédiez le magasin d'électroménager, ton mari et toi.

— Presque au coin de la place, là où il y avait le plombier.

— Oui, je vois très bien. Et tu as des enfants.

— Trois.

Elles restèrent un moment à bavarder au milieu de l'allée du supermarché. Les parents de Mindy avaient vendu leur maison pour aller s'installer au lac Wappapello. Son mari aimant pêcher, ils s'y rendaient fréquemment. Parmi leurs anciennes camarades de lycée, deux seulement vivaient encore dans les environs.

— En parlant des copains de lycée, dit Mindy, il paraît que tu as chanté avec la chorale de Kenny Kronek.

— Les nouvelles vont vite.

— Quand il s'agit de la fille la plus célèbre de Wintergreen, bien sûr.

— Comment l'as-tu appris?

— Nous jouons au bridge avec Kenny et Faith.

— Ah, Kenny et Faith. Vous êtes donc amis avec eux.

— Assez proches, oui. Il fait la comptabilité de notre affaire, et lui et moi avons travaillé ensemble dans des commissions municipales. Kenny est du genre à assumer les tâches bénévoles dont personne ne veut. C'est pour cette raison qu'il est devenu directeur de la chorale.

— C'est ce qu'on m'a dit.

— Si tu cherches quelqu'un pour organiser un défilé de 4 Juillet ou un brunch pour le Lion's Club, il te suffit de t'adresser à Kenny. Il connaît tout le monde en ville.

— C'est surprenant comme les gens changent après le lycée.

— Oh, Tess, tu te rappelles comme nous étions méchantes avec lui? Franchement affreuses, non?

— Je crois que oui.

— Et il est tellement gentil!

— Ma mère tomberait d'accord avec toi. Il lui rend mille services.

— C'est tout lui.

— Et, à ton avis, Faith cadre-t-elle dans le tableau? s'enquit incidemment Tess en mettant une pastèque dans son chariot.

— Faith? Oh, ils sont ensemble depuis un temps fou.

— Curieux qu'ils ne se marient pas.

— Je crois qu'il a été bien échaudé la première fois — tu sais que sa femme l'a quitté?

— Je l'ai appris, oui.

— A mon avis, il ne se remariera jamais, ni avec Faith ni avec personne.

Leur conversation dura encore un moment mais, malgré son immense curiosité quant à l'exact degré d'intimité entre Kenny et Faith, Tess ne pouvait décemment pas s'en informer au beau milieu d'un supermarché sans faire jaser la ville entière. De surcroît, cela ne la regardait pas. Si Kenny avait voulu qu'elle sache, il lui aurait répondu la veille au soir. Or il avait préféré changer de sujet.

— Tu seras encore là pour le mariage, n'est-ce pas? demanda Mindy comme elles s'apprêtaient à se séparer.

— De Rachel et Brent? Bien sûr.

— Formidable! Alors, nous nous reverrons là-bas.

Ainsi Tess eut-elle connaissance d'une autre facette de Kenny Kronek. Il était aimé, respecté, loué même par les gens de la ville, et personne ne semblait trouver bizarre qu'il n'ait jamais épousé Faith Oxbury.

En fin d'après-midi, Tess détachait les draps de la corde à linge quand Faith se gara dans l'allée et sortit de voiture avec un sac d'épicerie.

— Salut, Tess! lança-t-elle, et elle vint droit vers elle.

— Salut, Faith.

— Comment s'est passée la répétition hier soir?

— Très, très bien. Ça m'a vraiment plu.

— D'après Kenny, vous êtes tellement bonne qu'il s'est senti en décalage total avec votre talent.

— Il vous a dit ça? s'étonna sincèrement Tess.

— Vous l'impressionnez beaucoup.

Comme c'était étrange d'entendre ces mots de la bouche de Faith! Kenny n'avait pas une seconde paru intimidé.

— Tant que je suis ici, je ne suis qu'une chanteuse parmi d'autres à la chorale du dimanche.

— Pas pour lui. Il a eu du mal à dormir les nuits précédentes. Il s'inquiétait de la façon dont vous aviez été lancée dans cette histoire et il craignait que sa chorale ne soit pas assez bonne pour vous. Je l'ai eu au bout du fil aujourd'hui et il était un peu grognon. Il m'a dit n'avoir guère fermé l'œil de la nuit.

— Oh... J'en suis désolée, dit Tess. Dites-lui...

«Dites-lui que je crois que s'il n'a pas dormi, c'était pour une tout autre raison, exactement comme moi.»

— Dites-lui que, tant que je suis ici, il doit oublier ma célébrité et me considérer de la même façon que les autres.

— C'est ce que je lui ai dit : il se fait du mauvais sang pour rien. J'ai employé les mêmes mots que vous. Bon... Je vais rentrer à la maison et mettre mes côtelettes au four.

Tess ne manqua pas de noter que Faith appelait «la maison» la demeure de Kenny.

— Oh, ajouta la jeune femme après avoir fait trois pas, j'ai oublié de vous demander comment va Mary aujourd'hui.

«Elle me fait tourner en bourrique.»

— Elle marche mieux.

— Bonne nouvelle. Transmettez-lui mon bonjour.

— Je n'y manquerai pas.

Il semblait que partout où Tess se rendait en ville, les gens lui parlaient de Kenny. Ou bien elle tombait sur lui. Toujours est-il qu'elle n'eut bientôt plus que cet homme à l'esprit. Fut-ce la nécessité ou la curiosité qui la poussa jusqu'à sa porte ce soir-là vers sept heures? Elle sut se convaincre qu'elle y allait pour parler à Casey, mais elle aurait aussi bien pu téléphoner. Une fois la vaisselle faite, la cuisine rangée et Mary installée devant la télévision, elle traversa l'allée pour pénétrer dans la maison Kronek pour la première fois depuis dix-huit ans.

Elle frappa et attendit. Il faisait chaud sur les marches de la véranda et la jeune femme sentit un filet de transpiration lui couler entre les seins. Malgré elle — qui pouvait résister ? — elle regarda à travers les vitres. Là où la mère de Kenny avait l'habitude de faire hiverner ses bulbes de fleurs et de suspendre son linge par temps de pluie, il y avait à présent un coquet petit salon avec des fauteuils en osier et des plantes vertes. Ce changement était-il l'œuvre de Faith ?

Casey apparut, poussa la porte-moustiquaire et la maintint du bout de son pied botté.

— Oh, Mac, quelle surprise ! Entre ! C'est Mac ! cria-t-elle vers l'intérieur de la maison.

A peine entrée, Tess se rendit compte qu'elle avait commis un impair quant à l'horaire de sa visite. L'arôme des côtelettes de porc rôties au four l'avertit que ses hôtes étaient encore à table.

Elle n'en suivit pas moins Casey jusqu'à la cuisine où, effectivement, Kenny et Faith étaient attablés, image exemplaire de la félicité domestique. Sur la table était disposé un repas des plus traditionnels : côtelettes, purée, sauce au jus de viande, maïs au beurre et salade de concombres agrémentée de brins d'aneth, sans doute comme la préparait la mère de Kenny. Ils venaient de remplir leurs assiettes et, la fourchette à la main, regardèrent la visiteuse apparaître sur le seuil.

— Assieds-toi, insista Casey en reprenant sa place à table. Veux-tu un verre de thé glacé ?

— Oh, non... Je suis désolée. Je pensais que vous aviez fini de dîner. Je... je reviendrai plus tard.

Faith se leva immédiatement, imperturbable et gracieuse.

— Non, du tout ! Je vous en prie... entrez, Tess. Nous dînons un peu tard parce que Kenny avait une réunion ce soir après le travail. Mais asseyez-vous, je vous sers du thé.

— Je m'en occupe, dit Kenny, se levant à son tour. Assieds-toi, Faith.

— C'est moi qui la sers, décréta Casey. Vous deux, vous vous rasseyez.

Jamais de sa vie Tess ne s'était fait à ce point l'effet de jouer la comédie. Vu ce qui s'était passé entre elle et

Kenny la veille au soir, il devinerait forcément qu'elle venait poussée par la curiosité. A présent qu'elle se trouvait dans la place, témoin indiscret de leur vie domestique, elle se sentait stupide.

Si Kenny entrevit son motif secret, il le cacha bien.

— Assieds-toi, Tess, répéta-t-il poliment, revenu de son étonnement.

Casey mit fin à ses hésitations en déposant un verre de thé glacé à la place vide puis en se rasseyant pour reprendre son repas. Tess finit par s'asseoir.

— Merci, Casey.

D'un coup d'œil, elle comprit en quoi Faith convenait à Kenny. Peut-être cuisinaient-ils tour à tour mais ce repas-là avait entièrement été préparé par la jeune femme, et il était en tout point conforme à ceux de la mère de Kenny. Même dans ses vêtements — elle s'était changée pour mettre un pantalon de coton vert pastel assorti d'un chemisier imprimé vert et blanc —, Faith semblait avoir pris la succession de Lucille. Elle paraissait aussi fraîche et surannée que sa salade de concombres. La cuisine non plus n'avait pas changé. Les mêmes murs blancs, la même horloge en plastique bleu, la même table en formica. D'autres rideaux, mais du même style qu'autrefois, pendaient sur les tringles de cuivre. Tess reconnut jusqu'à la vaisselle. Quand elle eut achevé son examen, elle revint à la table où ses hôtes dînaient sans conviction. Puisqu'elle avait gâché la tranquillité de leur repas, autant aller jusqu'au bout, décida-t-elle.

— J'étais venue pour parler à Casey.

Seule à être à l'aise, l'adolescente découpait vaillamment sa côtelette.

— Pas de problème. A quel sujet? demanda-t-elle.

— Je voudrais que tu viennes à Nashville pour enregistrer *La Fille d'à côté* avec moi.

Les yeux de Casey s'écarquillèrent démesurément. Fourchette et couteau lui tombèrent des mains.

— Oh, pas possible, murmura-t-elle en se couvrant le visage. Pas possiiiiible.

Le regard de Faith alla, incertain, de Tess à Casey.

— Oh, mon Dieu, murmura-t-elle à son tour.

Kenny reposa ses couverts en silence et regarda les yeux de sa fille s'emplir de larmes. Sans ajouter un mot, Casey se leva, contourna la table jusqu'à Tess.

— Viens par là, souffla-t-elle.

Tess se mit debout et tomba dans les bras de l'adolescente. Ce fut, plus qu'un enlacement, l'élan de la gratitude, la stupeur qui laissait Casey sans voix, dans l'incapacité d'exprimer une joie absolue autrement qu'en se cramponnant à son idole, car c'était la vie rêvée qui s'offrait à elle. Quelque chose de magnifique se produisit en Tess durant cette étreinte. « Ce doit être comme ça d'être mère, songea-t-elle, avoir quelqu'un qui vous aime inconditionnellement, qui a besoin de vous, qui vous respecte et vous considère comme son modèle. » Son cœur se gonflait de bonheur.

— Tu es sérieuse, c'est vrai? parvint finalement à articuler Casey en reculant pour la dévisager.

— Tout à fait sérieuse. J'ai déjà parlé à mon producteur et il réserve le studio pour la première semaine de juin, dès que tu auras terminé le lycée. J'en ai parlé à ton père hier soir. Il est d'accord pour te laisser venir à Nashville et habiter chez moi jusqu'à ce que tu te trouves un logement personnel.

Le visage sillonné de larmes, Casey se tourna vers Kenny, stupéfaite.

— Vraiment? Oh, papa, tu as dit oui? Comme je t'aime!

Elle vola vers lui pour l'étreindre aussi puissamment qu'elle avait serré Tess.

— Merci! Merci! répéta-t-elle en le couvrant de baisers. Mon Dieu, je n'arrive pas à y croire! Je vais à Nashville!

Pour n'oublier personne, elle se rua sur Faith, l'embrassa à son tour.

— Je vais à Nashville, Faith! Nashville! Je vais chanter avec Mac dans un album! continua-t-elle en dansant à travers la cuisine. Il faut que j'appelle Brenda pour lui annoncer la nouvelle. Et Amy! Non, minute... Pour commencer, je vais m'asseoir un instant... ça me fait tout drôle.

Tombant sur une chaise, elle porta les mains à son estomac, ferma les yeux, aspira profondément puis mit une main sur sa poitrine.

— Oh, mon Dieu, murmura-t-elle de nouveau. Nashville.

Tandis que Faith se réjouissait de la réaction de Casey, Tess regarda Kenny. Il affichait un sourire doux-amer.

— J'ai comme l'impression que tu as rendu ma fille heureuse, constata-t-il platement.

Tout le monde se mit à rire et Faith resservit du thé glacé dans les verres.

— Cela mérite un toast.

Tous quatre entrechoquèrent leurs verres.

— A la future star de Wintergreen! lança Faith.

— Et à Tess qui aura rendu la chose possible, ajouta doucement Kenny.

Leurs yeux se rencontrèrent par-dessus le rebord de leurs verres mais se dérobèrent discrètement devant les autres. A cet instant, pourtant, Tess comprit ce qu'il avait coûté à Kenny d'ajouter ces mots, et elle l'admira d'accorder ainsi la liberté à Casey en dépit de toutes ses réserves.

Quand ils abaissèrent leurs verres, il y eut un silence légèrement embarrassé tandis que Kenny et Tess évitaient de se regarder.

— En tout cas, déclara-t-elle, j'ai réussi à vous gâcher votre dîner.

— Le gâcher! glapit Casey. Tu plaisantes!

— Nous pouvons manger n'importe quand! dit Kenny en repoussant son assiette.

— Bien sûr, approuva Faith. Mais vous restez pour la tourte aux myrtilles, n'est-ce pas, Tess?

— Oh, oui, s'il te plaît, plaida Casey. Tu ne peux pas m'abandonner maintenant. J'ai mille questions à te poser!

Tess resta donc pour la tourte aux myrtilles. Si parfois

son regard croisait celui de Kenny, chacun prenait garde à dissimuler ses sentiments.

Le repas achevé, Casey insista pour emmener la jeune femme dans sa chambre. Elle tenait à lui faire écouter une chanson qu'elle travaillait à la guitare. Non pas dans l'espoir que Tess l'enregistrerait, expliqua-t-elle, mais acceptait-elle de l'entendre quand même ? Puisqu'elle allait à Nashville, autant savoir tout de suite si elle était capable d'écrire plusieurs chansons ou si elle ne resterait l'auteur que d'une seule.

Tess passa une demi-heure dans la chambre de l'adolescente, le temps de se rendre compte que sa protégée avait de vastes et prometteuses possibilités. Elle découvrit également que Kenny occupait son ancienne chambre, et que celle du rez-de-chaussée était appelée la « pièce de Faith ». Casey la désigna sous ce nom comme elles passaient devant pour emprunter l'escalier.

Quand elle repassa par la cuisine pour s'en aller, Kenny et Faith terminaient juste la vaisselle. Elle lavait, il essuyait.

— Je regagne mes pénates. J'ai laissé Casey composer là-haut. D'ici la fin de la nuit, elle aura probablement réuni assez de textes et de mélodies pour ses deux premiers albums !

Faith ferma le robinet et Kenny posa son torchon.

— Je te raccompagne, dit-il.

— Oh, non, ne te dérange pas.

— Ça ne me dérange pas.

Ils sortirent par la véranda. La porte-moustiquaire claqua derrière eux et Kenny suivit Tess vers l'allée. Ils marchaient plus lentement qu'il n'était de mise avec Faith restée à la maison et les cieux marbrés qui dispensaient encore une lumière dorée.

— Voilà, c'est fait, dit Kenny. Elle part pour Nashville.

— Pourquoi ai-je le sentiment de t'avoir porté un coup bas ?

— Je m'en remettrai.

Tess avait conscience de la chaleur de son corps contre

son omoplate ; vraisemblablement, Faith les observait par la fenêtre de la cuisine.

— Si cela peut te consoler, je sais combien c'est dur pour toi, et j'admire ta façon de te tenir.

— Ce n'est pas d'une grande consolation. J'aurais préféré qu'elle fasse n'importe quoi d'autre.

— Oui, je le sais. Je ferai de mon mieux pour elle, Kenny, je te le promets. Merci de la laisser partir.

Ils avaient atteint l'allée. Quand Tess se retourna vers lui, elle prit soin de ménager une bonne distance entre eux. Elle eut soudainement froid à l'omoplate. Kenny respecta la distance, les mains fermement calées dans ses poches arrière.

— Faith est vraiment formidable, dit-elle avec sincérité.

— Oui.

— Vous paraissez très bien assortis tous les deux.

— C'est pour ça que tu es venue, pour voir si nous étions assortis ?

Hésitant quant à sa réponse, elle opta pour l'ambiguïté :

— Si je te disais oui ?

— Je te demanderais sans doute ce que tu cherches.

— Et je te répondrais sans doute : je ne sais pas, Kenny. C'est la vérité. Je ne sais pas.

Il fouilla son regard. Elle s'inquiétait de Faith qui certainement les observait, et se surprit à faire l'inventaire de tout ce qu'elle s'était mise à aimer chez lui. Quelque part dans le jardin, un merle égrenait une note unique répétée à l'envi. De tous côtés, des fenêtres semblaient les guetter. La tension s'accrut, jusqu'à ce que Kenny pousse un profond soupir.

— Bon sang, pourquoi ai-je l'impression d'être revenu dans le car scolaire ? murmura-t-il.

Le temps filait. Faith devait se demander ce qu'il fabriquait.

— Tu ferais mieux de rentrer.

— Oui, je ferais mieux de rentrer, répéta-t-il avec une pointe d'ironie.

Mais aucun d'eux ne bougea.

Comme la veille au soir dans la voiture, nullement désireux de se séparer, ils continuaient à se dévorer des yeux.

— Qu'est-ce que tu essaies de me faire, Tess? finit-il par chuchoter.

Tous deux savaient que la relation de la jeune femme avec Casey la liait également à lui. Ils étaient destinés à se revoir quand il viendrait à Nashville rendre visite à sa fille.

Elle fit un pas décidé en arrière.

— Je dois y aller. Je resterai de ce côté de l'allée désormais. Je suis désolée, Kenny.

11

La semaine s'écoula. Chaque jour après le lycée, Casey venait voir Tess, mais cette dernière évitait Kenny, ainsi que le jardin quand elle le savait dans les environs. Elle aidait Mary à sa rééducation ; toutes deux semblaient condamnées à se disputer à tout propos. Burt téléphona d'Omaha le vendredi. Son groupe s'était produit à Stillwater, dans l'Oklahoma, à Wichita, dans le Kansas, et regagnerait Nashville la même semaine que Tess. Ils convinrent d'un rendez-vous au Stockyard Café le mardi de leur retour.

Le dimanche, Mary annonça qu'elle voulait se rendre à l'église pour écouter chanter sa fille. Confinée chez elle depuis une semaine entière, elle estimait qu'il était temps de mettre le nez dehors.

Tess s'apprêtait à placer le fauteuil roulant dans le coffre de la voiture quand Kenny sortit de chez lui.

— Attends ! dit-il. Je vais t'aider !

Elégamment vêtu pour l'office dominical, il dégageait un charme et une séduction qui provoquèrent chez Tess un émoi immédiat.

— Je te croyais déjà parti, dit-elle pendant qu'il chargeait le fauteuil.

— Non. Je pars toujours à moins vingt.

Il referma le coffre, s'épousseta les mains, évitant les yeux de la jeune femme pour regarder vers la maison.

Bien qu'ayant rendu service, il se montra franchement glacial.

— As-tu besoin que je t'aide à faire monter Mary en voiture ?

— Non, elle doit se débrouiller toute seule.

— D'accord. Alors, à tout à l'heure.

En se dirigeant vers son garage, il émit un sifflement perçant et Casey sortit en courant de la maison.

— Dépêche-toi ! lui lança-t-il. Nous allons être en retard !

— Salut, Mac ! s'exclama au passage l'adolescente.

Une minute après, ils étaient partis.

« C'est donc comme ça, monsieur l'homme de glace, pensa Tess. On ne peut pas s'empêcher de sortir de chez soi en me voyant, mais comme on en est contrarié, c'est à moi qu'on en veut... »

Peu de temps après, elle chantait *Holy, Holy, Holy* sous sa direction. La puissance du cantique lui fit courir un frisson le long de la colonne vertébrale et renversa la barrière qu'il avait dressée entre eux. Leurs regards se rencontrèrent trop souvent, se retinrent avec trop d'intensité pour qu'ils puissent encore feindre la distance l'un vis-à-vis de l'autre. Qu'ils le veuillent ou non, le caractère sacré du culte les rapprochait.

Lorsqu'ils attaquèrent *Beautiful Savior*, il avait ôté sa veste, desserré sa cravate et remonté ses manches. Quelque chose de phénoménal se produisit entre eux quand Tess chanta son solo. Quelque chose d'irréversible.

A l'issue du service, Tess se retrouva assaillie par l'assistance dans le vestibule. La nouvelle s'étant répandue qu'elle chanterait là ce dimanche, l'église n'avait jamais connu pareille affluence. Ce fut une succession de félicitations ; on lui demandait si elle chanterait au mariage de sa nièce (la réponse était négative) ; on voulait savoir s'il était vrai que Casey Kronek allait enregistrer une chanson avec elle. Pour sa part, Casey ne la quittait pas d'une semelle. Elle resta même auprès de son idole quand celle-ci rejoignit le reste de sa famille devant l'église. Même si beaucoup avaient l'habitude d'assister au premier office du matin, ils étaient tous venus à celui de dix heures ce jour-là, et Tess fut touchée de leur présence. Ses nièces, ses neveux, ses beaux-frères et Renee la serrèrent dans leurs bras, les yeux brillants de fierté. Tous sauf Judy qui, à l'écart, semblait hésiter entre le désir de partager cette gloire qui enveloppait la famille et son incapacité à formuler le moindre compliment ou exprimer la moindre joie. Un large sourire aux lèvres, le révérend Giddings vint longuement serrer la main de Tess.

— Je ne vous remercierai jamais assez, jeune dame. Ce fut remarquable. Splendide ! Et à moins que je ne me trompe, continua-t-il en baissant la voix, beaucoup d'églises des environs sont restées vides ce matin...

Concluant l'expression de sa satisfaction par une ultime pression sur la main de Tess, il s'adressa ensuite à quelqu'un qui se trouvait derrière elle :

— Très joli travail, Kenny. Et un choix musical particulièrement soigné.

Tess n'avait pas remarqué que Kenny était là ; elle se retourna pour voir Giddings lui serrer la main à son tour. De nouveau, le pasteur baissa le ton pour leur confier :

— On me dit que la quête a été exceptionnelle, ce qui augure fort bien du succès de notre fête annuelle. Encore merci à tous deux.

Bien qu'entourés de familiers, Kenny et Tess n'avaient conscience que de leur présence mutuelle, de leur proximité. Il avait remis sa veste mais gardé sa cravate desserrée et son col ouvert. Elle portait un ensemble en soie couleur brique, au cou une petite rose d'or en pendentif, et aux oreilles des boutons de rose assortis, encore plus discrets, bijoux qu'elle avait choisis selon la préférence de Kenny.

— C'est sans doute le plus beau dimanche que j'aie connu depuis que je dirige la chorale, dit-il.

— Pour quelle raison ?

— Toi.

Elle ne s'était pas attendue à cette franchise mais se mit aussitôt au diapason.

— Il s'est passé quelque chose en moi... ici, murmura-t-elle, portant la main à son cœur.

— Je m'en suis rendu compte.

— Pour toi aussi, n'est-ce pas?

— C'est vrai, reconnut-il.

— Comme autrefois, quand j'étais petite... La musique, ma famille, l'église... Je ne sais pas.

— Maintenant, je comprends mieux pourquoi tu rencontres un tel succès. Tu as du charisme.

— Tu es gentil. Plus aimable que ce matin...

— Oh, ça...

— Je t'ai cru fâché contre moi.

— J'en suis désolé. Il m'arrive d'être de mauvaise humeur, parfois.

— Tu ne seras plus jamais aussi glacial avec moi, d'accord?

— Excuse-moi. J'ai pensé que c'était préférable, par rapport à...

Il s'interrompit avant de prononcer le nom de Faith.

— Nous pouvons nous croiser dans l'allée et nous dire bonjour sans nous faire du mal.

— Tu as raison, ça ne se reproduira pas.

Et, sans prévenir, il s'autorisa ce qu'il s'interdisait quand ils étaient seuls. Il serra Tess dans une brève étreinte et l'embrassa sur la tempe. Elle goûta fugitivement la sensation de son corps contre le sien, l'odeur de bois de santal de sa peau, le contact de ses lèvres près de son oreille.

— Je regrette, lui dit-il doucement. Merci d'avoir chanté aujourd'hui. Je ne l'oublierai jamais, Tess.

Il la relâcha aussi vite qu'il l'avait prise dans ses bras. Surgie subitement entre eux, Casey leur enlaça la taille.

— Dis, Tess, tu aimerais monter à cheval cet après-midi? C'est une journée idéale pour une promenade.

Au milieu de ce trio, Tess s'efforçait de dissimuler son extrême agitation.

— Je ne sais pas si je peux laisser maman toute seule.

— Quelqu'un ne pourrait pas s'occuper d'elle pendant quelques heures? Tu as quand même besoin d'une récréation de temps en temps.

Avant que Tess ait eu le temps de répondre, l'adolescente fit volte-face et s'adressa au premier membre de la famille qui lui tomba sous la main.

— Dis, Renee, quelqu'un peut-il rester avec votre mère cet après-midi pour que Tess puisse monter à cheval avec moi?

— Bien sûr : moi, répondit aussitôt Renee. A quelle heure partirez-vous?

— Tu viens aussi? demanda Tess à Kenny pendant ce temps, sans être entendue des autres.

Il la fixa un moment puis s'éclaircit la gorge.

— Non. Il ne vaut mieux pas.

Elle ravala sa déception. Casey revenait vers elle et répétait la question de Renee.

— A quelle heure veux-tu y aller?

— Quand tu voudras.

— Une heure? Je dois être de retour vers quatre heures.

Le rendez-vous était fixé.

Elles empruntèrent la vieille camionnette de Casey, une antiquité tout juste capable de cahoter péniblement en soulevant des nuages de poussière. Mais la radio fonctionnait. Durant tout le trajet, elles purent entonner de concert les chansons country que leur diffusait la station locale ou commenter leurs différents mérites.

La propriété de Dexter Hickey semblait fort différente à la lumière du jour. Les clôtures blanches auraient eu besoin d'un coup de peinture, le jardin d'un coup de tondeuse, mais la campagne environnante était à couper le souffle. Le ranch se situait au milieu de grandes étendues herbeuses vallonnées où se dressaient ici et là quelques pommiers abîmés par les chevaux. Les boutons-d'or formaient des tapis jaune soleil sur le vert vif des prairies. A l'ouest, au nord et à l'est, les bois délimitaient le vallon et l'on voyait, entre les arbres, serpenter des chemins de terre couleur rouille.

A l'intérieur du bâtiment, les écuries étaient propres, la sellerie bien rangée. Dexter avait réservé une jument du nom de Sunflower pour Tess, avec consigne de la laisser dehors après la promenade.

— Tu sais seller un cheval ? s'enquit Casey.

— Je ne l'ai pas fait depuis longtemps.

— Dans ce cas, je m'en occupe.

Une fois Sunflower et Rowdy harnachés, les deux femmes se mirent en selle et traversèrent le bâtiment au rythme syncopé des fers claquant sur le sol en béton.

Le son changea sur la terre battue. La robe des chevaux se mit à luire sous le soleil et la chaleur de leur corps, tout de suite, exhala leur odeur. Casey les guida en direction d'un des sentiers qui menaient vers les bois.

— Comment ça se passe ? demanda-t-elle en se retournant sur sa selle.

— Je crois que je vais souffrir demain. Je manque d'habitude.

— Nous irons lentement pour commencer.

— Tant mieux.

Casey était à son affaire sur un cheval ; elle s'habillait et montait comme un vieux cow-boy. Dans son jean usé, ses santiags éculées, sa chemise à carreaux passée, et coiffée d'un chapeau aussi défoncé que poussiéreux, elle allait nonchalamment, le dos bien droit, une main sur la cuisse.

En comparaison, Tess avait l'air d'une novice, dans sa tenue vestimentaire comme dans sa façon de se tenir en selle. Avec ses bottes brillantes, sa casquette de base-ball et ses immenses lunettes de soleil, elle paraissait douter que cette promenade fût vraiment une bonne idée.

— Devine, Tess, lui cria Casey quand elles foulèrent un tapis de boutons-d'or. Je sors avec un garçon ce soir.

— C'est bien. Un garçon qui compte pour toi ?

— Non. Il me plaisait bien l'année dernière. Il me propose d'aller au ciné à Poplar Bluff. J'ai l'impression que je suis soudainement devenue quelqu'un de très intéressant depuis que je dois enregistrer une chanson avec toi.

Sur le coup, j'ai failli refuser, histoire de me venger de son indifférence de l'an passé, et puis je me suis dit : « Zut. Ce n'est pas si souvent. »

— Moi non plus, je n'avais pas beaucoup de temps à consacrer aux garçons quand j'étais au lycée.

— Je sais que tu n'en avais pas beaucoup pour mon père.

Comme Tess ne répondait pas, l'adolescente tourna la tête pour lui jeter un coup d'œil moqueur.

— Tu veux essayer un petit trot? finit-elle par proposer.

— Pourquoi pas?

Casey lança donc Rowdy au trot, et Sunflower suivit. Au bout d'une cinquantaine de mètres, elles passèrent à un petit galop tranquille qui les amena jusqu'à la lisière des bois. Là, Casey tira sur les rênes de sa monture et attendit Tess qui, la rejoignant bientôt, fit de même.

— Tu t'en sors?

Ayant jugé de l'inexpérience de sa compagne, la jeune fille ne cherchait pas à la mettre en difficulté.

— Jusqu'ici, tout va bien.

— Laissons les chevaux se reposer un peu, reprit Casey en flattant l'encolure de Rowdy.

Après quoi elle demeura un moment silencieuse à contempler le faîte des arbres au-dessus d'elle. Un peu plus tard, elle lança une jambe par-dessus le pommeau de sa selle et se soutint d'une main posée à plat sur la croupe de sa monture. Les peupliers de Virginie bruissaient, un pin tout proche distillait son odeur d'aiguilles sèches. Les chevaux croquaient quelques brins d'herbe.

— Alors, que se passe-t-il entre mon père et toi? interrogea Casey tout à trac.

Tess parvint mal à dissimuler sa surprise.

— Rien.

— Il m'a semblé saisir des trucs mystérieux entre vous quand tu es venue pendant le dîner l'autre soir, et ce matin, sur les marches de l'église, j'ai interrompu quelque chose. J'en suis sûre.

— Non. Rien.

— Il murmurait et tu rougissais.

— Devant tout ce monde ? Tu t'imagines qu'on se risquerait à flirter sous les yeux de la moitié de la ville ? Ce ne serait pas très futé.

— Alors que se passait-il ? Il t'a prise dans ses bras.

— Il me remerciait d'avoir chanté aujourd'hui.

— Ah, c'est tout, dit laconiquement Casey.

Elle leva de nouveau le nez vers les arbres, comme si le sujet était clos, mais reprit brusquement :

— C'est quand même un type bien. Tu pourrais choisir pire.

Remettant le pied à l'étrier, elle reprit les rênes en main, prête à repartir.

— Il est avec Faith, dit Tess. Et je repars à Nashville dans deux semaines.

— Ce n'est pas une raison pour qu'il ne se passe rien. Au cas où tu te poserais la question, je veux que tu saches qu'il n'y a aucun problème de mon côté. Je trouverais même super que papa et toi viviez une histoire d'amour torride. Je parie que tu lui apprendrais quelques trucs.

— Casey !

— Faith est quelqu'un de très bien, d'accord, mais je suis sûre que l'embrasser, c'est comme d'embrasser quelqu'un dans le coma.

— Ton père sait-il que tu parles d'elle de cette façon ?

— Bien sûr que non. Je dois les aider à maintenir la fiction.

A son corps défendant, Tess se mit à rire. Casey guidait sa monture plus avant dans la forêt et se retourna pour jeter un œil vers la prairie en contrebas.

— Tiens, tiens... Quand on parle du loup...

Tess pivota sur sa selle et vit Kenny qui les rejoignait à cheval. Il menait son étalon bai au petit trot, les rênes dans sa main gantée, le haut du visage dissimulé par l'ombre d'un chapeau de paille. Apercevant les deux femmes dans le bois, il talonna sa monture pour la mettre au galop. Bien qu'on ne pût distinguer son visage à cette distance, toute son attitude exprimait la détermination. Il se tenait en selle avec aisance, élégance. Le vent de la course plaquait son tee-shirt blanc contre son torse.

— J'ai changé d'avis, déclara-t-il quand il les eut rejointes. Je me sentais seul à la maison.

S'il prêta à peine attention à sa fille, en revanche il détailla Tess et son regard, malgré l'ombre du chapeau, livra plus de choses qu'il ne l'aurait souhaité. Casey riait sous cape.

— Je disais justement à Tess...

— Casey! protesta l'intéressée d'un ton d'avertissement.

— Rien, conclut l'adolescente, remettant son cheval en route dans le sentier. Contente que tu sois venu, papa. Nous avançons tranquillement, parce que Tess n'est pas habituée.

Ils se promenèrent durant une heure et demie, parlant peu, goûtant le spectacle de la nature et la belle journée printanière. Casey et Kenny encadraient Tess et les chevaux eurent la gentillesse de ne commettre aucun écart. Un peu avant quatre heures, tandis qu'ils revenaient vers le ranch, ils entendirent le tonnerre gronder au loin et sentirent le vent fraîchir.

— On va avoir un peu de pluie, dit Kenny.

— Le jardin en a bien besoin, répondit Tess.

Jamais elle n'aurait eu pareille réplique deux semaines auparavant.

Casey leur décocha un sourire narquois. «C'est ça. Parlez du temps, comme deux vieux paysans. Si vous croyez que je suis dupe...»

Père et fille s'occupèrent chacun de desseller sa monture puis Kenny vint aider Tess à s'occuper de la sienne. Elle le regarda emporter la selle dans la sellerie, la poser sur un chevalet. Son tee-shirt glissé dans la ceinture de son jean soulignait la sveltesse de sa silhouette.

Quand il se retourna, il la surprit en train de le contempler; aussi s'empressa-t-elle de revenir à Sunflower, qui attendait patiemment dans l'allée qui séparait les boxes.

— Tu veux rentrer en ville avec moi, Tess? proposa-t-il incidemment en la rejoignant.

Elle jeta d'abord un coup d'œil vers Casey.

— Je ne pense pas que...

— Il n'y a pas de problème, l'interrompit Casey. Pars avec mon père. De toute façon, je dois prendre de l'essence, et puis je suis pressée. Je ne vais même pas avoir le temps d'étriller Rowdy. Je dois repasser par la maison et me préparer pour mon rendez-vous.

Elle emmena son cheval dans l'enclos puis revint à la porte de l'écurie pour leur adresser un signe d'adieu.

— Amusez-vous bien, tous les deux. A demain matin, papa. Je ne serai pas rentrée avant onze heures ce soir, on va au ciné à Poplar Bluff.

— D'accord. Sois prudente.

Un instant plus tard, Tess et Kenny entendaient s'éloigner la vieille camionnette. Ils bouchonnèrent chacun leur cheval sans échanger un mot, conscients de la présence de l'autre tandis qu'ils tournaient autour des bêtes.

— Ça suffira, décréta Kenny au bout d'un moment en prenant la longe de Sunflower. Je l'emmène dans l'enclos.

Il fit de même avec le cheval bai puis rangea les brosses et les licous dans la sellerie.

— Si tu veux te laver les mains, proposa-t-il en ôtant ses gants, il y a un évier ici.

— Oh... Merci.

Ils se lavèrent les mains côte à côte, avec un énorme savon jaune cubique qui sentait le pétrole. Le contraste était amusant entre les grandes mains carrées, habiles de Kenny et la peau claire de Tess, éclaboussée de taches de rousseur, ses mains délicates, ses ongles parfaitement manucurés et laqués de leur vernis vert kaki. Elle se rinça précautionneusement, évitant d'arroser sa montre de luxe ; Kenny s'aspergeait généreusement jusqu'aux épaules.

Il prit une serviette bleue accrochée à un clou et chacun s'essuya à une extrémité. Lorsque leurs yeux se croisèrent par accident, ils s'empressèrent de les baisser.

— Allons-y, dit Kenny en reprenant ses gants.

Sa voiture était aussi propre que la camionnette de Casey était crasseuse. Il conduisit sans hâte particulière.

Le vent s'engouffrait dans le véhicule par les vitres baissées, le ciel s'assombrissait, et les pins en bord de route commençaient à osciller à l'approche de l'orage. Tess ôta ses lunettes de soleil et les suspendit au col de son tee-shirt.

— Tu as faim? demanda Kenny.

— Je suis carrément affamée.

— Tu te laisserais emmener dîner par un péquenaud de Wintergreen?

— Habillée comme je suis?

Il lui décocha un sourire nonchalant.

— Je connais un endroit où personne ne s'en offusquera.

Ils allèrent dans un drive-in, s'engagèrent sous le long auvent métallique entre, sur leur gauche, un vieux couple qui buvait un soda agrémenté d'une boule de glace et, sur leur droite, une quinzaine de places vides. La carte et le haut-parleur destiné à recevoir la commande se trouvaient sur la gauche, du côté de Kenny.

— Que veux-tu? interrogea-t-il.

— Je ne vois rien, répondit Tess.

Elle défit sa ceinture de sécurité et se pencha vers la portière de gauche, une main appuyée sur le volant, l'autre sur l'appuie-tête du conducteur. Tandis qu'elle se tordait le cou pour tenter de lire la carte, Kenny l'observait. Leurs visages n'étaient qu'à quelques centimètres l'un de l'autre.

— C'est toi qui sens l'essence, ou bien c'est moi? questionna-t-elle.

— Essence et écurie, commenta-t-il en riant. Une association de parfums très tentante, non?

— Appétissant, en effet... acquiesça-t-elle en grimaçant.

— Alors, tu as choisi?

— Un hamburger, tout simplement.

— Ça marche. Maintenant, retourne de ton côté si tu ne veux pas qu'il t'arrive des bricoles.

Elle s'exécuta, se cala le dos à la portière, un genou plié sur le siège. Une fois la commande passée, Kenny se mit dans une position semblable, face à elle. Le tonnerre continuait de rouler au sud-ouest mais ils y prêtaient à peine attention. Ils avaient tous deux l'impression d'être redevenus adolescents ; la voiture, le drive-in, leurs vêtements, leur posture, cette atmosphère de flirt plus que naissant y contribuaient. Ils se faisaient les victimes consentantes d'une ambiance qu'ils avaient créée, sans guère de sagesse sans doute, mais pour ces quelques heures sans entrave d'un dimanche après-midi, ils envoyaient la prudence aux quatre vents.

— Tout à l'heure, Casey m'a demandé ce qui se passait entre toi et moi, finit par dire Tess.

— Que lui as-tu répondu ?

— La vérité : rien, répondit la jeune femme. A quoi elle a rétorqué qu'il n'y avait pas de problème de son côté si nous entamions quelque chose.

— Ah bon ? Elle a dit ça ?

— Tu connais Casey, dit Tess avec un vague haussement d'épaules.

— Oui, je la connais.

Ils se turent un moment, avant que Tess reprenne :

— Evidemment, nous savons l'un comme l'autre que ce ne serait pas une bonne idée.

— Evidemment.

— Il ne faut pas oublier qu'il y a Faith.

— Oui, bien sûr, il y a Faith.

— Et je retourne à Nashville dans deux semaines.

— Chez toi, précisa Kenny.

— Chez moi, oui.

— Et je ne suis jamais qu'un modeste comptable dans une toute petite ville, sans rien d'autre à offrir qu'un hamburger de temps en temps, dans un drive-in, et une chorale médiocre pour t'accompagner le dimanche.

Ne leur restait que le choix de renoncer à lutter et de s'embrasser ou de mourir du désir de le faire. La serveuse du drive-in les sauva de ces deux catastrophes en leur apportant leur plateau.

— Pouvez-vous relever un peu votre vitre pour que j'accroche le plateau ?... Merci. Ce sera dix dollars soixante-dix, s'il vous plaît.

Tess s'amusa à regarder Kenny se contorsionner pour trouver son argent au fond des poches de son jean.

— Tu te rends compte, lui dit-elle comme il attrapait le plateau, c'est la première fois que je sors avec un homme en deux ans. Que dis-je! Plus de deux ans.

— Et ton chanteur à Nashville? interrogea Kenny en lui faisant passer son hamburger.

— Je te parle d'un «vrai» rendez-vous. Sortir avec un homme qui m'offre à dîner puis me ramène à la maison. Cela ne m'arrive plus jamais.

— Trop riche? Trop célèbre?

— Les deux. Tu finis par ne plus savoir pourquoi les gens recherchent ta compagnie.

Une camionnette bleu vif flambant neuve, avec trois adolescents à son bord, vint se garer sur leur droite, pare-chocs chromé et radio hurlante.

— C'est ce que tu penses de moi? demanda Kenny quand les nouveaux venus eurent baissé le son. Que je suis intéressé?

— Non. Toi, tu n'es qu'un accident.

— Oh, voilà qui est flatteur.

— Tu comprends ce que je veux dire.

— En tout cas, ça fait plaisir de ne pas être assimilé aux groupies.

— Je sais que tu es différent.

Les hamburgers étaient juteux, délicieux. Ils s'en régalèrent, ainsi que des frites au ketchup, des cornichons et autres *pickles*. Tess ne put cependant venir à bout de sa portion.

— Tu as fini? lui demanda Kenny.

— Oui.

Tout en s'essuyant la bouche avec sa serviette en papier, elle jeta un coup d'œil vers la camionnette bleue.

— Oh, souffla-t-elle, je crois que je suis repérée.

Trois visages criblés d'acné lui souriaient, bouche bée.

— Filons, décida Kenny.

Il donna un coup de klaxon et la serveuse vint ramasser leur plateau.

La pluie se mit à tomber alors qu'ils reculaient pour

quitter leur place. Ils remontèrent leurs vitres, Kenny mit les essuie-glaces en marche et tourna à gauche dans la rue principale. Nullement pressés de regagner leurs domiciles respectifs, ils longèrent l'artère déserte à vingt-cinq kilomètres heure. Un feu rouge leur accorda fort à propos un sursis prolongé. La pluie tambourinait à présent sur le toit, dégoulinait sur le pare-brise, et tous deux continuaient de lutter contre l'attrait charnel qui les avait harcelés tout l'après-midi. Tess regarda Kenny. Il la regarda. Le feu passa au vert, ils se remirent en route.

— Faith apprendra certainement que nous étions ensemble aujourd'hui, remarqua-t-elle.

— Tu sais, j'en ai un peu assez que tu cites toujours Faith.

— Excuse-moi, dit-elle humblement.

Et elle tourna le visage vers sa vitre. Kenny s'abîma dans un froid silence. Ils contournèrent la place centrale puis filèrent au nord sur Sycamore. Dehors, la pluie tombait de plus en plus dru ; dans l'habitacle, l'atmosphère devenait moite et de plus en plus tendue à mesure qu'on se rapprochait du but.

— Tu avais dit que tu ne recommencerais plus, souligna Tess tandis qu'ils s'engageaient dans l'allée qui séparait leurs deux jardins.

— Que je ne recommencerais plus quoi ?

— A être glacial avec moi.

Ce fut au tour de Kenny de faire preuve d'humilité :

— Pardonne-moi, dit-il.

Il s'arrêta devant son garage et s'apprêtait à commander l'ouverture de la porte quand Tess l'en dissuada d'un geste.

— Restons ici. J'aime l'orage.

Il lui jeta un coup d'œil furtif mais, sans protester, éteignit ses phares et coupa le moteur. Ils demeurèrent immobiles dans l'habitacle presque sombre, humide, sous le martèlement de la pluie. Le tonnerre et les éclairs se déchaînaient autour d'eux.

— Voilà, nous sommes arrivés, observa Kenny.

Tess regarda les fenêtres éclairées de la cuisine de sa mère.

— Renee va me tuer d'être partie si longtemps.

— Tu vas courir sous ce déluge?

— Non, j'attends une minute.

A son tour, il regarda les fenêtres obscures de sa maison.

— Les enfants ont dû être surpris par l'orage en allant à Poplar Bluff.

— Ne t'inquiète pas pour eux.

La pluie, les éclairs, les roulements de tonnerre redoublaient, et eux ne trouvaient plus rien à se dire. La buée commençait d'envahir les vitres, leurs vêtements semblaient leur coller à la peau. Bien qu'il ne fût que six heures du soir, on aurait cru que le monde plongeait dans les ténèbres. Personne, depuis sa fenêtre, ne pouvait voir ce qui se passait dehors, ils le savaient tous les deux. La frustration de Tess explosa subitement :

— Ecoute, Kenny, c'est complètement ridicule! Je suis une adulte, une femme mûre, et je me tiens avec toi comme une gamine. Simplement, ne dis pas à Faith que j'ai fait ça.

Et elle se jeta quasiment sur lui pour l'embrasser, forçant la porte autour de laquelle ils avaient l'un et l'autre vainement tourné depuis... depuis quand? Il était difficile de savoir quand était né le premier élan. A un moment ou à un autre entre le soir de l'arrivée de Tess, quand il l'avait royalement ignorée, et le soir de la répétition de la chorale. Sous l'effet de la surprise, Kenny s'abandonna, et elle en profita sans vergogne alors qu'il se demandait encore ce que lui permettaient son honnêteté, sa loyauté vis-à-vis de Faith. Ce fut un baiser impulsif, franc, partagé. Quand Tess s'écarta, Kenny la tenait par la taille, les mains glissées sous son grand tee-shirt, peut-être pour l'empêcher de s'écraser complètement contre lui.

— C'est pour le jour où je me suis moquée de toi dans le car, dit-elle, souriant dans la pénombre. Considère que ce qui vient de se passer est entièrement de mon fait, ajouta-t-elle. Je te dégage de toute responsabilité, de toute culpabilité, mon cher saint Kenny. Merci pour cette journée merveilleuse.

De nouveau, elle l'embrassa, rapidement, puis elle descendit de voiture et partit en courant sous la pluie battante.

12

Dans la maison, Mary et Renee regardaient la télévision. Tess arriva précipitamment par la porte de derrière, trempée.

— Quelqu'un peut-il m'apporter de quoi me sécher, s'il vous plaît?

Renee apparut peu après et lui tendit une serviette.

— Il était temps que tu rentres. Nous commencions à nous inquiéter.

— Excuse-moi. J'aurais dû téléphoner.

Tess ôta sa casquette, épongea les pointes de ses cheveux mouillés puis son tee-shirt.

— Tu ne t'es pas promenée à cheval tout ce temps. Pas sous l'orage.

— Non. Je suis allée manger un morceau au drive-in avec Kenny.

— Avec Kenny, répéta Renee en la regardant s'asseoir pour ôter ses bottes. Je croyais que tu allais monter avec Casey. Je ne savais pas que Kenny était de la partie.

Toujours mouillée mais un peu moins dégoulinante, Tess cala ses bottes contre le mur.

— Es-tu très pressée, Renee, ou puis-je te parler une minute?

— Je peux rester un peu.

— Viens avec moi en haut, invita la jeune femme, à voix basse afin de ne pas être entendue de Mary.

— Tu es rentrée, remarqua celle-ci alors que ses deux

filles traversaient le salon pour gagner l'escalier. Tu as passé un bon moment?

Et elle reporta son attention sur son émission sans même écouter la réponse affirmative de Tess.

Dans la chambre, la jeune femme enleva ses vêtements mouillés tandis que Renee s'asseyait, jambes croisées, sur son ancien lit.

— Comme quand nous étions petites, commenta l'aînée. Alors, que t'arrive-t-il?

Tess avait déjà enfilé un pull en coton, défait sa queue de cheval et entrepris de se coiffer.

— C'est bizarre, Renee. Tu ne vas pas le croire.

— J'ai l'impression qu'il est question de Kenny et de toi.

— Si tu pouvais me remettre un peu les idées en place, grande sœur...

— Tu ferais bien de me dire de quoi il retourne, d'abord.

— Je viens de l'embrasser dans sa voiture. Comme il n'arrivait pas à s'y résoudre, j'ai fait le premier pas. C'est plutôt stupide, non?

— C'est tout? Juste un baiser?

— Oui. Mais au cours de ces deux semaines passées ici, il m'est arrivé quelque chose, Renee. Je n'ai pas cessé de le croiser et il s'est avéré être le type le plus fabuleux que j'aie rencontré depuis des années. Vous le traitez tous comme s'il était notre frère, maman le considère comme son fils... et puis Casey est arrivée dans le paysage. J'adore cette gamine, je me rends compte qu'il est un père extraordinaire... Puis il y a eu la répétition de la chorale à laquelle nous sommes allés ensemble. Enfin, tout à l'heure, dès qu'il est arrivé chez Dexter Hickey, j'ai commencé à me tenir comme une adolescente amoureuse. Ça ne me ressemble pas, Renee.

Celle-ci prit le temps d'assimiler ces informations.

— C'est à cause de lui que tu emmènes Casey à Nashville?

— Pas du tout! Pour qui me prends-tu?

— Tu en es certaine?

— Absolument. Mon histoire avec Casey a commencé avant même que j'aie échangé deux mots avec Kenny.

De nouveau, Renee s'accorda un moment de réflexion.

— Et que devient Faith dans tout ça? s'enquit-elle.

— Il refuse de me parler de leur relation.

Renee prit l'air de quelqu'un qui a déjà longuement soupesé la question.

— Ils sont intimes, j'en suis sûre, déclara-t-elle. Simplement, ils n'en font pas étalage, alors leur entourage accepte le *statu quo*.

Malheureuse de voir ses soupçons confirmés, Tess fixa sa sœur.

— Tu dois faire attention, Tess. Tu n'as pas le droit de jouer avec les sentiments des gens.

— Je ne joue pas.

— Vraiment?

— Oui, vraiment!

— Alors, que va-t-il sortir de tout ça? Tu vas retourner à Nashville, le laisser ici, et si tu as gâché ce qui existait entre Faith et lui, il aura perdu sur tous les tableaux. Tu as peut-être oublié que tu es une superstar et que ton statut a de quoi impressionner un homme que tu honores de ton attention.

— Non, j'y ai pensé.

— Sans compter que Kenny était amoureux de toi quand vous étiez au lycée. Il n'a aucune défense contre toi, Tess.

La jeune femme regarda le peigne qu'elle tenait à la main. Ses cheveux qui commençaient à sécher formaient un halo de boucles autour de son visage. Elle songea à la journée merveilleuse qu'elle venait de passer avec Kenny. Une autre femme aurait pu vivre cette journée-là sans avoir besoin de se confesser à quiconque ensuite.

— Tu sais, Renee, être Tess McPhail entraîne parfois une solitude terrible.

— Je n'en doute pas, mais choisis quelqu'un d'autre que Kenny.

— Qui? Les fans qui font le pied de grue à la porte des coulisses? Les types de l'industrie musicale qui recherchent mes faveurs pour avancer dans leur propre carrière ? Une autre star de la chanson qui sera sur la route les rares fois où je n'y serai pas ? Un des gars de mon orchestre ? Voilà un excellent moyen de perdre un bon musicien, conclut-elle en riant.

— C'est toi qui as choisi cette vie, Tess.

Poussant un soupir, la jeune femme se détourna légèrement et jeta son peigne sur la coiffeuse.

— Et ce guitariste dont m'a parlé maman ? reprit Renee, la sentant sur la défensive. Il paraît qu'il t'a appelée deux fois depuis que tu es ici.

— Burt. C'est vrai, il m'a téléphoné et nous nous sommes donné rendez-vous dès notre retour à Nashville. J'ai cru que cette perspective parviendrait à me détourner de Kenny.

— Mais comme ça n'a pas été le cas, tu lui as fait des avances ce soir.

— Je ne lui ai pas...

Tess s'interrompit d'elle-même, se rendant compte à quel point son discours sonnait faux. Elle quitta le tabouret sur lequel elle s'était assise et marcha à grands pas vers l'autre bout du grenier. Appuyée à la balustrade de l'escalier, elle regarda les lumières de la maison de Kenny, tremblotantes derrière la vitre brouillée par la pluie. La chambre de Kenny s'alluma.

— Tu voulais que je te ramène à la raison, reprit Renee dans son dos, eh bien, c'est fait. D'ici la fin de ton séjour, tiens-toi à distance de Kenny. Laisse-le à Faith, plus tard tu t'en féliciteras. D'accord ? conclut-elle en rejoignant sa sœur pour la prendre par les épaules.

Tess hocha tristement la tête.

— Allons... viens un peu par là, insista Renee en la prenant dans ses bras. Tu es fâchée contre moi parce que je t'ai dit le fond de ma pensée ?

— Non.

Enlacées, elles se balancèrent un moment, et Tess se mit à pleurer.

— Oh, pourquoi a-t-il fallu que je revienne pour que ma vie se retrouve perturbée ? J'adore mon métier ! Et la majeure partie du temps, je ne pense même jamais à ce à quoi j'ai renoncé !

— Mais les bons vieux instincts vitaux parfois repointent le nez et font valoir leurs exigences, c'est ça ?

Malgré ses larmes, Tess émit un petit rire puis, s'écartant de sa sœur, s'essuya le visage des deux mains.

— Oh, zut. Et zut à toi qui m'as fait revenir ici.

— J'avoue que je n'ai pas imaginé une seconde que tu tomberais sous le charme de Kenny Kronek, répliqua Renee avec humour.

Elle alla chercher un mouchoir en papier sur la coiffeuse et le tendit à Tess.

— Je ne suis pas sous le charme de Kenny Kronek, corrigea celle-ci. Disons... reprit-elle devant l'expression réprobatrice de Renee. Bon, peut-être que si, mais si Faith a des droits sur lui, j'aurai la gentillesse de me tenir à distance. Et s'il vient voir Casey à Nashville, je... je...

— Tu quoi ?

— Je ne sais pas ce que je ferai !

— Tu sais, Tess, il y a un élément que nous n'avons pas pris en considération.

— Lequel ?

— Kenny lui-même. S'il est l'homme que je crois, il ne trompera pas Faith. Tu m'as dit toi-même qu'il refusait de t'embrasser.

— Tu as raison, acquiesça Tess après réflexion. Le pire, c'est que c'est une des raisons pour lesquelles je pense tellement de bien de lui.

Tess prit à cœur l'admonestation de Renee. Décidant qu'elle avait eu tort de quasiment forcer Kenny à l'embrasser, elle prit la décision de faire désormais son possible pour l'éviter.

Le lundi, malgré ses courbatures, elle tondit la pelouse en pleine chaleur pour ne pas avoir à le faire lorsque Kenny serait chez lui. Le soir même, Casey lui téléphonait :

— Alors, comment ça s'est passé avec papa ?

— Pourquoi ne pas le lui demander?

— Je l'ai fait, mais il m'a fait le coup de l'humeur massacrante et il m'a rembarrée.

Tess en conclut que Kenny avait adopté les mêmes résolutions qu'elle : il était préférable qu'ils ne se voient plus.

— Eh bien, il ne s'est rien passé, mentit-elle.

— Oh, zut. Enfin, je vais continuer à espérer.

Elle le vit, naturellement, lorsqu'il allait et venait autour de chez lui, mais elle restait dans la maison chaque fois qu'il apparaissait dans le jardin. Parfois il lançait un regard en direction de chez Mary, sans doute dans l'espoir de voir Tess apparaître à la porte de derrière. Elle s'en gardait bien et se tenait hors de sa vue.

Le mardi soir, le hasard voulut que quatre amies de Mary viennent la voir, l'une après l'autre, aussi Tess fut-elle très occupée à servir le café et à faire la conversation aux visiteuses successives. Mais son esprit ne cessait de s'échapper vers la répétition de la chorale à laquelle elle avait participé une semaine auparavant. Elle avait vu Kenny partir à sept heures et quart, s'arrêter près de son garage pour regarder la maison de Mary, mais il avait fini par s'en aller sans venir lui demander si elle souhaitait l'accompagner.

Le mercredi soir, Mary eut envie de prendre le frais et insista pour se promener dehors. Elle parvint à descendre les marches du perron avec ses seules béquilles puis, Tess à son côté, partit le long du pâté de maisons. C'était une belle soirée. Les colombes lançaient leur appel plaintif depuis les fils électriques, et les voisins de Mary sortaient en la voyant afin de venir lui souhaiter un prompt rétablissement. Elles avaient parcouru une bonne centaine de mètres quand la voiture de Kenny s'arrêta à leur hauteur.

— Vous avez fait une sacrée trotte, Mary! s'exclama-t-il, accoudé à sa vitre.

— C'est que je veux arriver à remonter l'allée de l'église pour le mariage de Rachel. Vous pourrez m'en sortir en fauteuil roulant mais je tiens à y entrer sur mes deux jambes!

Un silence se fit comme Tess et Kenny échangeaient un regard.

— Salut, Tess, dit-il enfin. Tu nous as manqué hier soir à la chorale.

— Désolée. J'étais occupée.

— J'en déduis que tu n'auras chanté qu'un seul dimanche avec nous.

— Je crois que oui.

— Bon... c'est décevant. Les gens se posaient la question. Allez... continua-t-il après un nouveau silence. Faith a un arbuste mort à remplacer, alors je file. A plus tard.

Et, sans un autre regard à Tess, il redémarra.

En le voyant s'éloigner, la jeune femme fut prise d'un profond désarroi — boule dans la gorge, vide dans le cœur, regret de ne pouvoir le suivre pour lui dire : «Attends, parlons un peu.» Mais parler de quoi? Leur situation était sans espoir et tous deux le savaient.

Le dimanche, elle assista au premier office afin de ne pas avoir à se produire avec la chorale. Peu avant midi, Casey l'appelait au téléphone :

— Dis donc, où étais-tu passée?

— Je suis allée à l'église plus tôt, avec la famille de Rachel.

— Mais on pensait que tu reviendrais chanter avec nous !

— Je n'étais pas venue à la répétition.

— Papa ne t'aurait pas exclue sous prétexte que tu n'as pas assisté à la répétition! Tu oublies que tu es Tess McPhail !

— Ecoute, Casey... répliqua la jeune femme avec une nuance de supplication dans la voix, je... Il est simplement préférable que ça se passe comme ça...

— Ah, souffla Casey d'un ton déçu et gentil. D'accord... Tu as sans doute raison. Quelque chose a mal tourné entre papa et toi dimanche dernier?

— Non, rien.

— Bon... Tu aimerais remonter à cheval aujourd'hui?

— Je ne crois pas, Casey. J'ai à faire ici.

— Ah… C'est comme tu veux. Mais quand est-ce que je te revois ?

— Viens quand ça te fait plaisir. Sinon, à samedi prochain, pour le mariage.

— D'accord. Ne te fais pas trop de souci, quand même, et dis bonjour à Mary de ma part.

Casey passa deux fois dans la semaine, et deux fois elle raconta que Kenny n'était pas très drôle à vivre ces temps-ci. D'après elle, il avait dû avoir des mots avec Faith, aussi incroyable que cela paraisse car, pour autant qu'elle le sache, ils ne se disputaient jamais.

Six jours durant, Tess n'aperçut Kenny qu'à travers les carreaux, mais chaque fois qu'elle pensait au samedi, où elle le verrait à l'occasion du mariage, elle éprouvait un serrement au cœur, et ses mains rechignaient à la tâche qu'elles étaient censées accomplir.

Mary était opérée depuis trois semaines. Elle reprenait des forces, se sentait incroyablement mieux. Du coup, elle cherchait moins la querelle. Le jeudi, Tess estima le moment venu d'aborder le sujet qu'elle avait en tête depuis le soir de son arrivée.

Mary ayant demandé à dîner au salon en regardant les informations, Tess avait dressé une table pliante devant le fauteuil de sa mère et apporté pour elle une chaise de la cuisine. Il n'y eut pas de heurt durant ce repas — la salade mexicaine leur convenait à toutes deux.

— Maman, j'ai une surprise pour toi, déclara la jeune femme, une fois la télévision éteinte et le dîner presque achevé.

— Une surprise ? s'exclama Mary, déjà ravie.

— Samedi matin, à huit heures, une coiffeuse nommée Niki va venir t'arranger les cheveux pour le mariage. Elle fera tout ce que tu lui demanderas. Couleur, permanente, coupe… tout.

— Ici, à la maison ? s'étonna Mary.

— Exactement.

— Ça alors ! Je n'ai jamais entendu dire que ça se faisait.

— J'ai pensé que ça te ferait plaisir d'être coiffée pour la cérémonie.

— Cette Niki... elle ne travaille pas au salon de Judy ?

— Non. Judy et ses employées étaient déjà trop prises ce matin-là. Mais Judy m'a assuré que Niki te ferait quelque chose de très joli.

— Eh bien... murmura Mary, toujours étonnée.

— Alors, tu es d'accord ?

— Bien sûr ! s'exclama la vieille dame avec enthousiasme.

— Et puis, maman, j'ai autre chose à te demander...

Le sujet était peut-être plus délicat que la question de la coiffure, mais si elle ne l'abordait pas, qui s'en chargerait ?

— Tu te rappelles ce bel ensemble pantalon en soie verte que je t'ai envoyé de Seattle l'année dernière ? L'as-tu déjà porté ?

— Je l'ai essayé.

— Mais tu ne l'as pas porté.

— C'est-à-dire que... c'est un habit affreusement cher. Je m'en suis bien rendu compte.

— Si tu le mettais pour le mariage ? Il serait parfait puisque tu dois continuer à porter ces vilains bas antivarices. Qu'en penses-tu, maman ?

— J'avais prévu cet autre ensemble pantalon que je me suis acheté au printemps dernier. Il est très bien et je ne l'ai mis que deux ou trois fois.

La première réaction de Tess fut la colère. Elle se leva et se mit à rassembler les assiettes sales, essayant de ravaler le chagrin qui lui nouait la gorge. Elle tenait une pyramide de vaisselle dans les mains quand elle se ravisa pour reposer le tout sur la table et s'accroupir auprès du fauteuil de Mary.

— Il faut que je te dise quelque chose, maman. Je ne suis pas certaine que tu comprennes, mais...

224

Prenant la main de Mary entre les siennes, elle cherca ses vieux yeux bruns.

— Ecoute, maman, je ne sais comment te le dire autrement. Je suis riche. Puis-je le dire sans avoir l'air de me vanter et de parader ? C'est un fait établi maintenant. Je suis très, très riche, et cela me fait grand plaisir de t'envoyer des cadeaux. De jolies choses venues de magasins où tu n'entreras jamais parce que tu n'as pas l'occasion de voyager comme moi. Mais ça me blesse que tu n'essaies même pas de les porter.

— Oh, mon Dieu... Je... je n'avais jamais réfléchi à ça. Simplement, je me dis toujours que ce sont des choses trop magnifiques pour Wintergreen.

— Je ne te les envoie pas pour Wintergreen, mais pour toi.

Mary se tut pendant un moment, l'air sombre, assez éprouvée. Pour finir, elle détourna les yeux et les reporta aussitôt sur sa fille.

— Eh bien, puisque tu es franche, permets-moi d'être franche, moi aussi. Quelquefois, quand tu m'envoies ces cadeaux, je me dis que c'est parce que tu sais que tu devrais venir me voir, mais que tu es trop occupée pour prendre le temps d'une visite. C'est peut-être pour ça que je ne les utilise pas. Pour être parfaitement honnête, je préférerais t'avoir toi plutôt que tous les plus beaux présents du monde.

Ces paroles firent mal à Tess parce qu'elles exprimaient la vérité, et la jeune femme l'admit enfin. Combien de fois avait-elle pénétré au pas de charge dans un magasin de luxe d'une ville lointaine à la recherche d'un cadeau pour Mary, avec, tandis qu'elle attendait qu'on lui rende sa carte de crédit, cette pensée nourrie de culpabilité : « Tu ferais mieux d'aller la voir » ? Mais envoyer des présents était beaucoup plus facile. Cela empiétait tellement moins sur son emploi du temps...

Il y avait des gens en ce monde qui n'avaient pas de mère, qui se seraient estimés les plus heureux d'en avoir une aussi aimante ; or Tess non seulement la voyait moins souvent qu'elle n'aurait dû mais de surcroît trouvait le moyen de lui reprocher ses caprices et de s'en irriter quand l'amour aurait dû la pousser à passer outre. Voilà maintenant qu'elle contemplait fixement le visage de Mary qui, à ce moment, paraissait beaucoup plus âgée. Sa récente opération, la raideur de sa posture dans son fauteuil, genoux écartés, ses béquilles toutes proches, et la tristesse qui s'était peinte sur ses traits accentuaient cette impression de vieillissement. Dans le dessin de ses rides, Tess discerna son propre devenir. Un jour elle aurait l'âge de Mary, et Mary ne serait plus là. Qui savait combien de temps il leur restait?

— Je suis désolée, maman, souffla-t-elle. J'essaierai de faire mieux.

— Tu sais comme je suis fière de toi, n'est-ce pas? murmura à son tour Mary en lui caressant les cheveux.

Tess acquiesça, les yeux voilés de larmes.

— Et je sais ce qu'il t'a fallu d'efforts pour arriver là où tu es. Mais, Tess, nous sommes ta famille, et on n'en a qu'une.

— Je sais, dit Tess d'une voix étranglée.

Elles demeurèrent ainsi, acceptant chacune ce que l'autre venait de dire, Mary raide dans son fauteuil, Tess agenouillée auprès d'elle, les reliefs du repas sur la table, dans l'éclat du soleil couchant qui pénétrait jusqu'à elles. Dehors, un chien se mit à aboyer, et quelqu'un siffla pour le faire taire. Les détails de cet instant hanteraient la mémoire des deux femmes au cours des jours à venir, car jamais elles ne s'étaient senties si proches depuis que Tess avait terminé ses études et bouclé ses bagages pour Nashville.

— Si tu veux bien, maintenant, reprit Mary, s'efforçant d'insuffler un peu de gaieté dans sa voix, tu vas aller dans mon placard et prendre le bel ensemble pantalon que tu m'as envoyé. Tu me le repasseras pour samedi, et dès que Niki aura fini de me coiffer, je le mettrai. Comme ça, mes filles seront fières de moi au mariage. Qu'en dis-tu?

Tess se redressa pour l'embrasser sur la joue.

— Merci, maman, dit-elle, et elle sourit.

Plus tard, ce même soir, tandis que Mary dormait déjà profondément, Tess téléphona à Renee.

— J'ai convaincu maman de laisser son vieil ensemble pantalon en synthétique au placard.

— Vraiment, petite sœur ? Tu as réussi un miracle !

— Elle portera celui que je lui ai envoyé de Seattle l'an dernier.

— Super ! Il est magnifique et Rachel sera heureuse d'apprendre la nouvelle. Je te dois une fière chandelle, Tess.

— Ce n'est pas tout.

— Ne me dis pas qu'elle se fait arranger les cheveux !

— Si, justement. Ici, à la maison. J'ai engagé quelqu'un pour venir la coiffer.

— Ce doit être amusant d'avoir assez d'argent pour faire ce genre de chose, commenta Renee, sans une once de jalousie.

— Tu dis vrai, acquiesça Tess.

Rares étaient les gens avec qui elle pouvait parler argent. Elle aimait d'autant plus Renee que celle-ci acceptait cette différence entre elles.

— Judy a essayé, reprit Renee, il faut le lui reconnaître. Je ne saurais te dire combien de fois elle a proposé à maman de venir à son salon quand elle le souhaiterait. Mais maman est tellement fière ! Elle craint que Judy ne la fasse pas payer. Et on peut avancer tous les arguments qu'on veut pour la faire changer d'avis, rien n'y fait.

— Je m'en doute. Au fait, à propos du mariage, à quelle heure veux-tu qu'elle soit à l'église pour les photos ?

— La cérémonie a lieu à cinq heures, alors disons... quatre heures. Le photographe nous a donné rendez-vous à trois heures mais je lui ai dit de prévoir les photos avec les grands-parents au dernier moment, ainsi maman n'aura pas à venir trop tôt. Crois-tu qu'elle tiendra le coup jusqu'au dîner ?

— Tout se passera bien. Elle insiste pour marcher avec

227

ses béquilles, mais nous prendrons également le fauteuil roulant, et je la ramènerai à la maison dès qu'elle le souhaitera. Elle progresse remarquablement en kiné. Jamais une plainte, même quand elle souffre beaucoup. Elle a énormément de volonté.

— Dis donc... j'ai l'impression de ne pas avoir affaire à la même Tess, celle qui déclarait le premier jour que maman la rendrait dingue.

— Sans doute attendais-je trop d'elle. Et tu as raison. Elle vieillit. Je crois que je finis par l'accepter.

— Nous en veux-tu encore, à Judy et moi, de t'avoir contrainte à revenir à la maison pour t'occuper d'elle ?

— Non, je ne vous en veux plus. Pour le moment, je soupçonne mon producteur d'être plus contrarié que moi.

— Allez, sœurette, il est tard et la journée de demain ne va pas être de tout repos.

— Pardonne-moi de t'avoir retenue si longtemps.

— Une dernière chose : t'es-tu tenue à distance de Kenny comme je te l'avais conseillé ?

— Scrupuleusement.

— Bien. Je te vois au mariage. Quand ce sera terminé, je serai contente de retrouver ma vie normale.

Le temps était idéal ce samedi-là. Vingt-huit degrés et un soleil radieux lorsque Tess s'habilla. Elle s'était acheté un fourreau bleu nuit chez Barney à New York, de coupe très sobre, qu'elle assortit avec des chaussures légères en étoffe parsemée de petits brillants bleus. Elle portait au cou un pendentif de la taille d'une bille, couvert de diamants, et aux oreilles de petites demi-lunes, rehaussées elles aussi de diamants véritables. Bien qu'elle eût soigneusement évité, depuis son retour au pays, d'arborer le moindre étalage de sa richesse, elle estimait pouvoir se permettre un certain faste à l'occasion du mariage de sa nièce.

Le fourreau s'avéra un tantinet plus ajusté que lorsqu'elle l'avait essayé à New York. « Finis, les hamburgers et les frites au drive-in, se dit-elle. Et ce sera jogging tous les jours désormais...»

Mary écarquilla les yeux en la voyant entrer dans sa chambre.

— Un problème? s'enquit la jeune femme en vérifiant sa tenue.

— A force de te voir aller et venir en jean et en tee-shirt, j'avais oublié que tu étais une star, une vraie de vraie. Mon Dieu, comme tu es belle, ma petite!

— Oh, maman...

— Si, si, éblouissante. Ce sont de vrais diamants?

— Tu trouves que c'est trop?

— Porte-les donc. Tu les as gagnés, va.

— Merci, maman.

Les compliments de Mary la touchaient profondément, surtout le fait qu'elle ait approuvé les diamants, elle qui n'avait jamais possédé de pierres précieuses hormis sa modeste bague de fiançailles. Peut-être était-ce la caractéristique des mères que de vouloir le meilleur pour leurs enfants sans rien attendre pour elles-mêmes.

— Tous les hommes vont te dévorer des yeux. Et la moitié des femmes.

— Et toi, alors? Attends un peu d'avoir passé ton ensemble... tu vas voir.

Il était d'un vert pâle lumineux, fermé sur le devant par quatre brandebourgs en satin. Le faire enfiler à Mary exigea quelques efforts mais, à elles deux, elles y parvinrent.

— Je vais te mettre un peu de mascara, d'accord? proposa Tess quand veste et pantalon furent dûment boutonnés. Attends, je vais chercher le tabouret haut à la cuisine.

— Tess, ne te donne pas tout ce mal pour moi...

Les protestations de Mary n'eurent aucun effet. Sa fille l'installa face au miroir de la coiffeuse de sa chambre. Elle lui poudra les joues, les colora légèrement, puis lui maquilla les yeux et ensuite les lèvres, en les surlignant. Niki avait fait un joli travail, dotant Mary d'une coupe flatteuse qui la rajeunissait de cinq ans. Ses cheveux colorés en un gris nacré légèrement rosé avaient retrouvé souplesse et volume.

— Maintenant, les boucles d'oreille. J'ai celles qu'il te faut.

Tess tendit à sa mère une petite boîte, acquise elle aussi à New York. En voyant le nom gravé sur le couvercle, Mary leva sur elle des yeux incrédules.

— Tiffany? murmura-t-elle. Tess, qu'est-ce que tu as fait?

— Ouvre-la. C'est pour la fête des Mères, un peu en avance.

Dans la boîte s'en nichait une autre, un écrin en velours noir. Mary y découvrit deux larmes d'émeraude serties de diamants. Ses yeux s'embuèrent aussitôt.

— Oh, Tess...

Debout derrière elle, Tess lui frictionna le bras et lui sourit dans le miroir.

— Ne va pas gâcher ton maquillage en pleurant. Allez, mets-les.

— Mais, Tess... elles sont... C'est...

— Oui, je sais. Mais je peux me permettre ça, maman, et puisque tu ne veux pas que je te fasse construire une nouvelle maison, tu es obligée de les accepter à la place.

De ses mains tremblantes, Mary passa les pendants à ses oreilles. Lorsqu'elle regarda son image dans la glace, le souffle lui manqua.

— Ma parole, chuchota-t-elle, portant une main à son cœur affolé.

Tess se pencha pour presser son visage contre le sien.

— Toi aussi, tu es belle, maman.

Les gemmes accrochaient la lumière des petites lampes de la coiffeuse et la disséminaient sur les murs. Mais le changement tenait à bien plus qu'aux pierres précieuses; c'était un tout : la nouvelle coiffure, le maquillage, la coupe élégante de la veste en soie et le brillant des yeux d'une vieille femme de soixante-quatorze ans qui n'avait plus guère d'occasions de s'apprêter de la sorte. Tess éprouva une immense satisfaction à constater que sa mère se trouvait belle à nouveau et en rayonnait de joie.

— Merci, Tess, dit-elle en caressant tendrement la joue de la jeune femme.

— Ça me fait plaisir. Partons maintenant. Tu vas voir un peu les dégâts que nous allons commettre à nous deux ! Raides morts, ils vont être ! Je mets ton fauteuil roulant dans le coffre, continua-t-elle tandis que Mary riait. Attends-moi avant d'aller faire des prouesses sur les marches avec tes béquilles...

Elle laissa Mary continuer à contempler sa métamorphose.

Quand elle atteignit sa voiture, poussant le fauteuil roulant plié, deux adolescents coiffés de casquettes de baseball à l'envers arrivaient dans l'allée à sa hauteur. Ils ralentirent en la voyant ouvrir la 300.

— C'est vot' voiture ? questionna l'un d'eux.

— Oui, c'est ma voiture.

— Super cool...

— Merci.

— C'est bien vous la chanteuse de country ?

— Oui, c'est bien moi.

— Super-super-cooooool !

Ils restèrent dans les parages pour la regarder monter à bord de sa voiture puis finirent par s'éloigner. Elle se gara plus loin, sortit le véhicule de Mary, et s'apprêtait à soulever le fauteuil quand Kenny ouvrit la porte de sa véranda.

— Attends, Tess. Je vais t'aider !

Lui aussi était déjà vêtu pour le mariage, d'un costume bleu marine à fines rayures.

— Tu me sauves la vie, Kenny, reconnut Tess pendant qu'il rangeait le fauteuil dans le coffre. Ce machin est d'un lourd ! Merci.

— Je n'allais pas te laisser... commença-t-il.

Son regard la parcourut de haut en bas et il n'acheva pas sa phrase.

— Jolie robe, dit-il cependant, d'une voix plus sourde.

— Merci. Ton costume est beau aussi. Et c'est bien une cravate Norman Rockwell ?

— Oui... merci.

Le silence s'installa.

Il n'avait certainement pas acheté ses vêtements à Wintergreen, et il n'avait certainement pas idée de l'émoi qu'il provoquait en Tess. Il savait nouer élégamment une cravate, l'assortir à un costume, et la coupe de celui-ci à sa silhouette ; il savait aussi fixer une femme de façon à la bouleverser, à un niveau viscéral où elle eût préféré ne rien ressentir.

Mais si elle en avait conscience, lui aussi éprouvait cette attirance sexuelle au plus profond de lui-même, et la savait réciproque. Dans son fourreau de soie, avec ses bijoux et son maquillage, il avait pour la première fois devant lui la femme qu'il avait vue sur les couvertures des magazines ou dans les shows télévisés. La coupe très simple de sa robe la faisait paraître toute jeune et innocente. L'encolure, presque droite, dévoilait à peine ses clavicules ; l'ourlet lui arrivait aux genoux. Les diamants à ses oreilles scintillaient sous le soleil, et le pendentif niché entre ses seins ressortait magnifiquement sur la soie bleu nuit.

Se rendant compte qu'ils se dévoraient mutuellement des yeux, ils détournèrent simultanément le regard.

— Bon... dit Tess. Je retourne à la maison. Maman m'attend.

— A-t-elle besoin d'un coup de main ?

— Je ne crois pas. Je ne peux que lui tenir la porte. Elle doit descendre les marches toute seule.

Bien qu'elle eût décliné son offre, il la suivit vers la maison de Mary.

Dans son sillage, il eut encore une autre vision d'elle : ses collants, bleu nuit eux aussi, ses talons hauts qui accentuaient le galbe de ses jambes, les brillants sur l'étoffe de ses chaussures qui scintillaient capricieusement au rythme de ses pas, et ce parfum coûteux qu'il reconnaissait pour l'avoir senti le soir de la répétition. La brise fit ondoyer l'étoffe de sa robe et, à cet instant, Kenny se sentit menacé par une intime certitude : avant qu'elle ne retourne à Nashville, ils reprendraient ce qu'ils avaient esquissé le soir de l'orage dans la voiture.

Ils atteignirent la maison, Tess entra et il attendit au

bas des marches. La jeune femme réapparut momentanément, le temps d'ouvrir la porte-moustiquaire. Mary se montra sur le seuil, appuyée sur ses béquilles, et s'immobilisa, souriante, heureuse.

— Dieu tout-puissant! s'exclama Kenny avec une franche admiration. Si je m'attendais!

— Salut, Kenny, dit la vieille dame, presque gamine.

Il sourit si généreusement que Tess eut envie de l'embrasser. Mary en aurait fait autant si elle avait été libre de ses mouvements.

— C'est Tess qui m'a arrangée. Qu'en penses-tu?

— Je pense que si j'avais vingt ans de plus, je tomberais fou amoureux! D'ailleurs, à bien y réfléchir, ça pourrait m'arriver quand même.

Mary ne put s'empêcher de rougir devant ce compliment aussi tendre que sincère. Métamorphosée, comme sous l'effet d'une renaissance, elle descendit les marches. Puis, chacun d'un côté, Tess et Kenny l'escortèrent jusqu'à la voiture. Kenny lui ouvrit la portière arrière, attendit patiemment qu'elle s'installe toute seule sur les coussins, après quoi il alla ouvrir la portière du conducteur pour Tess.

— Tu n'auras pas de problème pour la faire descendre à l'église?

— Du tout, merci.

Elle leva les yeux vers lui. L'espace d'un instant muet et secret, ils se laissèrent aller à l'illusion qu'ils étaient mari et femme, aidant Mary comme ils venaient de le faire, l'aimant comme ils l'aimaient, aimés d'elle comme ils l'étaient... Kenny fut le premier à se ressaisir.

— Bon... Je vais aller voir si je peux presser un peu Casey. Tu sais comment sont les filles quand elles se préparent. A tout à l'heure.

Sur ces mots, il ferma la portière. Tess songea que, quoi qu'elle eût promis à Renee, Kenny et elle se tenaient difficilement à la frontière de la raison et du bon sens, prêts à franchir le pas qui provoquerait un désordre imminent dans leurs vies. Il était probable qu'avant la fin de la nuit ils s'abandonneraient à leur attirance.

13

Si Kenny et Tess se placèrent du même côté de l'allée centrale à l'église, la jeune femme se retrouva devant, avec les autres membres de la famille, et lui quelques rangs plus loin. La cérémonie fut typique d'une petite ville : l'orgue joua trop fort, la chanteuse avait surestimé ses capacités dans les aigus, le bambin de quatre ans chargé de porter les alliances quitta son poste dès qu'il aperçut sa mère et, quelque part dans les derniers bancs, un bébé pleurnicha par intermittence.

Mary remonta l'allée avec ses béquilles puis s'assit dans son fauteuil roulant. A l'issue du service, Ed la poussa vers la sortie, suivi de Tess et de Judy.

La mariée faisait l'objet de moins de curiosité que Tess. Pour cette dernière, une telle situation était à la fois gênante et grisante : les gens la suivaient des yeux, murmuraient sur son passage ; certains lui adressaient un sourire radieux, espérant qu'elle le leur rendrait. Elle s'attacha à fixer la sortie, ne tournant la tête que lorsqu'elle arriva au niveau de Kenny. Casey, Faith et lui se partageaient un banc, comme une bonne famille américaine traditionnelle. Casey agita la main dans sa direction. Faith lui sourit. Kenny se contenta de darder sur elle son déconcertant regard brun.

Mary restant sous le porche avec la famille proche pour recevoir les salutations des invités, Tess fut libre de se mêler à la foule dehors. Le vent s'était levé et atténuait la chaleur de l'après-midi, quelques nuages blancs glissaient dans l'azur. Deux Appaloosa attelés à une voiture noire attendaient le long du trottoir. Judy partit rejoindre une connaissance. Tess resta seule, épiée par tous mais personne ne l'approchait.

Enfin, Casey sortit de l'église et fonça droit jusqu'à elle.

— Waouh, tu es superbe! Où as-tu déniché cette robe? Et ces chaussures!

— Je suis contente de te voir, Casey.

— Que se passe-t-il?

— Je me fais l'effet de la mouche morte dans le potage. Tout le monde me regarde mais personne ne me parle.

Casey pouffa et, promenant les yeux autour d'elle, constata qu'effectivement les gens les observaient.

— Ils ont la trouille, sûrement. Avec ce que tu as sur le dos... On ne trouve rien de pareil à Wintergreen. Tu es renversante. Ne le dis pas à Faith, poursuivit l'adolescente en baissant la voix, mais je crois bien que papa ne t'a pas quittée des yeux pendant tout le service.

— J'en doute.

— De toute façon, il te regardait comme la plupart des hommes dans l'église. Tu dois y être habituée, non?

— Je te mentirais si je disais le contraire. Mais certaines situations sont plus confortables que d'autres. Celle-ci ne l'est pas. Reste auprès de moi, tu veux bien?

Faith arriva à son tour et prit les mains de Tess entre les siennes.

— Bonjour, Tess. Vous êtes éblouissante.

— Merci. Tout le monde s'est mis sur son trente et un.

Derrière Faith, Kenny affectait une indifférence polie vis-à-vis de Tess. Ils évitaient de se regarder.

— C'était une belle cérémonie, n'est-ce pas? continuait Faith. J'étais certaine que vous chanteriez aujourd'hui.

— Rachel me l'a demandé mais j'ai préféré être une invitée comme les autres, cette fois.

— Elle a dû être déçue.

— En tout cas, elle l'a très bien pris.

Elles continuèrent de bavarder puis Judy les rejoignit, avec sa fille Tricia accompagnée d'une jolie gamine aux yeux noisette.

— Tante Tess? Mon amie Allison voudrait faire ta connaissance. C'est une de tes fans.

— Bonjour, Allison, dit Tess en serrant la main tremblante et moite de son admiratrice.

Celle-ci appartenait à la catégorie des timides, rougissante et s'efforçant de ne pas dévoiler son appareillage dentaire. La pauvre n'y parvint pas longtemps et oublia sa coquetterie pour adresser un large sourire à son idole. Elle bredouilla ce que des milliers d'autres avaient bredouillé avant elle : «Je n'arrive pas à y croire... Dire que je vous vois en chair et en os... Vous êtes si jolie... Je me demandais si vous étiez vraiment la tante de Tricia...» Judy observait la scène avec le même mépris qu'elle avait manifesté à l'hôpital. Consciente aussi de la présence silencieuse de Kenny, Tess — qui d'ordinaire était fière de son statut de vedette — regretta à cet instant de l'être. Elle aurait aimé aujourd'hui être une fille quelconque, libre de flirter avec l'homme qui lui plaisait.

La foule grossit autour d'elle, si bien qu'elle se retrouva séparée de sa famille. On prit des photos sans lui demander son accord. Quelqu'un lui réclama un autographe.

— Pas maintenant, non, murmura-t-elle. Les mariés ne vont pas tarder à sortir.

— Tess McPhail! s'écria une grosse dame moulée dans une robe à pois. C'est vraiment toi! Oh, ma jolie, tu permets que je te serre la main?

Comme si cela ne suffisait pas, il fallut qu'elle étreigne Tess. Celle-ci sortait immanquablement de ce genre d'épreuve avec du fond de teint sur l'épaule et tout un côté de sa coiffure saccagé — elle n'aimait pas du tout... Ecrasée entre les bras de la grosse dame, elle croisa le regard de Kenny et lui adressa une moue résignée; il y répondit par un clin d'œil de sympathie. Ensuite, elle ne le vit plus. Les gens l'encerclaient et, que cela lui plût ou non, elle se retrouvait au centre de l'attention générale.

Quand les derniers invités eurent quitté l'église, elle

aperçut Kenny qui poussait le fauteuil roulant de Mary sur le plan incliné. Les nouveaux époux apparurent, le voile de la mariée vola dans le vent, une pluie de grains de riz et de millet tomba, les cloches sonnèrent à toute volée.

Casey surgit alors au côté de Tess.

— Papa emmène ta mère à la voiture. Il te fait dire de prendre ton temps.

— Qu'est devenu Ed?

— Tricia devait servir le punch, alors il l'a emmenée à la salle où doit avoir lieu la réception.

— Et où est Faith?

— Là, tout près, elle parle avec sa sœur. Je file, je te revois à la fête!

Elle partit aussitôt avec ses amies et Tess gagna le parking où Kenny l'attendait, debout près de la voiture de Mary. Celle-ci était déjà installée sur la banquette arrière, portière ouverte.

— Merci d'avoir fait mon travail, dit Tess, soulagée de pouvoir enfin s'adresser directement à lui.

— J'ai cru constater que tu étais assez occupée, commenta-t-il avec un sourire amusé. La grosse dame à pois ne t'a pas trop écrasée?

— Pas complètement. A-t-elle essuyé son maquillage sur ma robe?

Kenny effleura la soie bleue du bout des doigts.

— Je ne vois rien.

— Qui est cette personne?

— Lenore Jeeters. Conseillère municipale.

— Une grande gueule, ajouta Mary depuis l'intérieur du véhicule. Capable de tenir un meeting sans micro. Elle me harcèle toujours pour que je te fasse venir à ses fêtes de charité. Je ne voudrais pas lui faire ce plaisir, même si je pensais que tu es d'accord... Ce dont je doute.

Tess se pencha vers sa mère et lui sourit.

— Merci, maman. A charge de revanche. Comment te sens-tu? Tu es fatiguée?

— Ça va très bien, mais je commence à avoir un creux

à l'estomac. Ça t'ennuierait de m'emmener au dîner avant que je tombe d'inanition?

Kenny ferma la portière et, pour un moment, Tess et lui furent seuls au monde, loin de Mary, proies d'une attirance de plus en plus affirmée.

— Encore une fois, merci, Kenny, de t'être occupé de maman… Encore et encore et encore…

Disant ces mots, Tess lui effleura le bras, laissant sa main s'attarder sur sa manche tandis qu'elle s'éloignait. Leurs doigts se rencontrèrent, s'étreignirent furtivement puis elle acheva de contourner la voiture.

La réception avait lieu à la campagne, en bord de rivière, dans une grande salle qui avait été autrefois une piste pour patineurs à roulettes puis un entrepôt de légumes, jusqu'à ce que quelqu'un la rachète, y perce quatre immenses fenêtres, y installe un genre de long comptoir, une cuisine enfin, transformant ainsi ce lieu en la plus spacieuse salle des fêtes du comté de Ripley. Le sol était recouvert d'un affreux lino multicolore, tables et chaises étaient en formica : on se serait cru dans un réfectoire scolaire sans la présence de l'orchestre qui s'était installé dans un angle et se contentait pour l'heure de diffuser une bande de musique country.

Quelque deux cents invités s'y agglutinèrent en attendant les mariés. Bien que la plupart se fussent gardés de se ruer sur Tess devant l'église, l'arrivée des boissons parut donner le signal de la détente. Beaucoup l'approchèrent, engagèrent avec elle une courte conversation. Elle eut l'impression de parler à tout le monde dans la demi-heure qui précéda le repas. Tout le monde sauf Kenny Kronek, qui s'entretenait systématiquement avec d'autres personnes, comme s'il avait une fois de plus décidé de rétablir des distances entre eux. Mais il semblait que Tess eût acquis quelque nouveau sens mystérieux car elle savait à chaque instant où il se trouvait.

Chacun de ses interlocuteurs, quasiment, voulut savoir pourquoi elle n'avait pas chanté au mariage, et si elle le ferait au cours du bal.

— Non, répétait-elle. Je suis une invitée aujourd'hui. Laissons la vedette aux jeunes mariés.

Pour avoir maintes fois vécu des situations similaires au cours de sa carrière, elle savait éviter d'éclipser les invités d'honneur sans pour autant s'aliéner ses admirateurs.

Une fois les époux arrivés, on s'attabla pour le dîner. Tess et Mary s'installèrent à une table de huit, rejointes par Judy, Ed, et Tricia qui avait fini de servir le punch. A peine étaient-ils assis que Faith Oxbury s'approcha.

— Ces places sont-elles prises ? s'enquit-elle.

— Non, répondit Judy. Asseyez-vous. Mes deux autres enfants sont à une autre table.

— Cela ne vous ennuie pas ? demanda poliment Faith à Tess.

L'ennuyer ? D'être à la même table que Kenny ? Ce n'était guère raisonnable, certes, mais que pouvait-elle répondre ?

— Non, pas du tout. D'ailleurs, je souhaitais parler avec Casey.

— Alors, c'est parfait. Je vais chercher Kenny.

Tandis que Faith s'éloignait, Casey arriva, essoufflée, et s'assit à côté de Tess.

— Je viens de parler avec quelques musiciens du groupe. Je crois qu'on va avoir de la bonne musique !

— Tu les connais ?

— Deux d'entre eux. On grattait un peu la guitare ensemble.

Faith revint avec Kenny, ils prirent les places face à Tess, et la tablée fut complète. Tout le monde se connaissant, la conversation alla bon train et l'on changea souvent de sujet.

On se régala de feuilletés aux asperges, d'un succulent poulet accompagné d'une sauce légère à la crème et à l'estragon, de fromage aux herbes. Les vins étaient excellents — pinot noir et zinfandel fruité tournèrent autour de la table. On se servait, on portait des toasts, on riait. Tess et Kenny recouraient à tous les moyens imaginables pour détourner des regards qui avaient tendance à se mêler trop souvent.

239

Ce fut Faith qui mentionna les boucles d'oreille de Mary et les examina de plus près.

— Des vraies pierres précieuses, confia la vieille dame. Tess me les a offertes cet après-midi.

Cinq personnes admirèrent les bijoux et s'exclamèrent sur leur beauté. La sixième serra les lèvres et poussa son mari du coude :

— Ressers-moi un peu de ce vin, Ed.

— Oui, moi aussi j'en veux bien encore un peu, dit Mary.

— Tu prends des médicaments, maman, contra Judy. Tu ne dois pas boire d'alcool.

— Je vais te dire, Judy : quand on a deux hanches toutes neuves et qu'on assiste au mariage de sa petite-fille, on a bien envie de s'amuser un peu. Je n'ai pas pris mes cachets ce matin. Deux verres de vin ne vont pas me tuer, va. Sers-le-moi à ras bord, Ed.

Tout le monde devint plus gai, excepté Judy.

Au milieu du repas, Tricia raconta qu'en ville on parlait beaucoup du fait que Tess emmenait Casey à Nashville.

— N'est-elle pas merveilleuse ? s'exclama Casey, éblouie, peut-être un rien grisée (elle avait bu quelques gorgées de vin). Grâce à elle, mes rêves deviennent réalité.

— Ce n'est pas un contrat mirobolant, Casey, précisa Tess. Il s'agit seulement de chanter la voix de basse sur un titre.

— Je sais, mais Nashville, Mac ! J'en ai toujours rêvé !

Mary avait fini son deuxième verre de vin et semblait satisfaite de tout. Ed, lui aussi légèrement sous l'influence de l'alcool, eut un large sourire.

— Joli départ, Casey. Tu seras à bonne école avec Tess.

— Si nous portions un toast à nos stars, présente et future ? proposa Faith.

Tous levèrent leur verre. Judy aussi, qui ne pouvait s'en dispenser sans révéler franchement son hostilité. Mais dès les verres reposés, elle s'échappa vers les toilettes.

Tess la suivit des yeux, posa sa serviette.

— Soyez gentils de m'excuser, dit-elle calmement. Il faut que je parle à Judy.

Une fois dans les toilettes des dames, elle verrouilla la porte. Le local comportait trois cabines de WC et deux lavabos encastrés. Judy avait jeté son sac sur la tablette et s'arrangeait les cheveux à gestes brusques. Tess posa elle aussi sa pochette ornée de perles et se tourna vers sa sœur qui ne lui présentait que son profil.

— D'accord, Judy, parlons une bonne fois pour toutes.

— Fiche-moi la paix.

— Non. Parce que je ne supporte plus.

— Quoi donc?

— Ta jalousie. Je suis revenue à la maison depuis trois semaines, et chaque fois que je t'ai vue, tu as trouvé le moyen de te mettre en boule. Tout est bon : que quelqu'un sollicite un autographe, me demande de chanter, ou un cadeau que je fais à maman.

— Tu adores nous en mettre plein la vue! accusa Judy. «Regardez-moi», se mit-elle subitement à minauder. «Moi, la star riche et célèbre, qui reviens au pays pour montrer à ces péquenauds comme leurs vies sont ternes et nulles!»

— Bon sang, Judy, ce n'est pas juste! Je n'ai jamais fait étalage de mon succès ou de mon argent devant toi. Tu le sais pertinemment!

— A commencer par ta voiture, sans doute, et les fringues que tu portes aujourd'hui, et ton téléphone mobile. La célèbre chanteuse *yuppie* se balade en ville avec son téléphone collé à l'oreille, histoire d'impressionner les gamines qui, elles aussi, rêvent d'être des stars.

— Je continue à travailler par téléphone et par courrier. Et, toi aussi, tu t'es acheté de nouveaux vêtements pour le mariage, non? Quant à Casey, continua-t-elle devant l'absence de réponse de Judy, je ne me serais pas occupée d'elle si elle n'avait pas de talent. Or elle en a, et si je peux l'aider à le développer, pourquoi m'en priverais-je?

— Tu as surtout veillé à le clamer partout, pour que chacun sache combien tu es grande et généreuse!

— Je ne l'ai pas clamé, je n'ai pas fait d'annonce publique. Je l'ai dit à Casey il y a une semaine, chez elle, en privé. Quelqu'un d'autre y a fait allusion ce soir, et quelqu'un d'autre a voulu porter un toast. Mais tu as à peine été capable de lever ton verre. Tu ne peux même pas te réjouir pour Casey. Et chez maman, le jour où elle est revenue de l'hôpital, quand tout le monde nous a demandé de chanter, qu'aurais-je dû répondre? Non? Parce que ma sœur Judy ne supporte pas? Parce qu'elle risque d'aller bouder dans la cuisine? C'est ce que tu as fait, Judy, et ça m'a fait mal. Ça me blesse toujours que tu me traites comme si mon métier était une faute dont je devrais m'excuser. Sais-tu que pas une fois tu ne m'as dit : «Félicitations, Tess», ou «Jolie chanson», ou «J'ai acheté ton CD»? Rien. Comme si ce que je fais n'existait même pas. En revanche, que quelqu'un me manifeste la moindre attention et tu te hérisses. Mais c'est ma vie, Judy, c'est mon métier, insista-t-elle en se penchant vers sa sœur. Je chante. Je signe des autographes. Je porte des tenues tapageuses et je pose pour les couvertures des magazines parce que cela fait partie de mon travail. Et quand j'ai la chance de dénicher un nouveau talent et de l'emmener à Nashville, je n'hésite pas. Devrais-je déclarer que rien de tout ça n'est vrai quand tu es dans les parages? Devrais-je aussi conduire un tas de boue pour trouver grâce à tes yeux? Et ne pas offrir de jolies choses à maman parce que tu en fais une maladie? Sache qu'elle ne sera pas toujours là, et si j'ai envie de lui acheter des émeraudes, je le fais! Et si je veux emmener Casey à Nashville, je le fais aussi! Si tu ne peux pas l'accepter, je te plains. Les gens qui m'aiment vraiment sont heureux pour moi, *et* de mon succès, *et* de ma célébrité, parce qu'ils savent que j'ai travaillé très dur pour y arriver.

Quelqu'un essaya d'ouvrir la porte.

Judy attrapa son sac mais Tess lui saisit le bras.

— Laisse-moi partir, grogna Judy, cherchant à se dégager sans regarder sa sœur dans les yeux.

— Dans une minute. J'ai encore une chose à te dire. Si tu étais plus en harmonie avec toi-même, tu serais plus heureuse avec les autres. Réfléchis-y.

— Mais qui s'est enfermé là-dedans? appela une femme en cognant à la porte.

Judy libéra sauvagement son bras et darda un regard venimeux sur sa cadette.

— Pourquoi ne retournes-tu pas d'où tu es venue? articula-t-elle. A nous tous, on peut très bien s'occuper de maman. Sans compter qu'on s'y prendra bien mieux que toi.

Le verrou claqua, la porte alla cogner contre le mur en brique et Judy disparut.

Tess resta en arrière, s'efforçant de se ressaisir. Alors qu'elle tremblait et que des larmes menaçaient de couler, elle adressa un sourire factice aux deux femmes qui entraient et la dévisageaient avec curiosité. L'ayant reconnue, elles décidèrent de ne pas s'enfermer tout de suite dans les cabines mais de s'arranger d'abord devant le miroir. Tess sortit de sa pochette un tube de rouge à lèvres et un poudrier.

— J'aime beaucoup vos chaussures, dit l'une des femmes.

— Merci.

— Allez-vous chanter avec l'orchestre ce soir? demanda l'autre.

— Non, je suis désolée, ce n'est pas prévu.

— Oh, quel dommage!

Son maquillage retouché, Tess referma sèchement sa pochette, et adressa à ses interlocutrices un nouveau sourire avant de se soustraire à leur curiosité.

Lorsqu'elle revint à sa table, l'orchestre s'était mis à jouer. Judy et Ed étaient partis. A l'exemple de toute la tablée, d'ailleurs, excepté Mary.

— Que s'est-il passé dans les toilettes? interrogea cette dernière. Judy est revenue comme une furie et a bien failli arracher le bras à son mari pour l'entraîner dehors.

— Je lui ai dit ce que je pensais de sa jalousie. Maman, rends-moi service... Si tu affirmes encore une fois que

243

Judy n'est pas jalouse, je te retire ton verre de vin... Ce que je devrais sans doute faire en tout état de cause!

— Tu arrives trop tard. Kenny et Faith s'en sont chargés.

— Où sont-ils passés?

— Ils dansent. Tout le monde danse. Ils se sont levés tout à coup comme un seul homme quand Judy a déboulé au pas de charge pour ramener toute sa famille à la maison. Franchement, peux-tu me dire à quoi rime qu'on se dispute comme ça le jour d'un mariage?

Des larmes de colère jaillirent des yeux de Tess.

— Il n'est plus question que j'accepte les caprices de Judy, maman. Elle est ta fille, aussi, je sais que tu l'aimes, et je ne te demande rien, mais elle m'a blessée trop de fois. Tout ça parce qu'elle-même se tient dans la plus piètre estime, elle ne peut pas accepter mon succès. Elle, elle a le droit de quitter la pièce si quelqu'un s'avise de me considérer comme une star, mais moi je n'ai pas le droit de le lui reprocher parce que je passe pour une égoïste! Je me suis tenue à quatre, maman, sans dire un mot, mais la coupe est pleine! Ce soir, elle a essayé de te priver de ton plaisir quand tu parlais de tes boucles d'oreille, puis elle a fait la même chose avec Casey qui exprimait sa joie d'aller à Nashville. Alors, je te le demande, qui est mesquin dans l'histoire?

Mary poussa un soupir et caressa le poing de Tess sur la table.

— J'y ai réfléchi depuis ce premier dimanche où nous nous sommes tous retrouvés à la maison, ensemble, et je sais que tu as raison. Elle a quitté le salon dès que vous vous êtes mises à chanter, Casey et toi. Et j'ai eu sous les yeux une autre preuve que je ne voulais pas voir. Tu sais, Judy est terriblement gentille avec moi.

— Bien sûr, maman, mais la question n'est pas là.

— Non... non, je sais, en effet.

— Tu sais ce qui l'aiderait énormément? Qu'elle parvienne à s'astreindre à un régime efficace et qu'elle attache davantage d'importance à son apparence.

— Je suis d'accord, mais qui va le lui dire?

— Pas moi.

— Ni moi non plus.

— Je le lui ai presque fait comprendre il y a cinq minutes dans les toilettes.

— Je l'ai trouvée plutôt mignonne ce soir, dit Mary d'un ton mélancolique.

— Elle était mignonne, c'est vrai, mais elle le serait beaucoup plus si elle maigrissait.

A cet instant, Renee arriva, essoufflée, de la piste de danse et s'appuya des deux mains sur la table. Elle était particulièrement rayonnante dans sa jupe couleur abricot et son corsage en dentelle.

— Judy et Ed ont disparu? questionna-t-elle.

— C'est ma faute, avoua Tess. J'ai tenu à parler à Judy de tu sais quoi.

— Alors elle s'est empressée de rentrer chez elle?

— En emmenant Ed et Tricia. Je suis désolée, Renee.

Renee se redressa et, le temps de réfléchir, souleva ses cheveux de sa nuque brûlante.

— Je vais te dire : c'est le problème de Judy, pas le nôtre. Et je ne le laisserai pas me gâcher le mariage de ma fille. Passons à autre chose... Je viens te parler de la part des jeunes mariés. Ils ont reçu tellement de requêtes de leurs invités qu'ils m'ont priée de te demander si tu voulais bien chanter une chanson avec l'orchestre. Ils te font dire que si tu acceptes, ils te donneront leur premier-né.

— Voilà exactement ce qu'il me faut, un premier-né!

— Quelle est ta réponse?

— J'ai dit à tout le monde pendant toute la soirée que je ne chanterais pas.

— Pas même à la prière des jeunes époux? insista Renee, cajoleuse. Ça leur ferait un tel plaisir, Tess.

Celle-ci jeta un œil vers la piste de danse. Rachel et Brent faisaient mine de danser, dardant sur elle des regards pleins d'espérance. Elle n'ignorait pas que, si elle chantait ce soir, leur mariage ferait à lui seul l'objet des maigres potins mondains du comté de Ripley durant toute la saison.

— Je soupçonne que ton refus était en partie dû à Judy, reprit Renee. Maintenant qu'elle est partie, quel autre prétexte vas-tu avancer ?

— Tu es certaine que l'orchestre est d'accord ?

— Tu plaisantes ? Quel groupe refuserait d'accompagner Tess McPhail ?

— Alors, d'accord. Une seule chanson.

Renee leva un doigt en direction des jeunes mariés qui s'étreignirent de joie. Puis Rachel envoya un baiser à sa tante avant d'aller au pied de l'estrade pour parler au premier guitariste tandis qu'il continuait à jouer.

L'annonce ne tarda pas, dès la fin du morceau :

— Vous savez tous que nous avons parmi nous ce soir une célébrité de Nashville. Elle est la tante de la mariée, et elle vient d'accepter de chanter avec nous. Allez, tout le monde, souhaitons la bienvenue... à Tess McPhail !

La foule s'écarta pour la laisser passer et, sous les applaudissements, elle monta sur scène d'un pas assuré, saluant les musiciens d'un signe.

— *Cattin*, en *sol*. Ça marche ?

— C'est parti, Mac, rétorqua le batteur en commençant à marquer la mesure.

Dès que le rythme s'installa et qu'elle se saisit du micro, elle eut sur-le-champ deux cents cœurs captifs. Après avoir couvert les premières mesures, les applaudissements s'apaisèrent, et les gens se remirent spontanément à danser, sans cesser de lui offrir leurs visages ravis.

Tess donna à Wintergreen de quoi parler pour les dix ans à venir. Ses talons brillants plantés sur scène, aussi écartés que le lui permettait l'étroitesse de sa robe, marquant le rythme de la jambe droite, avec sa chaussure qui sous la caresse des projecteurs renvoyait des éclats bleutés, elle oublia Judy pour ne faire qu'un avec son public. Elle usait de ses mains et de ses longs ongles peints comme une sorcière qui procède à un envoûtement. Douée d'un sens théâtral inné, elle jouait avec son public comme une actrice, dosant les regards et les moues presque amoureuses qui savaient faire croire à chaque auditeur qu'elle ne chantait que pour lui.

Soudain, elle vit Kenny et Casey qui dansaient ensemble au pied de la scène ; tous deux lui souriaient.

Elle pointa l'index sur Casey. « *... dans sa robe de satin...* »

Puis sur Kenny. « *... Elle te veut, c'est tout...* »

Elle lui adressa un clin d'œil, il rit, puis elle alla promener sur d'autres la promesse de ses yeux brillants.

Quand la chanson s'acheva, toute la salle applaudit à tout rompre. Casey siffla comme un conducteur de bétail, les doigts entre les lèvres. Renee hurla : « Super, petite sœur ! » Les nouveaux époux reçurent les congratulations de ceux qui les entouraient. Puis bientôt la scansion se fit générale, ébranla tout le bâtiment.

— Mac ! Mac ! Mac !

Après avoir salué, Tess chercha le regard de sa mère. Toujours à table, dans sa chaise roulante, Mary applaudissait fougueusement, et la jeune femme fut particulièrement émue par la fierté qui irradiait d'elle. Scrutant les visages dans la foule, elle crut en reconnaître qu'elle avait oubliés : d'anciens professeurs, des commerçants, des amis de Renee et de Judy, des voisins d'autrefois, des gens aperçus à l'église. Tous continuaient d'applaudir, réclamaient une autre chanson. Le marié et la mariée se précipitèrent au pied de la scène.

— Je t'en prie, tante Tess, encore une... S'il te plaît !

Elle décida donc d'en chanter une autre, une lente, un slow pour les tout jeunes époux.

— Je n'ai jamais enregistré cette chanson, annonça-t-elle au micro. Mais je l'ai toujours beaucoup aimée, surtout à l'occasion des mariages. Rachel et Brent, celle-ci est pour vous.

Ce fut une version émouvante d'un « standard », *Could I Have This Dance for the Rest of My Life*[1]. Elle regarda les couples se former. Renee dansait avec Jim, le marié avec son épouse, Balluchon avec une des demoiselles d'honneur. Mindy Alverson Petroski était dans les bras

1. « Veux-tu m'accorder cette danse pour le restant de ma vie ? » (N.d.T.)

de son mari, le vendeur d'électroménager. Et Kenny avec Faith.

Le public eût volontiers gardé Tess sur scène, mais à l'issue de la deuxième chanson elle remercia l'orchestre, fit ses adieux à la salle et replaça le micro sur son pied.

Une douzaine de personnes la complimentèrent tandis qu'elle regagnait sa table, et plus encore lorsqu'elle y parvint. Mary rougissait de fierté.

— Tu les as subjugués, ma chérie. Je ne sais pas de qui tu tiens une voix pareille, mais certainement pas de moi.

Les gens débordaient d'amabilité, défilant l'un après l'autre pour remercier la jeune femme d'avoir chanté et lui débiter les platitudes ordinaires. Elle fut un peu soulagée quand Enid Copley et un groupe d'amies de Mary vinrent à leur table. Mary se retrouva le centre d'intérêt : la mère de la petite qui avait tellement bien réussi...

En parallèle, se produisait un phénomène assez banal : à présent qu'elle avait chanté, elle redevenait aux yeux de tous la superstar que l'on craignait d'importuner ; aussi les gens gardaient-ils leurs distances. Ils passaient, lâchaient très vite quelques mots, histoire de pouvoir raconter qu'ils lui avaient parlé, puis filaient en la laissant seule parmi la foule. Casey se trouvait à l'autre bout de la salle, avec des gens de son âge. Renee et Jim prenaient un peu de bon temps. Si Ed avait été là, peut-être eût-elle pu danser avec lui, mais il était parti. Personne n'invitait la célèbre Tess McPhail à danser ; elle restait donc auprès de Mary qui, elle, ne manquait pas de compagnie.

Deux adolescentes se présentèrent à elle et lui demandèrent timidement de leur signer des autographes sur des serviettes en papier, ce qu'elle fit. Mme Perry, qui avait habité de l'autre côté de la rue quand Tess était petite, rappela à celle-ci combien elle aimait les caramels qu'elle confectionnait pour Noël, et comme elle avait un jour embarrassé Mary en venant cogner à sa porte pour lui en réclamer. Cette vieille anecdote, Tess l'entendait chaque fois qu'elle croisait Mme Perry, depuis l'école élémentaire. Ensuite, on parla des enfants Perry, ce qu'ils devenaient, où ils vivaient, après quoi Mme Perry recommença à s'entretenir avec les gens de sa génération.

— Maman, n'hésite pas à me dire quand tu as envie de rentrer, dit Tess.

— Bientôt, rétorqua Mary.

Mais elle était encore en grande conversation avec Enid Copley, Mme Perry et les autres.

Une chanson s'acheva, une autre commença. Kenny arriva de la piste de danse, tira une chaise auprès de Tess et s'assit face à elle. La danse lui avait donné chaud. Il avait desserré sa cravate, ouvert son col de chemise. Il se servit à boire.

— Beau mariage, dit-il.

— Tu as l'air de bien t'amuser.

— C'est le cas.

— Où as-tu laissé Faith?

— Elle danse avec son beau-frère. Comment se fait-il que tu ne danses pas?

— Personne ne m'a invitée.

— Tu aimerais faire un tour sur la piste?

— Beaucoup.

Aussitôt, il la saisit par la main et l'entraîna. L'orchestre jouait un air lent. La jeune femme se glissa souplement dans les bras de son cavalier.

— Merci d'être venu à mon secours, lui dit-elle à l'oreille.

— Qu'est-ce qui cloche chez tous ces types?

— Je les impressionne un peu. Je suis habituée, c'est toujours pareil. Tu es bon danseur.

— Merci. Toi aussi. Et une chanteuse du tonnerre. Tout le monde a été emballé par ta prestation.

— Merci. Je t'ai regardé avec Casey, depuis la scène. C'est sympa de voir un père et sa fille s'amuser ensemble.

— Elle va me manquer quand elle partira à Nashville.

— Je sais.

— Mais tu l'as rendue tellement heureuse! Tu le sais, n'est-ce pas? demanda-t-il, s'inclinant légèrement pour voir le visage de sa compagne.

— Moi aussi, cela me rend heureuse.

— Merci de tout ce que tu fais pour elle.

— Il t'a fallu parcourir un chemin difficile pour finir par dire ça.

— Ce doit être un passage obligé pour un père. Peut-être ai-je un peu grandi depuis que tu es revenue.

Ils vécurent un moment très agréable ainsi, dans les bras l'un de l'autre, à se dévisager, en silence, au vu et au su de deux cents personnes. Quand cela devint trop évident, Kenny resserra son étreinte sur la taille de sa cavalière ; leurs corps s'effleurèrent ; elle appuya la tempe contre sa joue et huma l'odeur familière de son eau de toilette. Les injonctions de Renee lui revinrent alors en mémoire, mais elle se sentait bien dans ses bras, à glisser ainsi à la lisière du périmètre de danse, dans l'éclairage tamisé. Elle n'avait plus guère l'occasion de danser. La vie était ainsi faite : composer de la musique pour faire danser les autres lui avait dérobé ce plaisir.

— Moi aussi, je dois te remercier de quelque chose, dit-elle. Ce que tu as dit à ma mère cet après-midi quand tu l'attendais à la porte. Je lui avais dit la même chose, mais venant d'un homme, c'était bien plus précieux.

— Elle est vraiment magnifique, non ? répliqua Kenny en cherchant du regard la silhouette de Mary parmi la foule.

— Tu vois ? C'est exactement ce que je voulais dire... Ta réaction était tellement spontanée que tu l'as éblouie... On aurait dit une fillette devant un sapin de Noël. Elle a soixante-quatorze ans, deux prothèses de hanche, le visage affaissé, des cheveux sans vigueur, mais tout à l'heure, à la porte de la maison, tu as su la rendre belle.

— Je crois plutôt que c'est toi qui as opéré cette métamorphose, avec le maquillage, la coiffure, les bijoux. Ces boucles d'oreille sont remarquables et uniques, Tess.

— Comme ma maman.

Kenny lui enserra davantage la taille, comme pour dire : «Je suis heureux que tu t'en rendes enfin compte», et la fit pivoter. Elle ne faisait qu'un avec lui, savourant le contact physique que la danse leur permettait.

250

— Dis donc, Kenny? lui chuchota-t-elle à l'oreille.

— Hmm?

— Je te tenais pour le plus balourd des balourds au lycée. Que t'est-il arrivé?

Il émit un rire sourd, qui passa comme un souffle de tendresse dans les cheveux de la jeune femme.

— Continue à me parler de cette voix douce et je serai capable de te laisser faire tes quatre volontés.

Il la pressait si bien contre tout son corps qu'elle aurait senti la présence d'une pièce de monnaie dans sa poche.

— Nous arrivait-il de danser quand nous étions lycéens? s'enquit-elle.

— Ça m'étonnerait. Tu ne m'as jamais laissé t'approcher de la sorte.

— Mmm... dommage, murmura-t-elle.

De nouveau, Kenny inclina la tête pour la regarder. Leurs sourires disaient beaucoup, leurs corps exprimaient le reste. Aucun n'ignorait qu'ils songeaient tous deux à autre chose qu'à la danse.

— Ce sont des lunes que tu portes aux oreilles?

— Oui, mais elles ne sont pas pleines.

— Je crois que je viens de découvrir quelque chose.

— Quoi donc?

— Il faut beaucoup moins qu'une pleine lune pour encourager les gens à faire des folies.

S'approchant de sa partenaire, il se mit à fredonner avec la musique. Tess sourit, appréciant cette nouveauté.

— Voyez-moi ça... souffla-t-elle. Un homme qui chante pour moi.

— Je dois être le seul dans ton entourage à ne pas être intimidé par ton succès. Si j'ai envie de chanter, je chante.

— Moi aussi.

Ils terminèrent la danse en se chantonnant mutuellement à l'oreille. Ce badinage leur servait à dissimuler le plaisir trop puissant dû à la proximité de leurs deux corps.

Le morceau fini, ils se séparèrent immédiatement afin de ne pas encourager l'attention que Tess McPhail drainait déjà à elle seule. Elle se retourna, prête à quitter la piste, mais Kenny l'attrapa par la main.

— Attends… encore une.

Elle ne prit même pas la peine de dire oui, se contenta de le rejoindre et, sans se lâcher les mains, ils attendirent la chanson suivante.

Le tempo changea pour un rythme effréné, et là encore leurs corps s'entendirent à la perfection.

— Tu ne peux pas savoir comme je m'amuse ! cria Tess pour couvrir la musique.

— Moi aussi ! lui répondit Kenny.

Quand le morceau s'acheva, ils retournèrent à la table de Mary. Ils étaient rouges, ils avaient chaud.

— Vous ne manquez pas d'entraînement, tous les deux, commenta la vieille dame.

— Peut-être, mais nous n'avions jamais dansé ensemble.

Enid Copley et ses comparses étaient parties. Le verre de Mary était vide, elle tenait sa petite pochette sur ses genoux.

— Je sais qu'il est encore tôt, mais je crois que je ferais mieux de rentrer, Tess. Je suis navrée de t'empêcher de continuer à danser, mais tu peux revenir après, non ?

— Bien sûr, maman. Je te raccompagne tout de suite.

— Je viens pour vous donner un coup de main, déclara Kenny.

Tess prit soin de ne pas le regarder mais elle savait qu'il avait plus d'une raison de proposer ses services. Les amoureux ont de ces ruses…

— Oh, merci, Kenny, disait Mary. C'est très gentil de ta part. Tess a une si belle robe, et ce fichu machin est si lourd.

Elle parlait de son fauteuil roulant.

— Laissez-moi juste le temps de prévenir Faith et j'arrive.

Tess poussa Mary vers la sortie et elles attendirent. Du milieu de la salle, Faith leur adressa un signe d'adieu. Un instant plus tard, Kenny les rejoignait et prenait la relève pour rouler le fauteuil dehors.

— Veux-tu que je conduise ? offrit-il, une fois Mary et l'engin casés dans la voiture.

— Ce n'est pas de refus, accepta Tess en lui confiant les clefs. Je crois avoir bu un peu plus que de raison. Si je me faisais arrêter et que les journaux à scandale l'apprenaient... Tu vois le tableau.

Il leur fallut un quart d'heure pour regagner la ville, puis un autre pour que Mary se couche. Tandis que Tess l'aidait à se préparer pour la nuit, Kenny resta dans la cuisine, familier de la maison, à l'aise dans la pièce presque obscure que n'éclairait qu'une petite lampe près du fourneau. Il écouta la voix des deux femmes, but un verre d'eau, s'assit à la table et attendit patiemment Tess et ce face à face qu'ils avaient espéré toute la journée. Depuis qu'il l'avait vue dans l'allée avec sa robe bleue, il avait su que cet instant arriverait, qu'ils trouveraient le moyen d'être seuls.

Quand la jeune femme entra dans la cuisine, il se leva.

— Tout va bien?

— Très bien.

— Bonne nuit, Kenny! lança Mary depuis sa chambre. Et merci pour ton aide!

— Bonne nuit, Mary!

Il regarda Tess. Tous deux songèrent à retourner au bal, songèrent aussi à ce qu'ils désiraient vraiment. Il avait roulé sa cravate dans sa poche, ouvert les premiers boutons de sa chemise. Chacun se demandait lequel ferait le premier pas, certain que ce premier pas était inéluctable.

— Veux-tu que j'éteigne la lampe? proposa-t-il.

— Non, laisse-la pour quand je rentrerai.

Il laissa Tess le guider dehors, jusqu'au jardin plongé dans l'obscurité. Même autour de la maison de Kenny, il faisait nuit noire. Tout le monde étant parti en plein jour, personne n'avait pensé à allumer les lampes extérieures. Tess le précéda sur les trois marches, ses talons martelant le béton d'un pas peu pressé. Les pas plus sourds de Kenny suivaient. Ils parvinrent à mi-chemin du sentier.

— Tess, attends... dit-il en lui attrapant le bras.

Ce geste, ce contact délibéré furent une invitation suffisante. Elle fit vivement volte-face, sûre de ce qu'elle voulait, se lova contre lui. Lui aussi savait ce qu'il voulait;

ses bras l'attendaient, ses lèvres réclamaient les siennes. Ils demeurèrent au milieu du jardin, enveloppés par la nuit. Depuis le milieu de l'après-midi, ils avaient su que cela se produirait. Réprimer leur attirance à tout instant durant cette longue soirée n'avait fait qu'exacerber leur désir. Ecrasés l'un contre l'autre, ils s'embrassaient à perdre haleine, sans plus chercher à nier le formidable élan qui les poussait l'un vers l'autre.

Ce qu'ils avaient imaginé devenait réalité. Caresses et baisers embrasés effaçaient le bal, tous ceux qu'ils avaient laissés derrière eux. Plus rien de cela n'existait.

Cramponnée à son cou, Tess se sentit emportée là où l'obscurité était plus épaisse encore. Sans renoncer à sa bouche, Kenny l'emmena près des marches du perron. Le mur de la maison leur servit d'appui à l'un puis à l'autre, à mesure que leur étreinte se faisait plus fiévreuse. Les lèvres de Kenny s'aventurèrent dans le cou de la jeune femme, puis derrière son oreille, revinrent à sa bouche. Elle-même avait glissé les mains sous sa veste, goûtait la chaleur de sa peau sous le coton de sa chemise. Il frissonna, se pressa plus encore contre elle, gémit. Ensuite, il l'attira avec lui dans l'herbe où ils roulèrent enlacés, les mains avides de se découvrir. Pourtant, d'un commun accord, ils n'allèrent pas au-delà d'une certaine limite. Ils savaient tous deux qu'ils ne la franchiraient pas ce soir, qu'ils en resteraient à ce long baiser enflammé, rendu plus idéal encore par la nuit, le clair de lune, le silence du quartier. Ils en tireraient tout le plaisir qu'ils avaient imaginé, et se délecteraient de la tentation pour la tentation. Bouches gourmandes, corps abandonnés, ils oscillaient sur un délicat équilibre où satisfaction et refoulement se disputaient la victoire. Quand l'appel du plaisir menaça de l'emporter, de les emporter au-delà de cet état de grâce, Kenny retomba sur le dos dans l'herbe, auprès de la jeune femme. Ils demeurèrent allongés côte à côte, bercés par le chant des grillons.

— Waouh, lâcha-t-il au bout d'un long moment.

— J'allais le dire, répliqua Tess, hors d'haleine.

Son bras était resté sous celui de Kenny. Se souriant à

elle-même, elle le caressa du pouce, simplement pour conserver un contact charnel avec lui, puis elle redressa la tête au-dessus de lui.

— Comment s'appelle ce que nous sommes en train de faire?

— On dit «se peloter», je crois. C'était très à la mode dans les années cinquante.

— Ça me plaît bien.

— A moi aussi.

Elle s'assit, languide, les membres amollis, et repoussa ses cheveux en arrière pour lever le visage vers le ciel.

Kenny s'assit à son tour, et ils restèrent côte à côte, songeant à leurs baisers, en savourant encore les effets, comme une modification profonde dans leurs corps.

— Il risque d'y avoir des taches d'herbe sur ta robe.

— Je la ferai nettoyer à sec.

— Mais pour retourner à la fête?

— C'est drôle... Je ne me sens plus d'humeur.

— Moi non plus.

Il se frotta les cheveux afin d'en faire tomber des brins d'herbe éventuels. Tess épousseta la manche de sa veste puis mêla ses doigts aux siens.

— Dis... Au point où nous en sommes, j'ai un peu le droit de savoir... Vous couchez ensemble, Faith et toi?

— Oui.

Tess marqua un temps d'arrêt puis se rallongea sur le dos, les mains sur le ventre, regardant les étoiles lointaines.

— Elle a beaucoup de chance. Personne ne m'a si bien embrassée depuis...

— Depuis quand?

— Je ne sais plus.

Kenny s'étendit sur le flanc auprès d'elle, la tête appuyée sur une main, et posa l'autre près du sein de la jeune femme.

— C'est pareil pour moi.

Elle recouvrit sa main; elle aimait la chaleur qui irradiait à travers sa robe.

— Savons-nous ce que nous faisons?

— Ecoute, je ne suis pas marié à Faith. Je suis attiré par toi depuis notre adolescence, je n'allais pas laisser passer cette chance. Nous savions tous les deux que ça devait se produire.

— Mais elle n'en saura rien, ou si?

— Non, rien.

— Casey non plus?

— Casey non plus.

— Il n'y a aucune raison pour qu'elles l'apprennent, parce qu'il ne s'agit que d'une folie, une passade. Ça arrive à des tas de gens à l'occasion des mariages.

— Probablement, acquiesça Kenny.

Elle oublia toutes ces considérations pour lui caresser la tempe. Ses cheveux étaient fins, légèrement bouclés. Elle se rendit compte à quel point cela lui manquait de pouvoir glisser la main dans les cheveux d'un homme. Un homme qui l'embrasserait, la ferait se sentir femme, la désirerait pour autre chose, davantage que ses talents de chanteuse.

— Alors, embrasse-moi encore un peu... murmura-t-elle en attirant sa tête vers la sienne.

Quelques minutes plus tard, il s'arrachait à elle.

— Je crois qu'il est temps de retourner au bal maintenant.

— Mmm...

— Sinon, la fête sera terminée et tout le monde se demandera pourquoi nous ne sommes pas revenus.

Poussant un soupir, elle se rassit avec effort.

— Tu as raison.

Ils étaient tout proches. Il suffit à Tess de tourner la tête pour lui effleurer les lèvres, sans l'embrasser, dans une caresse qui suggérait une intimité plus poussée.

— Mais je n'en ai pas envie, murmura-t-elle contre sa bouche.

— Moi non plus.

Ils s'attardèrent encore, souffles mêlés, caresses esquissées.

— Mais il le faut. Allons-y, trancha Kenny.

Il se leva, lui saisit la main pour l'aider à se mettre

debout. Ils secouèrent leurs vêtements, réajustèrent leur tenue. Avant de quitter l'endroit où ils avaient écrasé l'herbe, ils s'accordèrent un ultime baiser, langoureux, sans se toucher. «C'était bon, disait ce baiser, nous n'oublierons jamais.»

— Je conduis, déclara Tess en se dirigeant sans hâte vers la voiture.

— Tu es sûre?

— Oui. Je suis parfaitement dégrisée à présent.

A mesure qu'ils approchaient du véhicule, hésitant à partir, leur pas ralentissait. Les portières claquèrent comme des obus dans la nuit paisible, le moteur gronda comme le tonnerre.

Kenny tourna les yeux vers la maison de Mary.

— Ta mère doit se demander pourquoi nous repartons seulement maintenant.

— Elle doit dormir, plutôt.

Ils ne s'en interrogèrent pas moins, chacun en son for intérieur, durant le trajet qui les ramenait à la salle des fêtes. Ils songeaient aussi à l'avenir, lorsque Tess serait rentrée à Nashville, que Kenny reprendrait sa vie avec Faith. Souriraient-ils secrètement en se rappelant cette nuit-là? A mi-chemin, Tess annonça sans préambule :

— Dès mon retour à Nashville, j'ai rendez-vous avec mon ami, Burt. J'ai cru que ça suffirait.

A moitié allongé dans son siège, Kenny tourna la tête vers elle.

— Que ça suffirait pour quoi?

— Pour te sortir de mes pensées.

— Je suis content de savoir que j'y étais.

Un peu plus tard, ils arrivaient sur le gravier du parking de la salle des fêtes. Tess roula jusqu'à la porte d'entrée éclairée et laissa tourner le moteur.

— Tu ne rentres pas? interrogea Kenny.

— Je ne crois pas. C'est mieux que je reparte tout de suite. Si quelqu'un te pose des questions, dis que j'ai préféré rester avec maman.

Leurs regards se retinrent mais chacun s'appliquait à en chasser toute gravité.

— Viens chanter à l'église demain, suggéra-t-il.

— Il vaut mieux pas.

Il la scruta un moment avant de conclure qu'elle avait raison. Sinon, ils n'aspireraient ensuite qu'à passer la journée ensemble

— Bon, d'accord. Quand repars-tu pour Nashville ?

— Mardi.

— Je te reverrai d'ici là ?

— Nous nous croiserons certainement dans l'allée.

— Oui... Comme toujours... Eh bien...

Quelques invités au mariage sortirent du bâtiment en riant et longèrent la voiture sans leur prêter attention.

— Je ferais bien d'y aller, dit Tess.

Un dernier baiser eût été le bienvenu mais d'autres invités risquaient de surgir et de les apercevoir dans la voiture à la lumière des projecteurs extérieurs. Ils renoncèrent. Leur pacte perdurait : ne pas larmoyer, ne pas se cramponner. Pas de souvenirs trop évocateurs, pas de regrets. Ils allaient se séparer avec le sourire.

— En tout cas, c'était agréable, déclara Kenny en ouvrant sa portière. A la prochaine, Tess.

— Oui... A une prochaine, Kenny.

Il descendit de voiture, marcha jusqu'à la porte. Quand il l'eut ouverte, il se retourna pour un dernier regard. Son sourire avait disparu. Tess entendit la musique que jouait l'orchestre, distingua la lumière ambrée derrière lui. Puis la porte se referma. Il était parti. Parti rejoindre Faith.

14

Le dimanche, Tess évita Kenny en assistant de nouveau à l'office le plus matinal. L'après-midi, elle et Mary se rendirent chez Renee, où les jeunes époux ouvraient leurs cadeaux de mariage. Elles restèrent dîner et rentrèrent tard.

Le lundi matin, peu après dix heures, le directeur commercial de Tess, Dane Tully, lui téléphonait.

— Où étais-tu passée? J'ai essayé de te joindre tout le week-end.

— J'étais au mariage de ma nièce. Que se passe-t-il?

— Papa John est mort. On l'enterre demain.

— Oh, non...

Portant la main à sa bouche, Tess se laissa glisser contre le placard de la cuisine. Papa John Walpole était l'un des rouages essentiels de la promotion des artistes à Nashville. Avec sa mine rébarbative et son cœur d'or, il avait régné durant plus de trente ans sur son cabaret, le Mudflats. On disait que, dans les vingt années écoulées, tous les chanteurs à succès sortis de Nashville s'étaient produits un jour ou l'autre aux «jeudis du Mudflats» peu avant de signer avec une grande maison de disques. Sans Papa John, Tess n'aurait jamais rencontré Jack Greaves, ni Dane, ni les décideurs de MCA. Elle avait pénétré dans le Mudflats par une journée brûlante de juillet 1976, jeune fille sûre d'elle et effrontée, qui avait fixé Papa John droit dans les yeux pour lui déclarer : «Donnez-moi cinq minutes, la clé de *sol*, et je vais vous montrer de quoi je suis capable!» Dix-huit ans et treize albums plus tard, elle lui avait «montré de quoi elle était capable» trop de fois pour en tenir le compte. Lorsqu'elle avait une soirée de libre, elle retournait chanter au Mudflats, gratis et sans pub.

— Que s'est-il passé? demanda-t-elle en pleurant.

— Un type avec un bas sur la tête est entré par la porte de derrière alors que Papa John comptait sa recette. Il lui a pointé une arme sur la tempe et lui a demandé le fric. Papa John lui a dit d'aller se faire voir.

— C'est tout lui, hoqueta Tess, avec un rire douloureux qui se mêla à ses sanglots. Ça lui va bien de s'en aller en insultant quelqu'un. A-t-on arrêté le type?

— Heureusement, une serveuse se trouvait encore dans la boîte et elle a tout entendu. Elle a tout de suite appelé les flics, avant que le gars ne tire. Une voiture de police était en vadrouille tout près de là.

— Mon Dieu, Dane, je ne peux pas croire qu'il soit mort.

— Personne à Nashville. Il a été incinéré, mais on a prévu une cérémonie commémorative demain à dix heures. Tous ceux qu'il a aidés viendront y chanter. Ce sera le plus grand chœur jamais rassemblé dans cette ville. Peux-tu être là?

— J'y tiens absolument.

— Il n'y aura pas de problème pour ta mère?

— Du tout. Mes sœurs sont là. J'ai besoin de deux heures pour passer quelques coups de fil et faire mes bagages, mais j'aurai pris la route d'ici midi. Pour ne rien te cacher, Dane, je suis plus que prête à filer d'ici. A demain.

Elle appela aussitôt Renee.

— Tess, je suis désolée. Oui, bien sûr, pars le plus vite possible. Si je ne suis pas arrivée au moment de ton départ, je ne tarderai pas. Et ne te fais pas de souci pour maman. Nous sommes nombreux pour veiller sur elle.

Mary fut consternée. Elle avait prévu d'avoir sa fille toute une journée encore et fut bouleversée à l'annonce de son départ. Comme elle ne pouvait la suivre à l'étage, elle resta au pied de l'escalier pour lui parler tandis que Tess faisait son sac.

— Est-ce que je te prépare un sandwich à emporter ? Ça se passera bien sur la route, alors que tu conduis toute seule ? Tu es toute retournée, ma Tess.

Lorsque Tess redescendit avec son sac de voyage et son grand sac à main gris, Mary l'attendait à la même place, l'air abattue. On lui avait ôté les agrafes de sa cicatrice une semaine auparavant, et elle avait troqué les cannes anglaises contre des cannes simples, ce qui lui donnait une plus grande mobilité. Mais elle était paralysée par la tristesse quand Tess la prit dans ses bras.

— Tu appelles Renee ou Judy dès que tu as besoin de quelque chose. Si elles ne peuvent pas venir, elles enverront un de leurs enfants. Promis ?

— Je ne suis plus un bébé. Ce n'est pas pour moi que je m'inquiète, mais pour toi. Savoir que tu vas faire cette longue route en pleurant toutes les larmes de ton corps...

— Je ne pleurerai pas. Tout se passera bien.

— Tu es sûre ? Je ne comprends pas pourquoi tu n'attends pas demain matin. En partant très tôt, tu aurais été là-bas pour dix heures.

— Je préfère ainsi, maman.

— Bon... c'est toi qui choisis. Je me disais juste... si j'avais pu avoir ma petite fille auprès de moi un jour de plus...

Plusieurs changements s'étaient opérés depuis le début du séjour de Tess, mais cela demeurait : Mary l'appellerait toujours sa petite fille.

— Il faut que j'y aille, maman, murmura-t-elle en s'écartant.

Mary l'accompagna en boitillant à la cuisine, où elle lui tendit un sandwich enveloppé.

— Tiens. Je n'y ai mis que du jambon et du fromage, mais tu apprécieras sûrement en route.

Deux cents calories au moins, pensa Tess, un peu mélancolique. Mais elle savait qu'elle emportait un sandwich d'amour, pas un vulgaire jambon-fromage.

— Merci, maman, je suis certaine que je serai contente de le trouver, tu as raison. Allons... Tu n'as pas besoin de m'accompagner dehors...

Des larmes brillaient dans les yeux des deux femmes.

— J'y tiens, protesta Mary.

— Mais, maman...

Mary fit comme bon lui semblait et, une fois dehors, resta sur les marches, appuyée sur ses deux cannes, les reins calés contre la rampe. Tess chargea sa voiture, mit ses lunettes de soleil, monta à bord et démarra. Avant d'embrayer, elle jeta un coup d'œil par-dessus son épaule. Le soleil quasiment à son zénith rendait les cheveux de Mary presque orange. Son vieil ensemble avait rétréci au fil des lavages successifs et dévoilait ses chevilles, encore enveloppées des bas antivarices. La maison avait besoin d'être repeinte, la pelouse d'être tondue. Mais les choux dans le potager avaient doublé de volume.

— Ne sois pas triste ! lança la jeune femme par sa fenêtre ouverte. Tu m'entends, maman ?

Mary avait appuyé une de ses cannes contre la rampe afin de pouvoir s'essuyer les yeux avec un mouchoir en papier.

— Oh, à d'autres, cria-t-elle.

— Je t'aime, maman !

— Ne tarde pas trop à revenir, cette fois !

— Promis.

Le moteur se mit à pétarader, et Mary pressa son mouchoir contre son menton tremblant. Tess glissa une cassette dans l'autoradio, mit le son à fond, jusqu'à s'assourdir elle-même ; elle laissait ainsi, en guise d'adieu à la vieille dame debout sur les marches, quelques notes de musique qui allèrent mourant à mesure qu'elle s'éloignait.

Un mile environ séparait la maison de Mary du centre-ville. Tess pleura sur tout le trajet, en partie pour la mère aimante et seule qu'elle laissait derrière elle, en partie pour Papa John, et en partie sur elle-même parce qu'elle quittait Kenny Kronek. Elle ne s'arrêterait pas à son bureau; à quoi bon? Pourtant, l'idée de s'en aller sans lui dire au revoir lui causait une douleur réelle... Il sembla que quelque chose de plus fort qu'elle avait dominé sa volonté lorsqu'elle freina devant le bureau de Kenny, releva ses lunettes de soleil et se regarda dans le miroir pour voir dans quel état étaient ses yeux. Les larmes avaient complètement dilué son rimmel. Elle remit ses verres noirs et descendit de voiture. La façade du bâtiment était en bois gris, trouée d'une porte centrale et de deux fenêtres latérales garnies de jardinières blanches où fleurissaient des géraniums — certainement l'œuvre de Faith.

Tess poussa la porte de verre sur laquelle était inscrit «Kenny Kronek, expert-comptable». Si sa raison souhaitait presque qu'il fût parti déjeuner, la part sentimentale de son être aspirait à un dernier tête-à-tête.

Elle entra donc. Il était là, travaillant à un bureau, dans la pièce du fond, dont la porte était restée ouverte. La réception était déserte : sa secrétaire avait quitté son poste; il restait seul.

Il leva la tête, ses doigts s'immobilisèrent sur les touches de la calculatrice. Tess ôta lentement ses lunettes. Le temps se figea tandis qu'ils se fixaient, immobiles. Puis Kenny repoussa son fauteuil et vint à la rencontre de la jeune femme. Il portait un pantalon gris, une chemise blanche aux manches relevées, une cravate de couleur au motif équestre, un stylo glissé dans la poche de sa chemise. Tess était vêtue comme le jour de son arrivée : santiags, jean et son grand tee-shirt à l'effigie du groupe Southern Smoke.

— Salut, dit-elle.

— Salut, répondit-il, ému par le visage décomposé de Tess. Qu'est-ce qu'il y a?

— Je dois rentrer à Nashville aujourd'hui.

— Tu as pleuré.

— Un peu, oui... reconnut-elle en remettant ses lunettes. Mais c'est... Ça va maintenant.

— Viens dans mon bureau.

— Non.

Elle se mit à fouiller dans son sac, cherchant une échappatoire à l'émotion qui menaçait de la submerger.

— Je voulais juste que tu saches que je m'en allais, pour le dire à Casey. Je voulais aussi te donner ma carte pour que...

Kenny avait contourné le bureau de sa secrétaire et la prit par le bras.

— Viens, Tess.

— Kenny, je ne suis pas venue pour...

— Ma secrétaire est partie déjeuner mais elle peut revenir d'un instant à l'autre.

Il l'entraîna dans son bureau, referma la porte, et ils demeurèrent face à face, bouleversés. Il lui avait lâché le bras dès la porte close.

— Que s'est-il passé ? demanda-t-il.

— L'homme qui m'a fait démarrer dans le métier a été assassiné par un cambrioleur.

— Qui ?

— John Walpole. On l'appelait Papa John.

— Oui, j'ai entendu parler de lui. J'imagine ce qu'il représentait pour toi. Je suis désolé, Tess.

— Tu as entendu parler de lui ? s'étonna-t-elle.

— J'ai lu plusieurs fois des articles dans des magazines, à propos de ce qu'il avait fait pour toi.

Le chagrin de la mort de Papa John et de ses adieux à sa mère furent momentanément éclipsés par l'émerveillement qu'elle éprouva face à Kenny. A force de découvrir sans cesse de nouvelles facettes de sa personnalité, elle n'aurait plus dû s'étonner...

Sans un mot, il se dirigea vers un classeur, ouvrit le tiroir marqué *M* et en sortit une chemise cartonnée. Quand il la lança sur le bureau, le contenu s'en échappa à moitié. Tess reconnut des coupures de presse en tout genre la concernant. Tirant les premiers documents hors de leur abri, elle découvrit une photo d'elle surmontée d'un gros titre, découpée dans *USA Today*, ainsi qu'un feuillet plus modeste extrait du *Wintergreen Free Press* qui mentionnait sa prestation avec la chorale de la première

Eglise méthodiste, sous la direction de Kenny Kronek. Elle referma la chemise et releva les yeux vers Kenny. Celui-ci n'affichait pas le moindre embarras.

— Voilà, fit-il. Maintenant, tu sais.

— Depuis quand fais-tu cette collection ? s'enquit-elle, abasourdie.

— Depuis le début de ta carrière, jusqu'à la semaine dernière. Il y a deux autres dossiers dans le tiroir.

— Mais dans quel but ?

— Peut-être rien, je ne sais pas. Peut-être simplement parce que tu étais une fille d'ici qui avait réussi, une fille que j'avais essayé un jour d'embrasser dans un car scolaire. Bon sang, je n'en sais rien. Les vieux béguins ont la vie dure.

Il ramassa le dossier et se détourna pour aller le ranger dans le classeur métallique. La chose faite, il demeura le dos tourné à Tess, les mains passées dans sa ceinture, respirant profondément. Dire au revoir à Tess lui était beaucoup plus difficile qu'il ne l'aurait cru.

La séparation n'était pas moins pénible pour elle.

— Il faut que j'y aille, Kenny, articula-t-elle doucement, essayant de ne pas laisser sa voix se casser. Tu diras à Casey que je regrette de ne pas avoir pu lui parler avant mon départ, mais voici ma carte. Mon numéro de téléphone y est inscrit — sinon je suis sur liste rouge. Elle peut m'appeler quand elle le souhaite. Je veux aussi que tu saches que je prendrai bien soin d'elle quand elle viendra à Nashville. Elle vivra chez moi au début, et dès qu'elle aura un job, je l'aiderai à trouver un logement. Je vais tenter de la convaincre de s'inscrire à l'université Vanderbilt pour l'automne, au cas où sa carrière musicale ne décollerait pas. Et même si elle réussit, elle ne regrettera pas d'avoir fait quelques études supérieures. Je la présenterai à des gens bien et je serai toujours là quand elle aura besoin de moi. Tu n'as pas à t'inquiéter, Kenny, franchement.

Il se retourna et, à son expression, elle comprit qu'il était aussi bouleversé qu'elle.

Ils reprirent la parole en même temps :

— Tess...

— Kenny...

En un éclair, elle fut dans ses bras. Ils ne s'embrassèrent pas mais s'étreignirent violemment, à la mesure de la douleur que leur causait cet adieu. Cramponnée à ses épaules, elle respirait son odeur familière ; elle le sentait si solide, si fiable, le roc sur lequel sa mère s'était appuyée bien avant qu'elle-même ne soupçonnât quel homme merveilleux il était.

— Tu vas me manquer, murmura-t-elle.

— Toi aussi, tu vas me manquer.

Elle enleva de nouveau ses lunettes de soleil et, de nouveau, ils se pressèrent l'un contre l'autre. Leurs yeux les brûlaient. Au bout d'un moment, Kenny posa la main sur la nuque de la jeune femme et maintint étroitement sa tête dans le creux de son cou.

— Dimanche... commença-t-il d'une voix torturée, quand j'ai dit à ta mère que je pourrais bien tomber amoureux, je parlais de...

— Non, tais-toi, coupa-t-elle en redressant le visage et en posant la main sur sa bouche. Ne le dis pas. D'ailleurs, ce n'est pas vrai. C'était juste un... une passade, un coup de folie à l'occasion d'un mariage. Nous étions d'accord, tu te souviens ?

Il lui attrapa le poignet pour libérer sa bouche, pressa la main de Tess contre son cœur douloureux. Leurs yeux n'en finissaient pas de se dire adieu, et tous deux songeaient qu'aucune autre issue n'était possible.

— Oui, murmura-t-il avec tristesse. Nous étions d'accord.

Quand leurs lèvres se joignirent, Tess pleurait, et il avait si mal qu'il lui semblait que son cœur allait exploser.

Leur baiser doux-amer se prolongea par une ultime étreinte de quelques secondes.

— Veille sur maman, chuchota la jeune femme.

— Compte sur moi.

Puis elle s'éloigna, laissa ses mains glisser sur les bras

de Kenny, jusqu'au dernier effleurement du bout des doigts. Chacun d'eux s'efforçait vainement de sourire.

— Au revoir, dit-elle sourdement.

— Au revoir, répéta-t-il d'une voix brisée.

Elle recula d'un pas qui acheva de les séparer. Les bras de Kenny retombèrent le long de son corps, inutiles désormais.

Quand elle eut ouvert la porte du bureau, elle le regarda une dernière fois, avant de disparaître de sa vie, pour retourner à la sienne.

15

Elle arriva à Nashville à cinq heures moins le quart et fila directement vers Music Row, au sud-est du centre-ville. La maison attendrait. Pour l'heure, elle avait besoin de ce qui lui avait tant manqué, la vitalité et l'énergie qui émanaient de la douzaine de rues depuis lesquelles l'industrie du disque faisait battre le cœur de la capitale de la musique. Comme si l'âme même du quartier pénétrait la sienne, elle se sentit toute revigorée à mesure qu'elle approchait de ses bureaux. Au pied du Demonbreun, un portrait plus grand que nature de Randy Travis l'accueillit sur un mur de brique. Les touristes entraient dans les boutiques de souvenirs, grimpaient la passerelle jusqu'au Country Music Hall of Fame. Devant les locaux de Sony, un panneau publicitaire vantait le dernier album de Mary Chapin Carpenter. MCA faisait la promotion de celui de Vince Gill. Le long de Music Square East et West, divers sièges sociaux d'entreprises apparentées à l'industrie musicale occupaient les deux côtés de la rue : c'étaient des cabinets d'avocats, des studios d'enregistrement, des compagnies de production vidéo, des éditeurs de musique, des sociétés de gestion de droits d'auteur, des agences de réservation, les bureaux de diverses maisons de disques, ceux des artistes de country les plus célèbres du pays, enfin des restaurants où ce petit monde du showbiz musical donnait de grandes fêtes.

Les bureaux de Tess se situaient sur Music Square

West, dans une demeure victorienne, une monstruosité de deux étages peinte dans plusieurs nuances de jaune, dotée d'un parking qu'ombrageaient quatre tilleuls gigantesques, d'âge presque aussi vénérable que la bâtisse. Sur un panneau de bois planté à l'entrée de la propriété, une plaque ovale en cuivre annonçait simplement «Wintergreen Enterprises». Tess avait choisi ce nom afin de ne jamais oublier le chemin parcouru depuis son bourg du Missouri jusqu'au sommet des hit-parades, ni son statut de femme d'affaires respectée dans une industrie qui, des décennies durant, avait été dominée par les hommes. Plusieurs sociétés distinctes s'abritaient sous l'aile de Wintergreen Enterprises, chacune née de la nécessité ou du bon sens. Tess avait créé sa société d'édition musicale lorsqu'elle s'était rendu compte du nombre d'auteurs talentueux qui venaient lui soumettre leurs chansons, et dont la plupart n'avaient jamais été édités. Pourquoi verser des droits sur ses enregistrements à un autre éditeur si elle pouvait les récolter elle-même? s'était-elle dit. Sa maison de couture créait des costumes de scène sur mesure pour bon nombre d'artistes, en plus des siens. Cinq ans plus tôt, victime d'un retard par rapport à son planning et se retrouvant sur les charbons ardents faute de savoir si ses affiches et l'ensemble du matériel publicitaire seraient prêts à temps pour l'un de ses concerts, elle avait acquis une petite imprimerie qui lui tirait affiches, tracts, lettres d'information aux fan-clubs, programmes de concert, et réalisait de surcroît un bénéfice enviable en rendant de temps en temps le même service à d'autres artistes. Il y avait aussi sa petite flotte de jets dont elle se servait pour son propre usage et qu'elle louait par ailleurs.

Néanmoins, tout cela demeurait secondaire comparé à l'affaire prodigieusement prospère qui maintenait Tess McPhail au sommet du succès. Cette activité consistait à planifier cent vingt concerts par an, et à fournir l'indispensable structure d'organisation qui lui permettait de coproduire ses propres albums et ses clips, d'assurer sa publicité, de garder le contact avec ses fan-clubs dans toutes les grandes villes du pays, et de payer les salaires de la cinquantaine d'employés nécessaires à la bonne marche de ce mastodonte.

Et Tess McPhail supervisait elle-même les moindres rouages de la machine. Wintergreen Enterprises était le pivot, la pierre angulaire de son succès.

Quand elle entra par la porte privée de derrière, donnant accès à l'ancienne cuisine qui abritait désormais les photocopieurs et servait de cantine, elle fut saisie par la fraîcheur des lieux. Elle passa devant l'ancien escalier de service, dont elle se servait ordinairement pour gagner son bureau au premier étage, et perçut le murmure de diverses conversations dans les locaux. Les murs de la maison étaient peints en crème, les parquets étaient en bois clair, et on avait doté les fenêtres de stores blancs pour lutter contre la canicule de l'été. Des haut-parleurs intégrés diffusaient doucement de la musique country. Elle pénétra dans le hall central dont les murs étaient tapissés d'agrandissements photo de ses couvertures d'albums.

La réceptionniste se trouvait à son bureau, tournant le dos au grand escalier ornementé.

— Salut, Jan. Je suis de retour.

Jan Nash pivota sur sa chaise et eut un grand sourire. Entre trente et quarante ans, elle avait le visage, les formes et la longue chevelure blonde d'une poupée Barbie. Elle était spectaculaire avec sa petite robe noire moulante, son maquillage flatteur, ses anneaux d'argent aux oreilles et ses bottes à talons hauts.

— Tiens, bonjour, Mac ! s'exclama-t-elle avec l'accent un peu traînant du Tennessee. Vous nous avez rudement manqué. Soyez la bienvenue.

— Merci, Jan. C'est super de rentrer ici. J'ai hâte de reprendre le collier.

— Je suis désolée pour ce qui est arrivé à Papa John.

— C'est affreux, n'est-ce pas ?

D'autres employés entendirent la voix de Tess et sortirent des multiples pièces du rez-de-chaussée pour venir la saluer chaleureusement. Un peu plus tard, Tess montait à son propre bureau. Il occupait tout l'arrière de la demeure, orienté à l'est, et profitait de l'ombrage des tilleuls. Dans un bureau adjacent plus petit, Kelly Mendoza parlait au téléphone, et adressa un sourire à sa patronne lorsqu'elle la vit par la porte de communication. Kelly était cubaine, elle avait vingt-neuf ans, des yeux en amande, la peau brune et lisse et une allure de reine. Elle avait aujourd'hui arrangé sa masse de longs cheveux noirs lustrés en une explosion de frisettes. Elle portait un ensemble en soie couleur du thé vert, assorti d'un foulard multicolore.

— Je suis contente de te revoir, Mac.

— Et moi bien contente d'être de retour.

Les deux femmes s'étreignirent brièvement. Elles travaillaient ensemble depuis sept ans et abattaient plus de travail en une seule journée que la plupart des gens en deux jours.

— Je suis bien triste pour Papa John, dit Kelly.

— Nous le sommes tous. As-tu des détails à propos de la cérémonie commémorative?

— Demain matin onze heures au Ryman. Les chanteurs se réunissent une heure avant pour une brève répétition.

— Bien. Quoi d'autre?

— J'ai envoyé des fleurs en ton nom personnel, également de la part de Wintergreen Enterprises, mais tu pourras signer la carte de condoléances; elle est sur ton bureau. Burt Sheer a téléphoné trois fois cet après-midi, et Jack te demande de l'appeler dès ton arrivée. Il a retenu le studio pour mercredi et aimerait savoir qui tu souhaites prendre pour les chœurs. Peter Steinberg a reçu un coup de fil de Disneyworld qui demande si tu serais intéressée par une journée Tess McPhail l'an prochain — ça consisterait en un spectacle court, participer à un défilé et faire une séance d'autographes. Tu peux le rappeler. Cathy Mack a cinq modèles de robe à te montrer, et Ralph voudrait commencer les répétitions de concert dès que tu auras la tête hors de l'eau.

Kelly accompagna Tess dans son bureau pour lui indiquer la correspondance en attente sur la console perpendiculaire à sa table de travail.

— J'ai rédigé des notes sur tout ce que je t'ai dit. Cette pile-là réclame ton attention immédiate, celle-ci peut attendre deux jours, quant à la dernière je m'en suis déjà occupée. Oh, autre chose, et ce n'est pas une bonne nouvelle : le problème de voix de Carla n'est pas résolu.

Un pli soucieux apparut sur le front de Tess. Non seulement Carla chantait la deuxième voix sur plusieurs de ses enregistrements, mais elle devait également l'accompagner en tournée.

— C'est pire ? questionna-t-elle.

— Pas pire, non. Stationnaire. Mais elle est très inquiète.

— Il y a de quoi. Cela fait au moins six mois.

— Presque un an, d'après ce qu'elle dit.

Le téléphone sonna doucement, Kelly décrocha.

— C'est Burt, annonça-t-elle en tendant le combiné à Tess.

Et elle repartit dans son propre bureau pour laisser sa patronne tranquille.

— Salut, Burt, dit Tess en se laissant tomber dans son fauteuil en cuir.

— Je me doutais que tu rentrerais plus tôt quand j'ai appris la nouvelle pour Papa John. Je suis sincèrement désolé, Tess.

Ils parlèrent pendant un moment. Quand Burt déclara à la jeune femme qu'elle lui avait beaucoup manqué, ses paroles n'éveillèrent pas chez elle le désir et le manque qu'elles avaient suscités quand il l'avait appelée à Wintergreen. C'était avant qu'elle embrasse l'homme de l'autre côté de l'allée... Prétextant la tristesse due à la mort de Papa John, elle annula le rendez-vous qu'ils s'étaient fixé. Les sentiments qu'elle avait pu nourrir pour Burt Sheer se révélaient très émoussés par les souvenirs qu'elle avait à présent de Kenny Kronek.

Pourtant, dans l'heure qui suivit son retour, Tess vit se confirmer le fond de sa pensée : Kenny n'avait aucune place dans sa vie. Même si, durant ces quatre semaines, elle s'était interrogée, il lui suffit de renouer avec le travail pour comprendre où se trouvait sa vraie place. Elle était indubitablement ici, à Nashville, où sa carrière continuait même pendant son absence, où son personnel connaissait ses besoins avant même qu'elle les formule, et où son avenir était déjà tracé.

Plusieurs documents chiffrés se trouvaient sur son bureau, chiffres de vente, passages sur les ondes, etc. Son prochain single sortirait à la mi-juin, un autre était prévu pour août (avec un peu de chance, ce serait la chanson que Casey et elle n'avaient pas encore enregistrée!), avant la sortie de son nouvel album en septembre. On prévoyait qu'il remporterait le disque de platine, peut-être même une double récompense — quatre millions de fans attendaient ses nouvelles chansons. Un producteur d'émissions de variétés lui demandait d'ores et déjà d'être son invitée d'honneur dans un an et demi. Wrangler, son principal sponsor, lui proposait des séances de photos dans les îles San Blas, où elle poserait sur la plage dans les jeans de la marque. Ils espéraient coupler leur campagne publicitaire dans la presse avec la sortie de son album. Et puis la marque automobile Nissan, ayant appris qu'elle possédait un de leurs modèles, souhaitait discuter avec elle de l'éventualité d'un contrat pour une publicité télévisée.

Il n'y avait pas de place pour un homme dans sa vie.

Néanmoins, si jamais il appelait, elle tenait à ne pas le manquer.

— Kelly?

— Oui? répondit la secrétaire, apparaissant à la porte de communication.

— S'il arrive un appel de Casey Kronek ou de Kenny Kronek, qu'on me le passe immédiatement. Et si je suis absente, arrange-toi pour que j'aie le message le plus vite possible.

— C'est enregistré.

— Casey est une lycéenne de ma ville natale. Elle va habiter chez moi au mois de juin. C'est elle qui enregistrera la voix de basse d'une de mes chansons.

— Elle a de la chance, remarqua Kelly.

— Elle a du talent, répliqua Tess. Elle m'a aidée à écrire la chanson en question.

Un étonnement tranquille éclaira le visage de Kelly, la rendant encore plus jolie. Sans poser de questions, elle retourna à son bureau afin de noter les noms, surprenant Tess une fois de plus non seulement par son professionnalisme mais aussi par sa capacité à ne pas se mêler de ses affaires personnelles. Tess jugeait ce genre de tact inestimable.

La jeune femme travailla jusqu'à huit heures du soir et découvrit avec surprise qu'après un mois chez sa mère, son estomac réclamait sa pitance à dix-huit heures. Elle tint bon le plus longtemps possible, mais elle mourait de faim quand elle se décida à rentrer chez elle.

Elle habitait Brentwood, au sud-ouest de Nashville, un quartier résidentiel délimité par une luxueuse entrée en brique entourée de buissons taillés comme des sculptures et de fleurs rouges, blanches et bleues.

Comme elle approchait de sa demeure, elle abaissa les vitres de sa voiture et aspira l'air du Sud, chaud et humide, une chose qu'elle n'eût jamais songé à faire avant son départ. Un mois plus tôt, elle aurait foncé dans la montée, ses vitres fumées soigneusement relevées, sans guère remarquer son environnement.

Ce soir elle le remarquait... et elle appréciait.

C'était l'une de ces soirées de printemps où le crépuscule semble tarder à s'imposer. Les chênes et les ormes s'étiraient tels des voiles de dentelle noire sur un ciel jaune paille qui s'épaississait jusqu'à prendre une couleur de pêche derrière les frondaisons. Devant l'une des maisons voisines de la sienne, M. Rudy achevait juste de passer au polish la carrosserie de sa Corvette. Il agita la main pour saluer Tess. Elle le rencontrait si rarement qu'elle ne connaissait même pas son prénom. Elle croyait savoir qu'il travaillait à la Nations Bank mais n'en était pas certaine. Deux garçons descendaient la côte à vélo ; elle attendit qu'ils aient dépassé son entrée pour s'y engager. Le constat la frappa alors qu'elle ne connaissait pas ces deux cyclistes, qu'elle ne connaissait, en vérité, aucun des enfants du voisinage.

Malgré elle, le souvenir lui revint de Mme Perry qui lui avait rappelé au mariage comment, quand elle était petite fille, elle venait à sa porte réclamer des bonbons. Elle repensa à la vue que l'on avait depuis la fenêtre de la cuisine chez sa mère, et comment elle-même avait observé les allées et venues de l'autre côté du sentier.

Tout était différent ici. Le succès provoquait un tel isolement!

A travers les baies vitrées du salon, face à la rue, elle remarqua que Maria avait laissé une lampe allumée. Elle s'étonna peu après de découvrir le break bleu de sa femme de charge encore dans le garage. S'emparant de ses bagages, elle pénétra dans la maison par la porte de derrière.

— Maria? Vous êtes encore là?

— Bonjour, miss Mac! J'espère que votre retour s'est bien passé.

Dans la cuisine, Maria achevait de donner à boire à un bouquet de zinnias rouges posé au milieu de la table.

— Mais que faites-vous encore ici à une heure pareille? s'exclama la jeune femme.

— Je vous attendais. Personne n'aime revenir dans une maison vide.

— Mais je reviens toujours dans une maison vide.

— Pas après une absence aussi longue. Je vais monter votre sac, miss Mac.

— Merci, Maria, je peux m'en charger.

— Sottise. Donnez-moi ça.

Maria était une Mexicaine d'une cinquantaine d'années, aux jambes maigres et haute comme trois pommes. Ses cheveux grisonnants étaient relevés sans recherche. Bien qu'elle eût l'air aussi forte qu'un gamin de dix ans, elle n'eut aucun mal à arracher le bagage des mains de Tess.

— D'accord, concéda celle-ci. Mais votre famille va vous attendre.

— Je leur ai dit que je risquais de rentrer tard. Je ne

savais pas à quelle heure vous seriez là. Comment va votre maman?

— Très bien. Elle marche avec une canne et se réjouit de boire un peu de vin aux fêtes de famille.

— Et vos sœurs?

— Elles se portent bien aussi. Je les ai vues souvent. Maria, merci d'être restée.

Maria agita la main comme si les remerciements étaient superflus, et toutes deux s'engagèrent dans le large escalier suspendu. A l'étage, le palier en arc de cercle offrait une vue plongeante sur le salon. Les chambres réservées aux invités se trouvaient sur la droite. Tess obliqua sur la gauche et franchit la double porte qui donnait accès à ses appartements. Contrairement à chez Mary, tout ici était neuf, lumineux, fonctionnel et élégant; la décoration avait été conçue dans des tons neutres, avec seulement quelques touches de couleur pastel ici et là.

Maria avait veillé à allumer les lampes un peu partout, et Tess s'arrêta un instant pour promener le regard sur son lit au cadre de métal noir, surmonté d'un baldaquin d'où pendaient des mètres de gaze blanche qui venaient mourir sur le sol, aux quatre coins. En dehors de ce voilage et de quelques coussins jetés sur le lit, le décor était des plus sobres, les fenêtres dépourvues de rideaux, les murs couleur ivoire, la moquette et le sofa blancs. La double porte-fenêtre — fermée ce soir — ouvrait sur un balcon qui dominait la piscine.

Tess lâcha son sac sur la banquette tapissée qui se trouvait au pied du lit, et découvrit tout près ses nouvelles bottes faites sur mesure. Elles étaient vertes, en autruche. Un sourire se dessina sur les lèvres de la jeune femme... Tout était parfait ici, différent de chez Mary. Tout était fait pour elle.

Elle s'assit sur la banquette pour essayer ses bottes neuves.

— J'ai gardé la boîte, dit Maria, au cas où il faudrait les réexpédier.

Tess la remercia tandis qu'elle se mettait en devoir de baisser les stores à lamelles devant chaque fenêtre.

— Je vous aide à défaire vos bagages ?

— Non merci, cela peut attendre demain. Vous pouvez rentrer chez vous maintenant.

— Je partirai quand je le jugerai bon, déclara la femme de charge en quittant la pièce pour redescendre.

Tess sourit et, chaussée de ses bottes neuves, traversa la chambre jusqu'à la salle de bains-dressing-room en marbre blanc. La vue d'une rose unique couleur pêche dans un vase étroit posé près du lavabo la fit sourire plus encore, comme les serviettes saumon pâle, et son peignoir préféré plié sur un tabouret. Malgré son habitude de vivre seule, elle était très heureuse ce soir de la présence de sa volubile gouvernante. Traversant la chambre, elle gagna le balcon central du palier, qui offrait la vue plongeante sur le salon. Haute de cinq mètres, la pièce était entièrement dans les tons blancs, d'un blanc de neige à un blanc plus grisé et nacré, avec seulement une touche de pêche dans l'ameublement. Un piano à queue couleur crème était disposé devant les immenses baies vitrées. Sur la gauche, la cheminée en brique blanche était flanquée de part et d'autre d'étagères de livres qui allaient du sol au plafond. Une grande vitre posée à l'horizontale sur deux courtes colonnes de plâtre blanc constituait une table basse entre deux canapés qui se faisaient face perpendiculairement à la cheminée.

Ce cadre était aussi différent des maisons de Wintergreen qu'un Picasso l'est d'un Renoir. Le contraste frappa Tess et, l'espace d'un instant, lui laissa un vague sentiment de vide.

— Dites, Maria, appela-t-elle en se penchant sur la rambarde de l'escalier, quelqu'un a-t-il téléphoné ?

— Non, cria Maria depuis les profondeurs de la cuisine. Juste miss Kelly cet après-midi pour me dire que vous étiez rentrée.

— Personne du nom de Casey ?

— Non.

— Casey Kronek ?

— Non.

— Ni un certain Kenny ?

— Non plus.

— Ah, dit doucement Tess pour elle-même, déçue. Si l'un d'eux appelle, reprit-elle en élevant de nouveau la voix, n'importe quand, vous me les passez immédiatement. Casey ou Kenny Kronek... Entendu?

— Entendu, miss Mac.

Comme Kelly, Maria savait rester discrète eu égard à la vie privée de sa patronne. Elle effectuait son travail, s'abstenait de cancaner, et ne posait pas de questions quand cela ne la concernait pas. Si elle recueillait des informations au cours de ses activités quotidiennes dans la maison, elle les tenait pour absolument confidentielles. A Noël, elle recevait une prime que bien des cadres supérieurs lui auraient enviée.

A l'étage, Tess se lava le visage, ôta son jean et mit une robe d'intérieur avant de redescendre à la cuisine. C'était une pièce carrelée à l'ancienne, avec des cuivres suspendus au-dessus du grand fourneau central, que surplombait une vaste hotte. Sans avoir reçu d'ordre, Maria avait préparé une salade composée au poulet grillé, un verre d'eau minérale, un autre de lait écrémé, et une appétissante assiette de fruits frais. Le repas était disposé sur un set au milieu de la table en pin sur laquelle Tess prenait ses repas. A côté, le gros bouquet de zinnias devait venir du jardin de Maria.

— Vous êtes parfaite, Maria, dit la jeune femme en s'asseyant tout de suite à table pour croquer une feuille de romaine.

— J'ai l'impression que vous avez pris quelques kilos, nota la gouvernante. Je vais vous les faire perdre en un clin d'œil. J'ai repassé votre tailleur bleu nuit pour la cérémonie de demain. Quel malheur pour Papa John!

— Merci, Maria. Voulez-vous bien rentrer chez vous à présent... s'il vous plaît?

— Oui, miss Mac, je crois que je vais y aller. Vous pourrez mettre votre vaisselle sale dans la machine.

— Je n'y manquerai pas.

— Eh bien, bonne nuit, reprit Maria quand elle eut pris son sac et son pull-over. Ça me fait plaisir que vous soyez de retour. Il y a du jus d'orange dans le réfrigérateur, et des petits pains dans le placard pour demain matin.

— Encore merci, Maria.

Une fois la porte de derrière refermée, puis celle du garage, Tess se retrouva seule avec le silence. Elle cessa de mâcher pour écouter le ronronnement du réfrigérateur, regarda les cuivres au-dessus du fourneau, le net alignement des placards. Un ordre impeccable régnait partout, et elle était là, immobile sur sa chaise, un soir de semaine à neuf heures et demie, dans une maison d'une valeur d'un million et demi de dollars, assez vaste pour abriter huit personnes mais bâtie pour une seule. Elle avait rechigné à faire construire, mais son comptable lui avait conseillé de diversifier ses investissements, et dans la mesure où l'immobilier prendrait de la valeur, pourquoi ne pas jouir du confort d'une belle maison tout en sachant que son argent ne se dévaluait pas — au contraire? Comme elle avait, déjà à l'époque, acheté son premier jet, elle pouvait être plus souvent chez elle, même en période de concerts. Aussi s'était-elle dit: «Pourquoi pas?»

Pourtant, ce soir, elle regrettait son petit appartement de Belmont Boulevard, où elle entendait la télévision des voisins du dessous, et parfois le brouhaha des conversations qui lui parvenait par les fenêtres ouvertes.

La table débarrassée, elle éteignit les lampes du rez-de-chaussée et monta prendre un bain dans le grand jacuzzi en marbre qui aurait pu recevoir deux personnes — mais cela ne s'était jamais produit. Alors qu'elle était assise au milieu du tir croisé des jets d'eau, les téléphones se mirent à sonner — on en comptait sept dans toute la maison. Elle décrocha l'appareil mural au pied de la baignoire.

— Allô? dit-elle en coupant les robinets.

— Salut, Mac. C'est Casey.

— Oh, Casey, comme ça fait du bien d'entendre ta voix!

La joie l'envahissait, et avec elle la conscience de s'être sentie terriblement seule jusque-là.

— Tu veux bien attendre une minute?

Elle sortit vivement de la baignoire, s'enveloppa dans son peignoir, et alla prendre le téléphone de son lit tout en jetant à terre cinq coussins qui l'encombraient.

— Voilà, Casey, je suis de retour. Tu sais, ma belle, je regrette d'avoir dû quitter Wintergreen sans te voir.

— J'ai bien compris. Papa m'a dit pour ton ami. Je suis sincèrement désolée, Mac.

— Je ne vais pas faire la bravache et dire ce qui n'est pas. Papa John était quelqu'un de très précieux pour moi.

— Je sais. Papa m'a dit que tu pleurais.

— Oui, enfin...

Elle ne pleurait pas seulement la perte de Papa John, mais aussi parce qu'elle quittait Kenny.

— Ça m'a fait du bien de rentrer et de reprendre le collier. J'ai eu l'esprit ailleurs.

— Tu travailles encore?

— Non, j'ai terminé pour aujourd'hui. Je viens de dîner et de prendre un bain.

— J'espère que ça ne te dérange pas que je t'appelle... chez toi, je veux dire.

— Bien sûr que non.

— Je sais que tu nous as donné ton numéro sur liste rouge, mais papa a dit...

— Il n'y a aucun problème, Casey. Tu appelles quand tu veux. J'ai prévenu Maria et Kelly.

— Super. Je voulais juste te dire que je pense à toi et que j'ai hâte d'être en juin. Papa veut te dire quelque chose, je te le passe... A bientôt, Mac.

Avant qu'elle n'ait le temps de s'y préparer, la voix de Kenny se fit entendre sur la ligne, atténuée, sourde, un peu rauque comme son adieu ce matin.

— Bonsoir, dit-il.

Rien d'autre, juste ce mot. Il pénétra le cœur de Tess avec une vigueur stupéfiante et tout son poids d'émotion. Et elle se sentit encore plus seule dans sa grande maison vide. Kenny lui manquait; elle aurait voulu voir son visage, le toucher, parler et rire avec lui, peut-être rouler jusque chez Dexter Hickey pour aller caresser les naseaux des chevaux. Quatre cents kilomètres les séparaient.

— Bonsoir, parvint-elle enfin à articuler.

Plusieurs secondes s'écoulèrent. Aucun ne parlait. Ils revivaient chacun leur dernier baiser, leur dernière étreinte dans le bureau de Kenny.

— Tu es bien rentrée? finit-il par demander.

— Oui, sans problème.

— J'étais inquiet pour toi.

Plusieurs hommes s'inquiétaient pour elle chaque jour — son producteur, son directeur commercial, son agent —, mais ils étaient payés pour cela. Personne ne payait Kenny Kronek pour s'inquiéter d'elle. Cette simple idée lui noua la gorge.

— Tu ne dois pas te faire de souci pour moi, Kenny.

— Tu pleurais.

— Non, je ne pleurais pas.

— Si. Pourquoi ne pas l'admettre?

— Bon, d'accord. Mais je n'ai pas pleuré longtemps. J'ai mis une cassette et j'ai pensé à autre chose.

— Autre chose que quoi?

— Toi, reconnut-elle.

Elle ne perçut que sa respiration à l'autre bout de la ligne, et songea combien tout cela était vain.

— C'est ce que tu voulais entendre, Kenny?

Aucune réponse ne vint. Puis Kenny s'éclaircit la gorge avant de reprendre :

— De là où je suis, j'aperçois la fenêtre de ta mère. Et on dirait que si je traversais l'allée pour aller frapper à la porte, c'est toi qui m'ouvrirais.

— Ça n'arrivera plus jamais, Kenny, pas... Pas comme ça s'est produit pendant ce mois-ci.

— Je sais, dit-il d'une voix où perçait le désespoir.

— Ce n'était qu'une petite aventure à l'occasion d'un mariage. Nous étions d'accord, tu te souviens?

— Oui... Oui, je me souviens très bien. C'était d'accord.

Le silence s'installa de nouveau, vibrant de vains désirs.

— Bon... conclut Tess. Je suis claquée, et j'ai une rude journée demain. Mieux vaut se dire bonne nuit.

— Bien sûr... Prends soin de toi. Tu me manques.

— Toi aussi, tu me manques. Dis bonne nuit à Casey.

— Sans faute.

— Les lumières de maman sont toujours allumées ?

— Non. C'est tout noir maintenant.

Elle sourit, et en fermant les yeux s'aperçut que des larmes perlaient au bord de ses cils.

— J'ai oublié de l'appeler pour lui dire que j'étais bien arrivée.

— Je le lui dirai demain matin avant d'aller travailler.

— Merci, Kenny.

Cher Kenny, toujours si attentionné avec Mary !

— Dors bien, Tess.

— Toi aussi.

Quand elle eut coupé la communication, elle resta sur son lit, le cœur lourd, le combiné sur son ventre, toujours drapée dans son peignoir, consciente de sa nudité en dessous, consciente que le sexe lui manquait terriblement. Et elle regretta de ne pas avoir fait l'amour avec Kenny le samedi soir.

Deux larmes roulèrent sur ses joues, elle les essuya vivement puis demeura le regard dans le vide. Faith se trouvait-elle chez Kenny ce soir ? Avaient-ils dîné ensemble, en bonne petite famille d'Américains moyens ? L'avait-il embrassée quand elle était arrivée ? Cette pensée rendit Tess tour à tour irritée et déprimée. Elle se demanda si Kenny l'appellerait souvent — elle n'avait espéré aucun coup de fil de lui — et s'il continuerait cette quête douloureuse qui ne pouvait, ne devait, mener nulle part. Et amènerait-il Casey lorsque celle-ci viendrait à Nashville, ou laisserait-il sa fille faire la route toute seule ? (Dans sa camionnette pourrie ? Impossible.) Alors s'il venait, et si l'occasion se présentait, mèneraient-ils leur aventure jusqu'au bout, comme ils en brûlaient d'envie ?

Elle soupira, renversa la tête contre les montants métalliques de sa tête de lit et ferma les yeux.

Il n'y avait pas de réponse à ces questions, évidemment, seulement le carcan de ses multiples engagements, le luxe silencieux de sa demeure, et la confusion dans son cœur.

16

Papa John était mort mais son souvenir resterait vivant, grâce à Tess McPhail et à bon nombre de ses amis qui auraient pu constituer le *Who's Who* de la musique country.

De se retrouver avec ses pairs, de faire à nouveau de la musique avec eux, même si c'était dans des circonstances si tristes, confirma à Tess qu'elle était trop longtemps sortie du courant. Elle était de retour. Elle avait de la musique à inventer, du travail à accomplir, un travail qu'elle adorait. Elle ferait bien de s'y mettre sans plus rêver à Kenny Kronek.

Ce fut à quoi elle s'attacha scrupuleusement au cours des jours qui suivirent.

Durant sa première vraie journée à son bureau, elle eut une longue réunion de six heures avec son directeur commercial, Dane Tully, afin de récapituler ce qui s'était passé durant son absence. Elle s'entretint aussi avec Ross Hardenberg, Ralph Thornleaf et Amanda Brimhall — respectivement son organisateur de tournée, le producteur de sa prochaine tournée et sa designer-costumière — afin de discuter des détails du futur spectacle avant le début des répétitions. Elle se rendit au studio et enregistra une nouvelle version d'un passage de *Tarnished Gold* pour que Jack Greaves pût boucler la partie vocale de la chanson après quoi elle y retourna pour donner son approbation une fois le produit fini. Tout en travaillant avec Jack, elle choisit les chanteurs du chœur et les musiciens de studio pour *Old Souls*[1], la nouvelle chanson d'Ivy Britt, et passa une autre journée en studio afin de l'enregistrer. Sept hauts responsables de la maison de disques — depuis le président jusqu'au directeur adjoint du marketing — vinrent écouter l'album en cours d'élaboration. Tess et Jack les rencontrèrent pour discuter de la photo de couverture, de la maquette et des dates de sortie des divers singles tirés de l'album. Tess leur expliqua qu'elle avait une autre chanson à enregistrer, dont elle désirait donner le titre à l'album : pouvaient-ils attendre de l'avoir entendue ? Elle pensait que ce titre ferait le meilleur clip de la fournée. Ces messieurs écoutèrent la maquette de *La Fille d'à côté*, celle qu'elle avait enregistrée dans le salon de Mary, et acceptèrent d'attendre qu'elle soit enregistrée et mixée avant de trancher quant au titre de l'album. Jack et elle discutèrent aussi de l'enchaînement des chansons, décision cruciale quand au futur succès de l'album.

La jeune femme s'entretint aussi avec Sheila Sardyk, chargée de la coordination des fan-clubs, afin que celle-ci pût rédiger la prochaine lettre d'information destinée aux fans et l'adresser à tous les responsables de clubs des grandes villes américaines. Tess consacra également deux jours aux séances photo, pour lesquelles un photographe, son assistant et une styliste vinrent de New York. A la fin des prises, elle les emmena dîner.

Elle eut de surcroît sa réunion trimestrielle avec son expert-comptable afin de prévoir le futur budget de sa société et discuter des nouvelles lois quant aux versements sur les fonds de retraite de ses employés. De plus, elle évoqua avec son conseiller financier les investissements à long terme, les modifications et autres diversifications à apporter au portefeuille de Wintergreen Enterprises.

Elle reçut un projet de clip, dont le scénario ne lui plut pas, et appela le département marketing de MCA pour

1. «Vieilles âmes.» *(N.d.T.)*

proposer ses propres idées. Elle accorda une interview au magazine *Good Housekeeping* pour le numéro de septembre qui coïnciderait avec la sortie de son album. Deux heures durant, elle posa pour leur photographe, après quoi elle reçut toute l'équipe de la revue à déjeuner chez elle, avant qu'ils ne repartent pour New York.

Elle signa plus de trois cents autographes (en six fournées) sur des cartes postales et photos publicitaires destinées à des fans qui les lui avaient réclamés par courrier expédié par le biais des clubs.

Les répétitions commencèrent.

Sur le plan personnel, elle alla consulter son médecin pour cause de fatigue. Il lui fit faire un bilan sanguin et lui conseilla de manger davantage de viande rouge. Elle reçut une belle lettre de Mindy Alverson qui la complimentait sur sa prestation lors du mariage, lui promettait de ne plus perdre le contact et l'invitait à déjeuner à l'occasion de son prochain passage à Wintergreen. Elle répondit à Mindy afin d'accepter l'invitation pour novembre prochain (après sa tournée) et lui offrir des billets gratuits pour elle et son mari, à la date et au lieu de leur choix. Elle perdit les deux kilos pris à Wintergreen, téléphona souvent à sa mère et à Renee. Casey lui adressa une invitation pour la remise de son diplôme de fin d'études secondaires et surtout pour la fête qu'elle donnerait ensuite chez elle ; elle remit sa réponse à plus tard, prise du désir de faire un saut à Wintergreen, de voir aussi sa mère et Kenny, mais craignant de ne pas avoir le temps.

Rentré lui aussi à Nashville, Burt la rappela et elle accepta de passer une soirée avec lui. Ils se retrouvèrent au Stockyard, dans l'une des petites salles à manger intimes du restaurant, décorées à la manière des bureaux des foires aux bestiaux d'antan[1]. Burt commanda un copieux steak aux oignons et Tess un homard. Ils entrechoquèrent leurs verres de vin, se racontèrent les derniers événements de leur vie, puis descendirent au Bull Pen

---

1. *Stockyard* signifie « parc à bestiaux ». *(N.d.T.)*

Lounge, où ils firent deux tours de danse avec l'orchestre jusqu'à ce que des touristes qui les observaient depuis un moment finissent par trouver le courage d'aller demander des autographes à Tess. La chose faite, Burt et elle s'en allèrent.

Chez la jeune femme, Burt s'installa tout de suite au piano du salon.

— J'ai écrit une chanson pour toi, déclara-t-il. Approche, je vais te la chanter.

Elle s'assit près de lui sur le tabouret et suivit la danse de ses doigts, sur les touches. Intitulée *Je serai ici à ton retour*, la chanson aurait ravi le cœur de la plupart des femmes. Quand elle fut terminée, Burt prit Tess dans ses bras et l'embrassa amoureusement.

Tess chassa l'image de Kenny qui lui traversa aussitôt l'esprit et, décidant de donner une vraie chance à ce baiser, le rendit à son compagnon comme il le souhaitait. Hélas, sa barbe, aussi douce fût-elle, n'avait plus l'attrait d'autrefois. Le goût du baiser, quoique plaisant, n'était pas celui qu'elle désirait. Et cette belle étreinte musicale, même touchante, se trouvait éclipsée par le souvenir d'un autre.

La main de Burt se referma sur son sein et elle songea que les conditions idéales étaient réunies : cette main créait de la musique, comme la sienne ; cet homme chantait, comme elle ; il faisait partie de la petite famille de musiciens de Nashville, comme elle. Il eût été simple pour eux d'unir leurs vies puisqu'ils connaissaient les exigences, les caprices, le mode de vie des artistes.

Or rien ne se produisit en Tess. A ce niveau viscéral, charnel où l'abstinence sexuelle aurait dû provoquer une réponse immédiate et fougueuse... rien ne se produisit.

— Non, Burt, souffla-t-elle en lui saisissant le poignet.

Il écarta le visage du sien, la regarda droit dans les yeux.

— Je croyais que tu en avais envie, toi aussi.

— Oui, je le croyais aussi, mais... Excuse-moi.

— La dernière fois que nous nous sommes vus...

— La dernière fois, c'était différent. Il s'est passé des choses entre-temps.

— Des choses?

De nouveau, elle retint la main qui revenait sur son ventre, et abaissa le regard. Ils étaient toujours assis côte à côte sur le tabouret du piano.

— Tu as rencontré quelqu'un d'autre, dit Burt.

— En quelque sorte.

Il contempla son profil, serra les mains sur le bord du tabouret et voûta le dos.

— Alors, c'est sérieux?

— Non.

— Si ce n'est pas sérieux, de quoi est-ce qu'il retourne, exactement?

— C'est quelqu'un que j'ai connu quand j'étais jeune. Quelqu'un de chez moi. Un genre d'ami de la famille.

Pendant un moment, Burt continua d'étudier la jeune femme en silence, songeur. Puis il fit claquer ses mains sur ses cuisses.

— Eh bien... Comment puis-je rivaliser avec ça? Toi et moi, nous n'avons pas d'histoire commune.

— J'ai pourtant aimé dîner et danser avec toi.

Elle formulait là une bien piètre consolation, et tous deux en avaient conscience.

— Bon... soupira Burt en se levant du tabouret, je sais quand il est temps d'effectuer la sortie.

Elle le raccompagna à la porte. Leurs adieux furent guindés jusqu'au moment où Burt prit la main de la jeune femme pour lui parler, les yeux baissés.

— Tu penses sans doute que tout musicien obscur qui cherche à t'approcher a l'espoir que tu donneras le coup de pouce indispensable à sa carrière. Je veux juste que tu saches que je ne suis pas de cette espèce-là.

Sur ces mots, il s'en alla, et Tess s'aperçut qu'il avait dit vrai, qu'il en était ainsi depuis des années. Qu'un musicien inconnu lui prête attention, et il devenait suspect, pour la raison précise que Burt venait d'énoncer. Bien qu'elle eût l'intuition profonde que Burt n'était pas intéressé, comment en être certaine alors qu'elle représentait plus de vingt millions de dollars? Quand elle était en mesure de lancer une carrière d'un simple mot glissé au bon responsable d'une maison de disques?

Kenny, lui, n'avait pas de carrière musicale. Il ne voulait ni son argent ni sa célébrité, ni une maison à Nashville. Il n'aspirait qu'à ce qu'il possédait à Wintergreen. Il le lui avait dit, et c'était pour cette raison qu'elle n'avait pas appelé ni répondu à l'invitation de Casey, redoutant que ce fût lui qui décroche, et craignant de se retrouver sans défense face à lui.

Elle différa son coup de fil à Casey jusqu'à la dernière limite. La remise des diplômes aux bacheliers avait lieu un vendredi soir. Le mardi précédent, à neuf heures, Tess était épuisée. Elle venait de signer une centaine d'autographes, l'approche de ses règles la mettait dans tous ses états, et elle n'aimait pas beaucoup la nouvelle coupe de cheveux que la styliste de New York lui avait faite. Kelly avait dû quitter le bureau en avance pour se rendre chez le dentiste, et Tess, obligée de composer elle-même ses numéros de téléphone et de patienter, avait été oubliée sur la ligne par une nouvelle secrétaire. Peu après cet incident, Carla Niles lui avait téléphoné pour lui annoncer que son médecin traitant ne lui trouvait rien d'anormal dans la gorge mais que, souffrant toujours d'une grave raucité chronique, elle allait consulter un spécialiste. En attendant, les répétitions du prochain concert se retrouvaient en plan. Puis, pour couronner le tout, en sortant s'acheter un sandwich pour dîner, elle avait coincé la bandoulière de son grand sac à main gris dans la portière de sa voiture et, sans s'en rendre compte, l'avait traînée sur le bitume durant tout le trajet jusque chez le traiteur — le cuir était mort. De retour à son bureau, elle commit l'erreur de s'attaquer à la lecture d'une pile de courrier de son public. L'une des lettres lui reprochait vivement d'insulter la moitié des femmes de la terre entière en employant l'expression «rien qu'une femme au foyer» dans l'une de ses chansons. Croyait-elle qu'il était facile d'être épouse et ménagère ? Dans ce cas, qu'elle essaie un peu, et elle découvrirait ce qu'était le vrai travail !

Bref, l'un dans l'autre, la journée avait été épouvantable quand elle décrocha le téléphone pour appeler Casey à neuf heures du soir.

Ainsi qu'elle le craignait, ce fut Kenny qui décrocha.

Peut-être travaillait-elle trop dur, peut-être était-ce l'imminence de ses règles, toujours est-il qu'entendre sa voix chaleureuse — un simple «allô», pourtant — la fit craquer. Elle se mit à pleurer et, pour ne pas révéler son état, ne souffla mot.

— Allô ? répéta Kenny, plus sec. Allô ? Qui est à l'appareil ? questionna-t-il avec un agacement manifeste.

— Kenny, c'est Tess... parvint-elle à articuler.

— Tess, qu'est-ce qui ne va pas ? demanda-t-il, aussitôt plus tendre.

— Ri... rien, bredouilla-t-elle. Tout. Je n'en sais rien. J'ai juste passé une journée lamentable.

— Allons, Tess, dit-il du ton qu'on adopte pour consoler un enfant. Calme-toi, ma belle. Rien n'est si terrible que tu ne puisses m'en parler. Je t'écoute. Raconte-moi.

Comme elle se sentait déjà mieux, elle s'accorda une petite puérilité, une petite faiblesse, ce qu'elle faisait rarement :

— Tu veux bien me redire «ma belle» comme tu viens de le faire ? Ça me fait du bien ce soir.

— Ma belle, répéta-t-il. Allez, raconte. Que t'est-il arrivé de si affreux aujourd'hui ?

Alors elle raconta. Elle reconnut que son empire devenait trop vaste, qu'elle ne pouvait plus continuer à tout contrôler elle-même. Malheureusement, il courait tant d'histoires sur des superstars dont les affaires s'étaient effondrées à cause d'une mauvaise gestion, par la faute de leurs agents, de leurs comptables ou de leurs managers qui les avaient acculées à la ruine.

— Je ne veux pas que cela m'arrive ! Alors, je ne veux confier le contrôle de mes affaires à personne. Je veille à tout personnellement.

Questionnée par Kenny, elle admit qu'elle assumait

une charge de travail aberrante, et ce depuis dix-huit ans, tandis que ses préoccupations professionnelles ne faisaient que croître.

— Tu dois apprendre à déléguer, lui dit Kenny. C'est pour ça que tu paies des gens.

— Je sais. Mais regarde ce qui est arrivé à Willy Nelson. Je suis sûre qu'il donne encore des concerts pour acquitter ses dettes.

— Y a-t-il quelqu'un parmi ton personnel en qui tu n'as pas confiance?

— Euh... non, répondit-elle après réflexion.

— Alors, c'est toi qui es en cause. Pas eux. Tu te crois peut-être omnipotente, mais quand on y réfléchit, c'est une attitude parfaitement égocentrique, tu ne trouves pas? As-tu déjà songé qu'en ne leur faisant pas plus confiance, tu les dévalorisais? Si tu leur accordais une pleine, une entière confiance, tu obtiendrais d'eux un meilleur travail, plus de coopération, certainement leur fierté. Quand les gens se sentent estimés, le rendement n'en est que meilleur.

Il avait raison, elle le savait, comme elle savait que la plupart des gens n'auraient pas eu la témérité de tenir pareil discours à Tess McPhail. Elle respecta autant sa franchise que son judicieux conseil. Elle se sentait déjà beaucoup mieux; son insatisfaction et son immense lassitude s'étaient dissipées.

— Comment avez-vous acquis tant de sagesse, monsieur Kronek?

Kenny eut un rire sourd.

— En dirigeant un bureau de deux personnes, où la routine est si accablante que la dernière fois que l'un de nous a surpris l'autre, c'est quand Miriam est sortie des toilettes avec l'ourlet de sa jupe accidentellement pris dans l'élastique de sa culotte.

Tess éclata de rire; il continua :

— Elle m'a tourné le dos pour s'asseoir à son bureau. Je la voyais par la porte de communication et j'ai levé le doigt, comme pour lui dire : «Dites, Miriam, devinez quoi!», mais essaie un peu d'expliquer à ta secrétaire que tu viens d'avoir une vue grand angle sur son postérieur ! Passe encore si elle l'avait eu joli, mais tu as vu Miriam, n'est-ce pas ?

— Non, jamais, répondit Tess qui riait toujours.

— Tu ne l'as pas aperçue ! Eh bien, disons que c'est le genre de femme à qui tu dis, si tu la rencontres dans un bar : « Tiens, Miriam, approche-toi deux tabourets que je te paye un verre ! »

L'hilarité de Tess repartit de plus belle, entraînant celle de Kenny, et tous deux savourèrent ce moment de plaisir qui les unissait grâce au téléphone, malgré les centaines de kilomètres qui les séparaient.

— Mon Dieu, je me sens tellement mieux ! soupira Tess en s'étirant dans son fauteuil.

— J'espère, rétorqua Kenny avec une suffisance ironique. Je te fais du bien.

— C'est la vérité, Kenny. Trop de bien.

Ils gardèrent le silence un moment, goûtant cette pensée.

— Alors... reprit-il, d'où appelles-tu, là ?

— Je suis encore à mon bureau.

— Tu pourrais peut-être arrêter là ta journée, non ?

— Oui. En fait, je suis très fatiguée ce soir, et un peu grincheuse. Du moins, je l'étais avant de te parler.

Dans un nouveau silence, ils mesurèrent la portée de ce qu'elle venait de dire.

— Faith est-elle là ce soir ? reprit Tess.

— Non, répondit-il un peu tardivement et d'une voix plus basse. Il n'y a que Casey et moi.

— En fait, j'appelais pour parler à Casey. J'ai reçu son invitation à sa fête samedi prochain. J'aimerais venir mais... je crains de ne pas pouvoir.

Son regret sincère ne trompait pas.

— Moi aussi, j'aimerais que tu sois présente, dit Kenny.

Tess songea qu'il fallait mettre un terme à la conversation, lui demander d'appeler Casey, mais elle se sentait incapable de se séparer de lui. Dehors, très loin, le hurlement d'une sirène s'accrut puis mourut ; dans le hall, un fax sonna puis se mit en route ; et pendant ce temps, Tess imaginait le chant des grillons dans les jardins de Wintergreen, Kenny au téléphone dans sa cuisine, Casey là-haut, dans sa chambre, en train de jouer de la guitare, et la soirée de printemps qui teintait de bleu les jardins. Elle voyait nettement les maisons disposées en miroir, les chemins étroits qui les avaient conduits l'un vers l'autre à chacune de leurs nombreuses rencontres dans l'allée. Elle fut prise d'un désir puissant, incroyable, d'être là-bas, de descendre les trois marches du porche chez sa mère et de voir Kenny marcher vers elle dans la chaude nuit de mai. Elle brûlait de se lover entre ses bras, de le sentir, de le respirer, de le goûter encore une fois. Hélas, elle ne pouvait qu'imaginer leur étreinte, se demander s'il détectait un tremblement dans sa voix, s'il comprenait quel courage elle déployait pour s'efforcer de ne pas être jalouse, de demeurer réaliste quant à l'avenir.

— Je suppose que c'est Faith qui organise la fête de Casey.

— Oui. Elle a dressé une liste de courses, passé commande chez un traiteur, et toutes deux ont effectué une plongée dans les vieux albums de photos pour retracer «Casey-sa-vie-son-œuvre» sur un panneau d'affichage !

Tess n'avait jamais désiré être mère, pourtant à cet instant elle eût volontiers échangé sa place avec Faith Oxbury. Les photos de ses neveux et nièces se trouvaient sur son bureau, les seuls «enfants» qu'elle aurait sans doute jamais. Son regard s'attarda sur leurs portraits, puis une autre question douloureuse, qui lui tournait dans la tête depuis un moment, vint l'aiguillonner.

— Kenny, puis-je te demander quelque chose ?

— Vas-y.

— Quand Casey partira, est-ce que Faith va s'installer chez toi ?

Comme il ne répondit pas sur-le-champ, Tess eut le temps de s'apercevoir qu'elle retenait sa respiration et interprétait chacun de ses battements de cœur.

— Je ne pense pas, Tess. Nous sommes dans une petite ville, où ce genre d'arrangement est mal vu.

Elle libéra doucement son souffle et ferma les yeux. Cramponné au téléphone, chacun écoutait le vibrant silence des non-dits. Ils éprouvaient à la fois tourment et bonheur à lire entre les lignes, à comprendre que chacun manquait à l'autre, à se demander jusqu'où aller dans cette conversation qui devenait dangereusement intime. Finalement, la douleur dans la gorge de Tess fut trop forte pour être ignorée.

— Tu me manques tellement, Kenny! murmura-t-elle.

Tels les soupirs en musique, les silences dans leur conversation étaient devenus aussi vitaux que les paroles.

Celui-là les bouleversa tous deux. Et quand Kenny finit par parler, sa voix recelait une frustration certaine.

— Je te l'ai déjà dit, tu me manques, toi aussi. Mais qu'attends-tu de moi, Tess? Je ne peux pas arrêter ma vie pour toi!

— Je sais. Je sais! Je ne te demande pas ça. Mais si... si...

Un grand silence douloureux et turbulent gronda sur toute la distance qui les séparait.

— Si quoi? articula Kenny.

— Je ne sais pas, admit-elle d'une voix altérée. Je veux... Je voudrais... être... être avec toi... parfois... C'est tout. Simplement être avec toi. Tu comprends?

— Pour quoi faire? Pour avoir une liaison?

— Non! Enfin, je n'en sais rien, corrigea-t-elle plus honnêtement. Mais une part de mon cœur est restée à Wintergreen quand je suis partie, et il me semble que je te l'ai confiée. Plus rien n'est pareil depuis que je suis revenue à Nashville, mais je mourrais sans cela, Kenny. Je mourrais. C'est ma vie! Et, en même temps, je meurs d'être sans toi. Je suis complètement déboussolée.

— Peut-être m'aimes-tu, Tess, suggéra Kenny au bout d'un silence. Y as-tu pensé?

— Oui.

— Mais tu ne t'es pas permis de me le dire avant ton départ, et tu ne m'as pas laissé te le dire.

— C'est trop angoissant. Cela entraînerait trop de complications.

— Pour qui ? Toi ou moi ?

— Nous deux.

— Et tu ne le dis toujours pas.

— Parce que je n'en suis pas certaine !

— Mais tu voudrais que je rompe avec Faith... Pourquoi ?

— Je n'ai jamais dit ça !

— Non, tu me l'as fait sentir. Tu n'as pas l'air de comprendre que si Nashville et ta carrière font ta vie, j'en ai une, moi aussi, et que Faith y tient une place importante.

— D'accord, d'accord ! Je n'ai pas envie de discuter et, de toute façon, c'est stupide, parce que nous ergotons sur quelque chose qui n'est même pas logique. Je suis ici, tu es là-bas, tu as ton cabinet, j'ai ma carrière et je suis absente cent vingt jours par an ! N'importe qui, doté d'un rien de cervelle, peut voir que c'est une impasse. Alors je ne vois même pas pourquoi nous abordons ce sujet !

— Parce que nous nous manquons mutuellement. Et parce que peut-être — je dis bien peut-être — nous sommes réellement tombés amoureux. A partir de là, la question est de savoir si nous fuyons la vérité ou si nous lui faisons face.

— Kenny, j'ai téléphoné afin de répondre à une invitation à la fête de fin d'études de Casey. Comment la conversation est-elle devenue si compliquée ?

— J'essaie de te faire comprendre que ce n'est pas compliqué seulement pour toi, mais aussi pour moi. Et tu as remarqué ? Là, nous commençons bel et bien à nous disputer. Alors, nous ferions mieux de nous souhaiter bonne nuit. Je te passe Casey. Nous pourrons reparler de ça une autre fois.

— Très bien, rétorqua Tess avec une pointe d'entêtement.

— Très bien, répéta-t-il.

Puis rien ne se produisit.

— Alors, passe-moi Casey ! grogna Tess.

— D'accord, s'exclama-t-il avec autant de mauvaise humeur. Mais je tiens quand même à mettre une chose

294

au clair : c'était plus qu'un petit coup de folie et tu le sais aussi bien que moi!

Le combiné fut brutalement reposé et elle entendit Kenny hurler dans la maison :

— Casey! Tess au téléphone!

L'adolescente arriva tout de suite, joyeuse, un grand sourire dans la voix.

— Salut, ma belle! Moins d'une semaine et j'arrive!

— Je sais. J'ai hâte.

— Je serai là dimanche après-midi... Non, attends! Lundi. Ce sera Memorial Day [1].

— Ta chambre est prête. Mais je ne vais pas pouvoir venir à ta fête samedi, je suis désolée.

— Oh, tu sais, je m'en doutais bien, répliqua gaiement Casey. Je tenais quand même à t'envoyer une invitation.

— J'aurais dû t'appeler plus tôt, mais j'ai espéré jusqu'au dernier moment trouver le temps de venir.

— Il n'y a pas de problème.

— Je pense t'envoyer un cadeau mais il faudra que tu le gardes pour toi toute seule.

— Qu'est-ce que c'est?

— Tu aimerais entendre les chansons de mon nouvel album avant n'importe qui hors de Nashville?

— Mince, Mac! Tu es sérieuse? Tu vas me les envoyer?

— J'ai hâte que tu les entendes, mais il faut que tu me promettes de ne faire écouter la cassette à personne. Jack aurait une attaque s'il apprenait que j'ai laissé filtrer quelque chose hors des studios. Tu me promets?

— Pas même papa? demanda Casey, visiblement déçue.

— Bon... Peut-être ton père, mais personne d'autre. Ni Faith, ni Brenda, ni Amy, ni personne. Seulement toi et ton père, d'accord?

— Tu as ma parole, Mac.

— Alors, c'est conclu. Je t'attends lundi prochain. Et

1. Jour férié, fête nationale qui honore les soldats morts pour la patrie. (N.d.T.)

nous fêterons toutes les deux la fin de tes études à ton
arrivée.

— Super. Quand devons-nous enregistrer ?

— Mardi. Jack a tout planifié.

— J'ai l'impression de rêver cette conversation ! C'est
trop beau pour être vrai.

— Si, si, tu peux me croire. Allez, je te laisse. Il est
tard. Je suis encore à mon bureau et j'aimerais rentrer
chez moi.

— A bientôt... dans six jours !

— Dans six jours. Bises.

Ces six jours passèrent à une allure folle. Un clin d'œil
et une journée s'achevait. Un autre, et une autre journée
avait filé. Tess envoya la cassette de son futur album en
exprès à Casey. Sur ses indications, Maria équipa l'une
des suites réservées aux invités de divers produits de toilette et remplit le réfrigérateur de mets susceptibles de
plaire à une adolescente. La jeune femme essaya de ne
pas trop penser à Kenny et y réussit en partie. Plusieurs
soucis majeurs accaparèrent son esprit, le plus important
étant que Carla Niles continuait d'avoir des problèmes de
gorge.

Personne ne s'en était alarmé quelques mois auparavant, quand sa voix s'était mise à se casser. Un rhume,
avait-on pensé, ou un ennui respiratoire temporaire. Le
problème s'éternisant, elle avait tenté de rééduquer sa
voix grâce à l'orthophonie. Hélas, au bout de nombreuses
séances de technique adaptée, aucune amélioration ne se
faisant sentir, elle avait consulté un médecin qui lui avait
déclaré : «Vous n'avez aucun problème de voix.» Elle
avait donc continué à chanter ce qui, au bout du compte,
se révéla la pire des solutions.

Pour finir, elle consulta un spécialiste, un phoniatre. Le
diagnostic tomba le vendredi après-midi. Carla souffrait
d'hypothyroïdie, sa thyroïde ne produisant plus suffisamment de sécrétions, ce qui affectait ses cordes vocales. Le
médecin lui ordonna de ne plus utiliser sa voix — pas

même pour murmurer ! — pendant un mois. Ensuite, dit-il, même avec un traitement, il lui faudrait peut-être deux ans pour récupérer une voix normale.

La nouvelle provoqua une panique dans l'équipe McPhail. Les répétitions pour la prochaine tournée ayant déjà commencé, Jack Greaves, Dane Tully, Ross Hardenberg et Tess se réunirent dans l'affolement pour essayer de trouver une remplaçante. La ville grouillait de chanteuses obscures qui aspiraient à décrocher un contrat d'enregistrement. Un cachet comme choriste de Tess McPhail était susceptible de faire démarrer une carrière. Ross arriva avec une liste, en tête de laquelle venait une fille de vingt-deux ans, Liza Lyman, que Tess avait entendue et qu'elle appréciait.

— Mais je ne suis pas sûre qu'elle ait la bonne tessiture.

— Laissons-lui faire un essai, suggéra Ross. Réfléchis pendant le week-end, et on en reparle mardi.

17

Il faisait chaud et beau dans l'après-midi prévu pour l'arrivée de Casey. Maria étant en congé pour le week-end prolongé, Tess avait la maison pour elle seule. Vu la taille de la demeure, il semblait un peu honteux que les nombreuses chambres d'invités aient abrité si peu d'hôtes — aucun, en tout cas, n'avait été attendu avec autant d'impatience. Tess était à la fois heureuse et anxieuse lorsqu'elle passa une dernière fois les lieux en revue. Elle avait choisi la suite bleu azur pour Casey. Les meubles étaient en bois naturel. Sur le lit, une courtepointe mœlleuse à carreaux blanc et bleu rappelait le bleu du ciel du Tennessee découpé par des fenêtres encadrées de rideaux blancs. Tess vérifia les ultimes détails : les fleurs sur la commode, les serviettes bleues dans la salle de bains, shampooing et savon dans la douche, le bain moussant sur la baignoire. Elle mit la sonorisation et alluma deux lampes, afin d'apporter une dernière touche à l'atmosphère accueillante.

L'aile réservée aux invités comprenait trois suites de ce type et Tess en avait également préparé une pour Kenny.

Il n'avait pas parlé d'amener Casey, pas plus qu'elle ne lui avait posé la question. Elle le regrettait maintenant. Peut-être avait-elle craint d'entendre une réponse négative, de devoir renoncer à cet espoir.

Elle appelait cet appartement la chambre bleu nuit, bien qu'elle ne fût pas sombre. Les murs et les stores

298

étaient couleur coquille d'œuf, la parure de lit à motif cachemire bleu marine ; c'était une chambre plus masculine, dotée d'un mobilier de style colonial, avec quelques accents d'ocre brune. Le vendredi précédent, Tess s'était rendue dans une petite boutique du centre-ville pour acheter du talc et du savon enveloppés de papier beige — leur parfum boisé semblait devoir plaire à un homme. Elle avait subtilisé un lis jaune au bouquet de la chambre de Casey pour le disposer dans un solitaire près des serviettes bleu marine de la salle de bains.

Les mains jointes, elle demeura un moment sur le seuil de la pièce, se demandant quelle serait la réaction de Kenny si elle l'invitait à dormir là avant de repartir pour Wintergreen.

Elle se rendit compte alors, non sans surprise, qu'elle désirait qu'il vît sa maison, qu'il constate par lui-même ce à quoi elle était parvenue, le style de vie que son succès lui permettait — ce lieu rassurant par son confort spacieux, qu'elle n'avait jamais véritablement apprécié jusqu'à présent. Elle pouvait désormais montrer à Kenny qu'elle était capable de choisir, d'aménager, de décorer un endroit comme celui-ci. Un foyer.

Elle entra une dernière fois dans la chambre, mit la sonorisation tout bas. Les fenêtres donnant à l'ouest, elle régla les stores pour laisser entrer la lumière mais non le soleil.

« Amène ta fille, Kenny, priait-elle. Je t'en prie, viens avec elle. »

Mais à deux heures et demie, quand une Ford Bronco rouge s'arrêta dans l'allée, il n'y avait qu'une seule personne à bord. Tess jouait du piano dans le salon et pouvait voir au-dehors par la baie vitrée. Quand elle vit Casey descendre seule de la Bronco, son cœur s'alourdit, sa poitrine se serra.

Il n'était pas venu. Il y avait seulement Casey, en short, lunettes de soleil et chapeau de paille, qui claqua sa portière et marcha vers la maison en souriant.

Tess se rappela à l'ordre : n'était-elle pas une artiste de

scène? Elle devait cacher sa déception, réserver à l'adolescente l'accueil joyeux que celle-ci attendait.

Elle ouvrit la porte sans lui laisser le temps de sonner.

— Te voilà, ma belle petite! Arrivée à bon port!

Casey se jeta dans ses bras et elles s'étreignirent fougueusement, toutes au plaisir de se retrouver.

— Où as-tu déniché la Bronco? s'enquit Tess.

— C'était une surprise. Papa me l'a offerte pour mon bac! Tu te rends compte?

— C'est très gentil de sa part.

— Il a dit que ma vieille camionnette ne tiendrait pas le coup, et que si je devais être autonome j'avais besoin d'un véhicule fiable. Il est super, mon père, hein?

— Absolument super. Entre donc. Je vais te faire visiter la maison puis nous t'installerons dans ta chambre.

A la vue du salon, Casey se pétrifia et poussa une exclamation stupéfaite digne d'un vieux cow-boy du Missouri.

— Nom d'un petit bonhomme, je n'ai jamais rien vu d'aussi beau! C'est là que tu vis?

— C'est là que je vis.

— Et ce piano...

Fascinée, l'adolescente s'approcha de l'instrument, effleura la surface ivoire comme si elle doutait de sa réalité.

— Et ces fenêtres! Je parie que tu donnes direct sur les appartements de Dieu!

Elle suivit Tess entre deux colonnes néo-classiques jusqu'à la salle à manger, dont le plafond constituait le balcon du palier supérieur, puis dans la cuisine, puis de là sur la terrasse de derrière d'où l'on apercevait la piscine en contrebas. Ensuite, elles passèrent par le bureau de Tess, niché derrière le garage à trois places, puis revinrent sur leurs pas pour monter à l'étage. Casey ne cessa de s'ébahir, d'admirer, de s'exclamer sur tout. Elle avait un débit incroyable. Incessant! Tess s'en amusait.

Casey se pétrifia de nouveau à la porte des appartements qui lui étaient réservés.

— Tu es sérieuse? Je vais dormir *là*?

— Oui, c'est ta chambre. Et voici ta salle de bains.

— Une salle de bains *pour moi toute seule*?

— Oui... Viens la voir.

Casey s'avança comme on pénètre dans un sanctuaire, écarquilla les yeux sur la cabine de douche en verre, la baignoire en marbre, le miroir gigantesque.

— Elle est à elle seule plus grande que ma chambre à la maison. Bon sang, Mac, tu crois que j'aurai une maison comme ça un jour si je réussis?

— Peut-être. Pourquoi pas? Une des principales composantes du succès, c'est de croire qu'on peut y arriver.

— J'aurais aimé que papa voie ça. Il n'en croirait pas ses yeux.

Casey revint dans la chambre et détailla le panneau mural à côté de la tête du lit.

— Qu'est-ce que c'est?

— Un système de sonorisation.

— Tu veux dire qu'on peut écouter de la musique dans toute la maison?

La sono était branchée sur une radio country et l'on entendait une voix de femme filtrer doucement par le haut-parleur.

— Je suis musicienne, c'est la moindre des choses. La chaîne se trouve dans un placard intégré à côté de la cheminée.

— Là, c'est la radio. Peux-tu mettre un CD, une cassette?

— Tout ce que tu veux.

— Alors, pourquoi pas ton nouvel album?

— A ton aise, dans une seconde.

Aussitôt, elles redescendaient en courant.

— Tu sais, lança Casey sur les talons de Tess, j'aime vraiment ton album. Merci de me l'avoir envoyé. Il va pulvériser les records de vente. Tu vas décrocher le disque de platine! Papa le pense, lui aussi. Je ne l'ai fait écouter à personne d'autre, seulement lui, comme tu avais dit.

Tess avait mis la cassette dans le lecteur.

— Plus fort! s'exclama Casey.

Le volume devint presque assourdissant; elle se mit à chanter, Tess l'accompagna. Elles laissèrent la porte d'entrée ouverte pour aller chercher les nombreux bagages de l'adolescente dans la Bronco. Toujours sans cesser de chanter, elles les montèrent à l'étage, suspendirent quelques vêtements, empilèrent quelques cartons dans un coin, posèrent les valises au pied du lit.

— Tu peux la remettre ! cria Casey à travers la maison quand la cassette fut terminée. J'adore !

Tess était dans la cuisine, en train de faire réchauffer au micro-ondes les enchiladas au poulet que Maria avait préparées. Casey ne tarda pas à débouler.

— Je peux faire quelque chose ?

— Oui, de l'eau glacée.

La sono était également branchée dans la cuisine, aussi continuèrent-elles à chanter tandis que Casey tirait de la porte du réfrigérateur glaçons et eau fraîche — ne s'interrompant que pour s'exclamer : «Super-cool, le système !» Tess assaisonnait la laitue. Elles chantaient encore quand la maîtresse de maison hacha des queues d'oignons frais et désigna le placard où se trouvaient assiettes et serviettes afin que Casey pût mettre le couvert. Elles chantaient toujours quand elles apportèrent sur la table le plat mexicain fumant, tirèrent leurs chaises, s'assirent, s'emparèrent de leur fourchette et...

En fin de compte, elles durent s'arrêter de chanter pour manger.

Elles prenaient autant de plaisir à se retrouver que dans la cuisine de Mary le soir où était née leur amitié. Par moments, la musique submergeait Casey et elle ne pouvait s'empêcher de se remettre à chanter, la bouche pleine. Quand Tess essaya de l'imiter, le résultat catastrophique les fit éclater de rire.

— On est sacrément grossières, commenta Casey.

— Ce n'est rien de le dire, acquiesça Tess. Ma maman m'aurait déjà tiré les oreilles.

— Mon papa aussi. Mais comme ils n'en savent rien, ça ne peut pas leur faire de chagrin.

Leurs enchiladas finies, elles mangèrent chacune une banane. Il était plus facile de chanter entre deux bouchées de fruit, puis Casey s'en servait comme d'une baguette de chef d'orchestre.

La constatation frappa soudainement Tess : Casey connaissait chaque mot de chaque chanson de la cassette! Elle la fixa avec stupeur. L'adolescente dirigeait et chantait en même temps, mais ne doublait que la partie des choristes.

— Dis-moi, Casey, combien de fois as-tu écouté cette bande durant ces quelques jours?

— Je n'en sais rien. Cinquante? Soixante? Je n'ai pas compté.

— Tu connais toutes les paroles?

— Je crois, oui.

— Pose ta banane et chante avec moi, exactement comme tu viens de le faire.

Il s'agissait d'un passage rapide, avec des kyrielles de mots. Clouées sur leur chaise, les yeux dans les yeux, elles le chantèrent jusqu'à la fin.

Ensuite, Tess se leva pour aller baisser le volume de l'ampli. Partout ailleurs dans la maison, la chanson suivante résonnait à plein tube.

— Pourquoi n'as-tu pas chanté la voix principale? questionna-t-elle en se rasseyant.

— Euh... je n'en sais rien, balbutia Casey, craignant d'avoir mal fait. C'est toi qui la chantais.

— Mais n'importe qui chante la première voix quand il accompagne une chanson à la radio, tu es d'accord?

— Pas moi, sans doute... dit Casey avec un haussement d'épaules. Je suis alto à la chorale.

Une idée bizarre, imprévue, enthousiasmante naquit en Tess, mais il était trop tôt pour la soumettre à une adolescente de dix-sept ans. «Du calme, se dit la jeune femme, pas d'emballement! Tu ne l'as même pas encore entendue en studio!» Mais avec Carla hors d'état pour un mois au moins, peut-être des années, elle avait besoin d'une remplaçante pour la tournée qui débutait fin juin.

— Qu'est-ce qu'il y a? s'inquiéta Casey.

— Rien, répondit Tess en se relaxant. Tu es quand

même stupéfiante. Retenir tant de paroles en un laps de temps si court...

— Je connais toutes tes chansons par cœur.

— C'est vrai?

— J'ai commencé à écouter tes albums avant même qu'ils existent en CD.

— Par cœur?

— Quoi? Vous doutez, madame? Tu ne veux pas croire que tu as été mon idole dès que j'ai été en âge de faire marcher un tourne-disque?

Tess jugea préférable d'en rester là pour le moment.

— Débarrassons, décida-t-elle en se levant. Puis tu voudras peut-être finir de ranger tes affaires ou te reposer, ou peut-être nager un peu.

— Dans la piscine! Waouh!... Sauf que je devrais appeler papa d'abord. Je lui ai promis de le faire tout de suite.

— Vas-y. Tu as le téléphone dans ta chambre si tu veux être tranquille.

— Je n'ai pas de secret, tu sais.

Casey composa le numéro sur le portable de la cuisine, et Tess écouta tout en rangeant. La conversation débuta par un banal je-suis-très-bien-arrivée puis l'adolescente s'enflamma :

— Il faudrait que tu voies cette maison, papa! Un vrai palais! Toutes les peintures sont ivoire ou blanc. Tess a un piano à queue crème dans le salon, et une sono branchée dans toutes les pièces, et puis un grand balcon qui domine le salon depuis le premier étage. J'ai une salle de bains pour moi toute seule. Elle m'a mis des fleurs dans ma chambre et des tas de petits machins dans la salle de bains... tu sais, genre des petits flacons, et tout. Et il y a une piscine! Et devine? Je t'appelle avec un portable! Je te jure, papa, c'est trop cool...

La conversation se prolongea pendant deux minutes encore puis Casey conclut :

— Oui, elle est là tout près. Mac! Papa veut te parler.

Contrairement à l'adolescente, Tess aurait apprécié un

peu d'intimité, mais il eût paru étrange qu'elle s'isole pour s'entretenir avec Kenny, aussi prit-elle l'appareil.

— Salut, Kenny, lança-t-elle, feignant une gaieté légère devant Casey qui écoutait.

C'était la première fois qu'ils se reparlaient depuis leur prise de bec quelques jours auparavant.

— Salut, ma belle. Tu es toujours fâchée contre moi ?

— Non.

— Tant mieux. Ma fille a l'air d'aimer ta maison.

— Elle est encore facile à impressionner.

— Ça doit ressembler à ces palaces de célébrités qu'on voit dans les magazines de luxe.

— Peut-être. J'avais un peu pensé que tu amènerais Casey. Tu aurais vu par toi-même.

— Je l'aurais peut-être fait si j'avais été invité.

Ne sachant que répondre, elle changea de sujet :

— Tu lui as offert une bien jolie voiture...

— Qu'elle a remplie au maximum. J'ai eu beau lui dire qu'elle emportait trop de choses, qu'elle pouvait attendre de trouver un appartement... Mais tu sais comment sont les adolescentes. Il paraît qu'elle n'a pris que le minimum vital.

— Tu n'as pas à t'inquiéter, il y a beaucoup de place ici.

Casey était partie faire quelques pas au salon.

— Comment t'en sors-tu, Kenny ? demanda Tess, profitant de cette absence. Je veux dire, du fait de son départ ?

Dans le bref silence qui suivit, il laissa tomber le masque.

— C'est la pire journée de ma vie.

Saisie d'un profond élan de sympathie, Tess le revit marchant main dans la main avec sa fille.

— J'imagine.

— A croire que je ne peux pas m'empêcher d'aller dans sa chambre et de regarder tous les coins vides. Là où elle mettait sa guitare, le petit bazar sur sa commode... Elle a même pris ses oreillers.

— Faith est chez toi ?

— Non, pas aujourd'hui.

— Si tu l'appelais pour passer un moment avec elle?

— Je n'en ai pas envie. C'est drôle, j'ai de moins en moins envie de la voir depuis que tu es partie. Je pensais plutôt aller passer un petit moment avec Mary. Elle serait peut-être d'accord pour faire une partie de cartes ou je ne sais quoi.

— Elle serait ravie, j'en suis certaine. Bon, je vais te laisser... Nous allons sans doute nous baigner, Casey et moi.

— D'accord, dit tristement Kenny.

— Elle t'appellera certainement demain après l'enregistrement, pour te raconter.

— Je lui ai dit de me téléphoner chaque fois qu'elle le souhaite, en PCV. Je me suis occupé de lui faire établir une carte de crédit téléphonique mais elle n'est pas encore arrivée.

— Ce n'est pas nécessaire, Kenny. Elle peut appeler d'ici tant qu'elle veut.

— Non, non. Tu en as déjà assez fait... Il n'est pas indispensable qu'en plus elle gonfle ta facture de téléphone.

— N'en parlons plus, trancha Tess.

Casey était revenue dans la cuisine et prêtait l'oreille.

— Si elle a besoin de quoi que ce soit, tu me le diras, n'est-ce pas? interrogea Kenny.

— Bien sûr. Ne te fais pas de souci, et ne reste pas à tourner en rond chez toi. Je te la repasse pour que tu lui dises au revoir.

— Tess, attends!... Je t'aime.

Abasourdie, la jeune femme se figea, fixant Casey qui, tout près d'elle, attendait de reprendre l'appareil. Les mots de Kenny lui embrasèrent le cœur et lui enflammèrent le visage. Comme ça... quand elle ne s'y attendait pas le moins du monde... «Je t'aime.» Sans plus de manières que s'il avait dit: «A demain.» Elle demeura pétrifiée, cramponnée au téléphone, incapable de répondre par les mêmes mots. Car ce n'étaient pas des paroles à prendre à la légère, ni à prononcer sans certitude absolue, et elle ne risquait pas de les dire pour la première fois alors que la fille de Kenny se tenait à un mètre d'elle ! Affolée, elle chercha une réponse adéquate, qui pour autant ne trahirait pas son trouble.

— Je crois que c'est seulement la solitude, Kenny. Ça ira mieux quand un peu de temps aura passé.

— Casey entend ce que tu dis ?

— Oui, elle est là, tout près.

— Alors, d'accord. J'espère que la prochaine fois que je te le dirai, tu me répondras de même.

— Je te la passe... conclut Tess, affolée.

— Qu'est-ce qu'il y a ? lui chuchota Casey.

— Rien, murmura-t-elle.

Elle lui tendit l'appareil et se détourna.

Il lui fut très pénible de cacher son émoi à Casey quand tout en elle lui criait de se confier à l'adolescente, ce à quoi elle ne pouvait se résoudre. Elles se baignèrent dans la piscine, parlèrent du lendemain, Tess répondit aux questions sur le travail en studio. De retour dans la maison, elles écoutèrent plusieurs CD d'autres artistes et parlèrent encore métier, industrie du disque, promotion. Elles évoquèrent également le moment auquel Casey pourrait se mettre en quête d'un appartement, puis la fête des fans qui tombait bientôt, également la programmation des concerts, quand commencerait la tournée et où elle emmènerait Tess. Mais celle-ci se garda de mentionner une éventuelle participation de Casey au spectacle.

Elles allèrent se coucher aux environs de onze heures. Et alors seulement, dans la maison calme et sombre, éveillée dans son lit, Tess réfléchit aux paroles de Kenny. Les mots résonnaient dans sa mémoire, et elle revoyait son visage tel qu'il lui était apparu la dernière fois, dans son bureau à Wintergreen, au moment des adieux. *Tess, attends !... Je t'aime.* Elle l'embrassait en imagination, comme elle l'avait embrassé à ce moment-là. Etait-ce de l'amour, ce vide sous-jacent qui marquait chaque jour passé sans lui, ce sentiment de jubilation qui s'emparait d'elle à entendre sa voix à l'autre bout du fil, ce besoin de fouiller dans ses souvenirs de lui comme on fouille un tiroir de trésors, de secrets, de les examiner sous toutes leurs faces avant de les ranger soigneusement jusqu'à la prochaine fois?

« Va savoir, Kenny... Peut-être que je t'aime, moi aussi. »

Ou était-elle en train de l'idéaliser parce qu'il avait prononcé ces mots-là? Elle ne le pensait pas, car elle n'était pas une idéaliste, mais une réaliste, depuis toujours. Donc, d'un point de vue réaliste, quel espoir y avait-il d'une quelconque relation avec Kenny quand il refusait, par loyauté, de rompre avec Faith? Quand Tess était complètement engagée dans sa carrière et lui dans la sienne? Quand ils habitaient dans deux lieux différents, avec des styles de vie si différents? Sans parler de l'écart de leurs revenus. Il ne la recherchait pas pour sa fortune et sa célébrité, de cela, elle était absolument certaine, mais le contraire pouvait être vrai. Kenny était peut-être le genre d'homme qui, par orgueil, ne peut se résoudre à vivre aux crochets d'une femme. Et avait-elle le droit de lui demander cela?

Elle n'avait même pas admis qu'elle l'aimait et déjà elle souffrait. Sa déception, aujourd'hui, de ne pas le voir arriver avec Casey avait été aberrante, disproportionnée, inhabituelle chez elle.

La seule présence de Casey lui causait un certain tiraillement, un peu plus difficile à analyser, mais néanmoins douloureux. Elle avait parfois l'impression de considérer l'adolescente comme un substitut de son père. Par moments, il lui semblait retrouver Kenny dans une expression de Casey ou dans une attitude physique. D'autres fois, leur conversation les ramenait à Wintergreen, le seul endroit où elle avait passé du temps avec Kenny, et cela entretenait plus encore les souvenirs. Par ailleurs, être la bienfaitrice de Casey lui garantissait quasiment de revoir Kenny à l'avenir, loin de Wintergreen. Tout cela faisait-il d'elle une intrigante? Indigne de la confiance que Casey, aussi bien que Kenny, avaient placée en elle ? Se servait-elle de l'adolescente pour séduire le père ?

Troublée par ces pensées, elle se retourna sur son lit.

Le clair de lune teignait les fenêtres en un mauve pâle qui lui rappela la couleur des iris que sa mère faisait pousser quand elle était petite. A Wintergreen, la lune mauve brillait aussi au-dessus de la maison de Kenny... et de celle de sa mère. Avaient-ils joué aux cartes ? Kenny était-il rentré, couché lui aussi, sans dormir, éprouvant le vide de la maison qui n'abritait plus Casey ? Tess McPhail lui manquait-elle, et s'interrogeait-il sur ce qu'elle pensait de son aveu ? Attendait-il sa réponse ?

A onze heures et quart, n'y tenant plus, elle se saisit du téléphone et l'appela. Il décrocha à la première sonnerie pour parler d'une voix claire, nullement ensommeillée. Le seul son de sa voix résonna en elle comme un cri, et elle dut se contrôler pour maquiller son émotion.

— Salut. Je te réveille ?

— Non. J'étais au lit mais je ne dormais pas.

— Moi aussi.

— Casey est couchée ?

— Oui. Nous avons nagé, parlé, écouté de la musique, et elle m'a posé mille questions sur le travail en studio qui nous attend demain. Es-tu allé jouer aux cartes avec ma mère ?

— Oui. Elle m'a battu à plates coutures, après quoi elle m'a fait manger de la tarte à la rhubarbe avec de la glace avant de me renvoyer chez moi.

— T'es-tu senti mieux de t'être un peu absenté de chez toi ?

— Temporairement. La maison est atrocement calme.

Elle l'imagina dans sa chambre vieillotte, avec la fenêtre qui donnait sur le jardin et l'allée.

— Kenny, à propos de ce que tu as dit tout à l'heure...

Comme elle n'avait pas prévu précisément ce qu'elle dirait, elle s'interrompit.

— Disons que ça m'a échappé, lança-t-il.

— Mais c'est vrai ?

— Oui.

— Ce n'est pas seulement parce que tu te sens seul, tu en es certain?

— Un peu, peut-être, mais ça couvait bien avant le départ de Casey.

— Alors c'est peut-être parce que je suis différente de Faith, et parce que je donne un coup de main à ta fille, et parce que je suis riche et célèbre, censée être inaccessible et...

— Bien sûr que oui! s'exclama-t-il avec une colère soudaine. Si tu t'attends à ce que je proteste du contraire, je suis désolé de te décevoir, mais je ne peux pas feindre d'ignorer ton succès et ta célébrité! En revanche, si tu suggères que c'est du «personnage Mac» que je suis amoureux, tu te trompes! Au passage, si tu t'imagines que c'est facile pour un type ordinaire d'aimer une star richissime, je te conseille de réviser tes idées. C'est carrément terrifiant, à cause de tout ce dont tu viens de m'accuser. Mais j'ai réfléchi, mis un peu d'ordre, analysé mes sentiments, et j'en reviens toujours au même point : ce grand vide qui s'est logé en moi depuis que je t'ai dit adieu dans mon bureau. Tess, c'est comme... c'est comme... Bon sang, je ne sais pas.

Sa colère était tombée, remplacée par un infini désarroi.

— Je dois me forcer pour aller travailler le matin, et ma journée n'a plus ni but ni sens. Chaque jour ressemble à l'autre... ni hauts ni bas, ni rire, ni espoir. Tu me manques. Et chaque jour j'envisage de filer à Nashville, de venir sonner à ta porte, et puis je me dis que c'est ridicule. Sur quoi est-ce que ça déboucherait?

— On ferait probablement l'amour, et ça ne résoudrait rien. Ou si?

— Non, mais ce serait bon.

Le silence s'installa sur la ligne, tous deux se rendant compte qu'ils se dévoilaient mutuellement leur désir.

— Je ne t'ai jamais dit, avoua Tess, que j'ai passé une soirée avec le garçon que je fréquentais, Burt. J'ai essayé de l'embrasser, dans l'espoir que ça te chasserait de mon esprit, mais ça n'a pas marché. C'était affreux, comparé à toi. Je ne sais pas plus que toi ce qu'il faut faire.

Elle l'entendit respirer difficilement.

— Est-ce que tu m'aimes, Tess? Si oui, j'aimerais te l'entendre dire.

Elle resta sans bouger, couchée dans le noir, fixant le plafond obscur, craignant de le dire, sachant qu'il était injuste de se taire, sentant son cœur battre comme s'il allait exploser. Une tempête se déchaînait en elle.

— Oui... Sans doute parce que je ressens les mêmes choses que toi, comme si ma vie était un accord auquel il manque une note qui ne manquait pas avant. J'ai toujours pensé... je pensais que ma carrière me suffisait, qu'elle me comblait sur tous les plans, qu'elle me faisait côtoyer tellement de gens fascinants et talentueux que je n'aurais jamais besoin d'un être en particulier. Mais depuis mon retour à Nashville... c'est...

Sa gorge se noua et elle s'interrompit.

— Depuis ton retour? relança Kenny.

— Tu me manques, Kenny.

— Mais tu ne l'as toujours pas dit.

Non. Elle ne l'avait pas dit. Elle avait une peur bleue de laisser les mots jaillir de son cœur, parce qu'une fois qu'ils seraient sortis elle repartirait dans ses rêveries insupportables. Et si jamais la vie ne tournait pas comme elle l'imaginait? Comment était-il possible que la réalité réponde à son attente?

— D'accord, souffla Kenny d'une voix lasse. Restons-en là. De toute façon, ça ne signifie rien si c'est contraint. Il est tard... Autant nous dire bonne nuit.

Elle posa la main sur ses yeux, sentit les sanglots monter dans sa gorge, se détesta de retenir les mots. Dès qu'il aurait raccroché, ce serait pire, et elle se mettrait à hurler de douleur, alors que sa vie était exactement comme elle la désirait. Exactement telle qu'elle l'avait rêvée dès les bancs du collège! Mac! Superstar! Milliardaire! Ayant le contrôle absolu de sa carrière et de son avenir! Mac, qui refusait de se laisser détourner de sa voie par un mari, par un mariage, par une famille et tout ce qui allait avec!

— Kenny, je ne veux pas te faire du mal.

— C'est sans importance. Restons-en là.

— Mais je me sens tellement nulle...

— Tu te remets à pleurer? Quand même pas, si? Enfin, c'est toujours quelque chose... conclut-il avec un sourire triste dans la voix.

— Kenny...

Son appel sonna comme une supplique, mais elle ne savait pas pourquoi elle l'implorait, alors comment pouvait-il répondre?

— Tu as raison, reprit-elle. Disons-nous bonsoir.

— Bonne nuit, Tess. Je t'aime.

La communication fut coupée, et Tess réagit exactement comme elle l'avait redouté. Mac... superstar... milliardaire..., avec sa vie remarquable étalée devant elle, hurlait dans son oreiller.

18

A deux heures moins le quart, le lendemain, les deux jeunes femmes arrivaient au Sixteenth Avenue Sound, un grand pavillon reconverti en studio, non loin de Music Row. Tess guida Casey à travers un petit hall de réception sans prétention jusqu'à une pièce meublée de canapés, de tables et de chaises mais dépourvue de fenêtres. Un distributeur de boissons automatique projetait une vague lueur rouge sur la pièce en forme de L qui servait de salon comme de salle à manger ; la cafetière électrique dégageait une odeur de café brûlé. Des haut-parleurs invisibles diffusaient doucement de la country. Assis sur l'un des divans, un homme énorme au front dégarni, doté d'une barbe grise très fournie, ses longs cheveux gris coiffés en catogan, sortait une basse électrique de sa boîte tout en sifflotant avec la musique.

— Salut, Leland ! Comment va ? lança Tess. Je te présente cette jeune recrue qui va enregistrer avec moi aujourd'hui. Casey Kronek, Leland Smith.

Tandis qu'ils se serraient la main, un rouquin d'une trentaine d'années sortit des toilettes. C'était Dan Fontaineau, le pianiste. Il salua lui aussi Casey.

— Viens, reprit Tess à l'adresse de sa protégée. Je vais te présenter à Jack.

Jack Greaves était déjà dans la régie, devant la console, une gigantesque palette de magie électronique dotée de tant de boutons, taquets et voyants lumineux qu'on aurait dit le poste de pilotage d'un vaisseau spatial. A côté de lui, l'ingénieur du son choisissait lesquelles des cinquante-six pistes il utiliserait, tandis que son assistant chargeait une bande dans un magnétophone. Le studio apparaissait derrière une vitre immense, un cube gris très peu éclairé où quelques musiciens se livraient à de brèves improvisations qui, mêlées à leurs conversations, parvenaient jusqu'à la régie dans une agréable cacophonie. Deux d'entre eux repérèrent Tess et la saluèrent à travers la vitre.

— Salut, les gars, répondit-elle en inversant la manette du renvoi sonore.

Jack, un homme de taille moyenne, très soigné de sa personne, avec barbe, moustache et cheveux bruns coquettement arrangés, fit pivoter son siège. Bien qu'il embrassât Tess et serrât la main de Casey en souriant, il était visiblement absorbé par son travail et n'avait guère de temps à gaspiller. En tant que producteur délégué, c'était lui qui dirigeait la séance, laquelle coûtait très cher à Tess. Jack touchait environ trente mille dollars sur un produit, plus un pourcentage sur les droits; la location du studio approchait les deux mille dollars par jour; l'ingénieur du son gagnait quatre-vingts dollars de l'heure; son assistant vingt-cinq; les musiciens de studio — tous au double tarif — demandaient chacun plus de cinq cents dollars par tranche de trois heures. Dans la mesure où aujourd'hui on travaillerait six heures, le coût global de la journée — avant mixage et établissement de la bande maîtresse — dépasserait les dix mille dollars. Jack Greaves travaillait depuis suffisamment longtemps dans la partie pour savoir que chaque minute représentait beaucoup d'argent.

— As-tu déjà signé ta carte AFTRA? demanda-t-il néanmoins à Casey.

— Pardon? s'enquit la jeune fille, déroutée.

— Un truc syndical, expliqua Tess. La Fédération américaine des artistes de radio et de télévision comptabilise toutes les prestations des chanteurs. Elle n'en a pas besoin aujourd'hui, continua-t-elle à l'adresse de Jack, puisque c'est sa première fois. Elle a un mois pour s'inscrire. Ne t'inquiète pas, dit-elle à Casey. Ma secrétaire t'aidera à te débrouiller dans tout ça.

— Tu veux un box ou deux, Tess? interrogea Jack, revenu à ses préoccupations immédiates.

— Un seul, je crois. Ce sera plus facile pour Casey.

— Tu as entendu, Carlos? demanda Jack à l'ingénieur.

Pendant ce temps, Leland était entré dans le studio et commençait à accorder sa basse.

— Ne fais pas attention à la brusquerie de Jack, chuchota Tess à l'oreille de Casey. Dès qu'il entre ici, il n'y a plus que le travail qui compte. Viens, allons nous asseoir pour revoir nos partitions.

Une rangée de hauts tabourets s'alignait derrière un bureau incliné face à la console et à la vitre.

— Qu'est-ce que c'est, un box? interrogea Casey tandis qu'elles se perchaient sur les sièges.

— La cabine d'enregistrement... tu vois?

Tess désignait deux portes de l'autre côté de la vitre, à gauche du studio proprement dit, qui ouvraient sur deux cabines minuscules aux murs noirs.

— Ce sont des isoloirs du son, si tu veux, qui permettent d'empêcher les différentes pistes d'enregistrement de se mélanger. On peut en utiliser une ou deux, mais tant que nous ne sommes pas habituées l'une à l'autre, je crois préférable de n'en prendre qu'une. Parfois, la synergie est meilleure si on se regarde dans les yeux.

Le contact passait toujours entre studio et régie. Les musiciens continuaient d'accorder leurs instruments, se lançant parfois dans des solos improvisés qui s'achevaient dans des éclats de rire. Les bribes de conversation, s'il y en avait, tenaient du langage spécifique des musiciens — phrases courtes, imagées, qui n'auraient eu aucun sens hors du studio.

— Vous entendez cette friture dans la basse de Lee? demanda quelqu'un.

— Faudrait essayer une autre piste.

— O.K., je te mets sur la seize, Lee.

Et après que Leland eut essayé un «riff»...

— Merde, ça bourdonne encore.

— Faut changer de branchement.

L'assistant passa dans le studio afin d'inverser des fils électriques sur leurs prises. Leland joua de nouveau.

— C'est mieux, trancha l'ingénieur du son.

Le batteur fit courir ses baguettes sur ses tambours, ses cymbales, essaya discrètement sa grosse caisse. Deux guitaristes accordaient sans bruit leurs instruments grâce à des syntoniseurs électroniques. Derrière un grand clavier noir face à la vitre, le pianiste exécuta un passage de Gershwin qui, au bout de quelques mesures, se mua en un boogie-woogie, suivi d'arpèges qui firent voler ses doigts jusqu'aux notes les plus hautes. Un autre tirait des sons de cloche d'un synthétiseur. Leland continuait à faire le singe avec sa basse.

— Elle ne veut rien entendre aujourd'hui. Ça, c'est l'humidité !

Un saxophoniste avait planté son pupitre dans le couloir et mêlait son blues plaintif à la cacophonie.

— Quelqu'un se charge des *charts* ? demanda Jack.

— C'est fait, dit le pianiste. Je les ai ici.

— Si nous écoutions la maquette tous ensemble, qu'en dites-vous ?

Casey ne perdait pas une miette du spectacle, fascinée par sa première expérience en studio, encore abasourdie d'y participer. Fixant le premier guitariste, elle murmura à Tess :

— Nom d'un chien, c'est Al Murphy. Je l'ai vu sur TNN. Et Terry Solum au synthé ! Il jouait avec John Denver !

— Tous ces gens ont du métier. Tu vas adorer leur boulot. Les musiciens de tournée sont essentiellement des copistes — ils sont capables de reproduire les morceaux entendus dans les disques. Mais ceux-là, les musiciens de studio, ce sont eux qui possèdent l'originalité et le talent. Et nous engageons les meilleurs. Chacun est au double cachet, mais attends un peu d'entendre leur travail.

— Double cachet ? questionna Casey.

— Ils touchent deux fois plus que le tarif syndical.

Tous les musiciens quittaient le studio pour s'agglutiner dans la régie. Casey rayonnait de bonheur quand elle fut présentée à chacun. Le pianiste fit circuler les *charts* — il s'agissait d'un genre de diagramme, un système de transcription musicale propre à Nashville, destiné aux instrumentistes qui ne lisaient pas toujours la musique. Ce système chiffré établi dans les années 50 permettait l'improvisation et un changement de clef instantané sans avoir besoin de récrire la partition. Casey regarda d'abord les feuillets sans comprendre. Tess lui fournit une brève explication. L'assistant passa la cassette et, avant le milieu de la chanson, le graphique était devenu clair pour l'adolescente.

Les clefs étaient nommées. Les chiffres indiquaient le nombre de phrases qui seraient jouées dans cette clé. Des lettres majuscules identifiaient chaque passage du morceau : «S» signifiait strophe, «R» : refrain, «L»: liaison musicale. C'était comme de regarder la structure d'une maison avant qu'elle ne soit parée de son revêtement extérieur : le squelette de la chanson attendait d'être revêtu de chair et habillé par les artistes, avec toutes les impros auxquelles il leur plairait de se livrer.

La maquette arriva à sa fin; plusieurs musiciens manifestèrent leur approbation.

— Jolie chanson, dis donc. Vous l'avez écrite toutes les deux? Vous devriez collaborer plus souvent. Ce truc va faire un tabac. On se la repasse?

— Dans quelle clef la fait-on, Tess?

— *Fa.*

Chacun écrivit «*fa*» en haut de sa partition puis tous retournèrent en studio où ils réécoutèrent la maquette un bon nombre de fois, tout en commençant à effleurer leurs instruments. Au début, ils ne s'occupèrent pas les uns des autres, s'attachant seulement à trouver leur propre interprétation de la chanson, mais bientôt ils se mirent à discuter phrases musicales, attaques, intros. Mots et musique. Musique et mots. Cela devint un véritable capharnaüm.

Pendant ce temps, Tess et Casey travaillaient leur

propre partie, notant dans les marges de la partition qui chanterait quoi. Par moments, des bribes de la chanson leur arrivaient du studio sous une forme inconnue, et se mariaient, s'assemblaient à mesure que les musiciens s'appropriaient le morceau.

— Allons-y, décida Tess.

Elle précéda Casey dans l'une des cabines, insonorisée par des panneaux d'isolation noirs et équipée seulement de deux pupitres éclairés et de deux micros sur pied. Deux casques étaient à leur disposition, qu'elles coifferent quand l'ingénieur leur annonça un essai.

Il lui fallut un moment pour régler les niveaux sonores, après quoi les deux jeunes femmes firent quelques vocalises, travaillant les partitions qu'elles continuaient d'annoter ici et là. Au bout de quelques minutes de désordre total, Jack Greaves prit les choses en main :

— O.K., tout le monde, si nous faisions une petite répétition ?

— Détends-toi, conseilla Tess en voyant sa compagne devenir anxieuse. Et chante comme tu chantais chez ma mère. Nous allons répéter plusieurs fois avant d'enregistrer.

Le batteur donna le rythme, l'intro commença. Tess vit le visage de Casey s'éclairer à mesure que les instruments entraient dans la ronde. Waouh, articula-t-elle silencieusement, les yeux écarquillés de plaisir, et Tess sourit en se mettant à chanter.

Soudain, la voix de Jack intervint dans les casques :

— Oh, qu'est-ce qui se passe, là ? On a des voix dans le saxo. Comment est-ce possible ?

La musique cessa.

— Essayons de prendre en direct sur la dix-neuf, suggéra l'ingénieur du son.

Il y eut un peu de brouillage autour de la console et le problème fut résolu.

— C'est bon, dit Jack. On recommence.

On recommença donc, sur un nouveau tempo. Tess démarra et, quand Casey s'y mit, le résultat parut sensationnel à travers les écouteurs. Leurs deux tessitures très

318

différentes se mariaient à la perfection, et Tess sut, sans l'ombre d'un doute, que Casey et elle feraient beaucoup, beaucoup de chansons ensemble après celle-ci.

Observer le visage de l'adolescente qui chantait pour la première fois avec des pros top niveau la fit sourire; entendre la chanson qu'elles avaient écrite ensemble prendre vie était une expérience incroyable. Elle se rappela ses propres débuts, reconnut dans l'expression radieuse de Casey sa propre ferveur, des années auparavant, quand elle était entrée en débutante dans un studio. La petite était bonne. Elle savait instinctivement quels mots tenir et lesquels lâcher, quelle note sonnerait le mieux; quand aller crescendo et quand retenir la voix. A Nashville, on avait une plaisanterie, maintes fois resservie quand un étranger à la ville s'enquérait si un musicien savait lire la musique : «Pas assez pour gâcher la chanson.» Casey était ainsi; Tess s'en était rendu compte à Wintergreen et son impression se trouvait confirmée aujourd'hui.

— Super génial! s'exclama l'adolescente à la fin du premier essai. C'est trop dingue, Mac! Quand est-ce que je suis morte? Parce que si je ne suis pas au paradis, je ne sais pas comment appeler ça!

— Ça va être encore mieux.

— Mieux! Tu blagues! Ça ne peut pas être mieux!

— Je parle de la musique, précisa Tess en riant. Il y a encore quelques déséquilibres à régler. Je pensais... Ici, quand nous avons marqué une pause sur la liaison...

Elles épluchèrent leur partition tandis que les musiciens faisaient de même de leur côté.

— Ça m'a l'air bon, mesdames, déclara Jack dans les haut-parleurs. Que diriez-vous de tenir la dernière note du second couplet sur le solo de Mick pendant deux mesures, avant de la laisser mourir?

On continua ainsi. Jack réagissait au travail de chacun, et chacun dialoguait avec lui, et avec chacun des autres, essayant divers passages du morceau pour expérimenter d'autres rythmes, d'autres approches. Les talents combinés des gens réunis dans le studio rendaient le travail inventif et plein d'entrain. La chanson prenait forme. La bande vierge coûtant plusieurs milliers de dollars, Jack préférait ne pas la gaspiller avec des prises trop brouillonnes. Cependant, au bout d'une dizaine de minutes et une seconde répétition intégrale beaucoup mieux soignée que la précédente, il suggéra :

— On se l'enregistre une fois ?

— On est quand même des pros, on est capables de massacrer ce truc correctement, plaisanta Dan Fontaineau.

— D'accord, Tess, Casey ?

— Nous sommes prêtes.

Dan donna la mesure et l'assistant lança la bande. L'ingénieur du son travaillait à la console ; Jack écoutait, concentré, un doigt sur les lèvres, les sourcils froncés. Le morceau coulait sans heurts quand, malheureusement, à mi-route, le casque de Dan tomba au sol, et le pianiste cessa de jouer. L'enregistrement s'arrêta dans un méli-mélo informe. Naturellement, ses collègues ne le loupèrent pas :

— Bravo, Dan. Bis !

— Ouais, on est des pros, imita quelqu'un. Capables de massacrer ce truc.

— Quelqu'un aurait-il de la Super Glu, histoire de faire tenir son casque en place ?

On rit bien, on se détendit, après quoi Jack, directeur des opérations, remit tout son monde en selle.

— On garde ce qu'on avait et on recommence. C'est quand tu veux, Dan.

Cette fois, ils allèrent jusqu'au bout de la chanson, après quoi tout le monde s'agglutina dans la régie pour écouter. Les filles prirent place sur des tabourets, les coudes appuyés sur le bureau incliné. Les hommes se rassemblèrent autour de la console. En écoutant, certains regardaient le plafond, d'autres articulaient les paroles ; tous battaient doucement la mesure.

Les commentaires fusèrent à la fin de l'enregistrement.

— C'est solide.

— Ça fait une jolie ballade, qui a des tripes.

— Joli coup pour démarrer une carrière, Casey.

On échangea des idées. «Tu trouves que ce solo faisait trop Las Vegas?»... «A la quatrième mesure de l'intro, le saxo baisse trop vite»... «Je me demande s'il ne faudrait pas ralentir un peu le tempo...»

Ils travaillèrent ainsi deux heures et demie durant, allant et venant entre le studio et la régie. Réenregistrer. Ecouter de nouveau. Enregistrer. Ecouter. Enregistrer. Ecouter. Pour finir, un des essais parut allumer en chacun une étincelle particulière. Ils la tenaient : tous le sentirent simultanément et l'atmosphère s'électrisa de façon palpable à la fin de la lecture.

— C'est la bonne.

— On a fini par y arriver.

C'était indéniablement la meilleure prise, chacun éprouva un net relâchement de tension, doublé d'une certaine satisfaction.

— Pause dîner, décréta Greaves. On reprend à sept heures.

Au cours de l'enregistrement, un traiteur était venu pour installer un buffet sur une grande table de la cantine. Tandis que la majeure partie du groupe s'y dirigeait, Mick Mulhall s'approcha de Jack :

— J'aimerais modifier un truc sur cette phrase, quand Tess chante «Voilà c'est l'heure, surtout pas de pleurs».

Il retourna enregistrer le passage dans le studio pendant que les autres se dispersaient dans le «salon-salle à manger», achetaient des canettes dans la machine à sodas, se remplissaient des assiettes et s'installaient dans les canapés pour parler essentiellement de la chanson en élaboration.

Emballée, Casey avait du mal à se poser quelque part.

— C'est dingue! Je ne me suis jamais autant amusée de ma vie!

Les autres se rappelèrent ce que c'était que de débuter, de s'entendre soi-même pour la première fois, et se mirent au diapason.

— Dis donc, Mac, il va falloir que tu lui attaches une ancre, à cette petite, ou bien elle va s'envoler. Elle plane à quinze miles.

— Tu ferais mieux d'avaler quelque chose, Casey, conseilla la jeune femme en souriant. Nous avons encore trois heures de travail.

Mick avait terminé son enregistrement et revint dans la salle avec Jack. Celui-ci était si absorbé qu'il ne prit pas le temps de se restaurer.

— Il y a encore quelques petits problèmes de son dans les voix, dit-il à Tess. Tu veux bien revenir demain pour enregistrer une nouvelle prise, juste au cas où?

— Bien sûr, si tu penses que c'est nécessaire. Et Casey?

— Casey aussi. A mon avis, nous aurons un meilleur son en utilisant deux cabines. Ça te va, Casey?

L'adolescente ouvrait des yeux grands comme des soucoupes, éberluée qu'on lui demande son opinion.

— Ouais, et comment... Je veux dire, oui!

— Nous serons là, dit Tess à Jack.

Ils s'assirent pour manger des crevettes grillées, du riz pilaf, de la salade, des raisins et du melon, le tout présenté de façon très rudimentaire. Il s'agissait d'une séance de travail, pas d'une cocktail-party : rester au studio était essentiel pour ne pas se déconcentrer, pour conserver un état d'urgence vis-à-vis du travail. S'ils étaient repartis dîner chacun de leur côté, le résultat s'en serait ressenti, comme un relâchement, un manque de vie qui se serait entendu sur la bande.

Jack mangea à peine. Très vite, il retourna dans la régie pour travailler avec l'ingénieur et son assistant sur les prises déjà enregistrées, prêtant l'oreille à tout ce qui pouvait être amélioré.

Au bout d'un moment, Tess laissa Casey bavarder avec les musiciens et se rendit à son tour dans la régie.

— Je peux te parler un moment? demanda-t-elle au producteur.

— Bien sûr, répondit Jack.

Il fit pivoter son fauteuil et, du bout du pied, en approcha un autre pour la jeune femme. L'ingénieur et son assistant les laissèrent seuls, profitant de l'occasion pour aller se restaurer.

— J'aimerais avoir ton opinion, énonça Tess dès qu'ils se retrouvèrent en tête à tête.

A son attitude, Jack devina que c'était important.

— Je suis payé pour ça, dit-il.

— Ce n'est pas au sujet de l'album, mais de la tournée. Le problème de Carla ne sera pas résolu avant longtemps. Je veux demander à Casey de faire la tournée avec moi, comme choriste.

Le producteur réfléchit un moment.

— Elle est jeune, objecta-t-il.

— Elle est douée. Et elle connaît mon répertoire. Jack, hier nous passions mes vieux albums chez moi et elle connaît les voix de soutien par cœur. Au moindre «houhou» près — exactement comme dans les disques! Je sais qu'elle manque d'expérience, mais il ne nous reste plus beaucoup de temps pour les répétitions, et parfois ceux qui en veulent sont plus performants et prêts à travailler davantage que les vieux routiers. De surcroît, je l'aime beaucoup et nous nous entendons à la perfection. Qu'en penses-tu?

— Ne devrais-tu pas en parler avec Ralph?

En tant que producteur de la tournée, Ralph Thornleaf aurait bien sûr le dernier mot.

— Je vais le faire, mais je voulais ton opinion. L'idée m'est venue hier soir seulement, et je n'ai pas encore eu le temps de l'appeler. Alors, qu'en dis-tu?

— Tu sais ce que j'en pense, Tess. Je me fie à ton instinct. Si ce n'était pas le cas, je ne te laisserais pas coproduire tes propres albums. J'aime la voix de la gamine.

— A ton avis, comment s'accordera-t-elle avec celle de Diane?

Diane Abbington était l'une des deux autres chanteuses du chœur.

— Sa voix ressemble fort à celle de Diane. Ça devrait marcher.

— Et avec Estelle?

Estelle Paglio était la dernière du trio vocal.

— Estelle peut s'accorder avec n'importe qui. Je peux essayer de les faire venir demain quand vous serez ici,

Casey et toi. On inventera un prétexte quelconque pour les faire chanter toutes les trois ensemble, et tu en auras le cœur net. Si tu veux, nous pouvons leur faire improviser un petit renfort supplémentaire sur *Old Souls*. J'avais ça en tête, de toute façon. Si nous mettions un soutien à trois voix sur certains passages, nous aurions un son un peu plus riche.

— Bonne idée. Tant que nous y sommes, je verrai si Ralph peut passer, ainsi nous saurons ce que nous donnons toutes les quatre ensemble. Puis ce sera l'occasion pour lui de rencontrer Casey.

Tess partit rejoindre les autres au salon. Le saxophoniste rentra chez lui et un violoniste prit la relève pour travailler sur la chanson suivante. Tout le monde retourna au studio pour la séance du soir. On enregistrait cette fois la dernière chanson, l'éventuelle onzième, la «roue de secours» au cas où l'une des dix autres ne passerait pas. La séance obéit au même schéma que la précédente et, vers neuf heures, les derniers raccords enregistrés, Jack déclara qu'on levait le camp.

— Ça a été la plus belle journée de ma vie! déclara Casey tandis que les deux femmes rentraient en voiture.

Son excitation était encore à son comble. Renversant la tête en arrière, elle s'étira sur son siège.

— Je veux faire ce métier jusqu'à mes quatre-vingt-dix ans.

— Ah! s'exclama Tess en riant. Il faudra que ta forme physique suive, si tu veux tenir jusque-là.

— Mais je suis en pleine forme! Je serais capable de rester debout toute la nuit! Tess, je t'aime!

— Ça fait plaisir à entendre. Je t'aime aussi.

— Comment pourrais-je jamais acquitter ma dette envers toi?

— Ce n'est pas à moi que tu dois quelque chose. Un jour, quand tu auras une quarantaine d'années et que tu seras une superstar, tu donneras sa chance à une autre débutante et tu lui transmettras la tradition. C'est comme ça que nous acquittons nos dettes.

— Je m'en souviendrai. Promis.

Dès qu'elles furent rentrées, Casey appela son père. Elle se servit du téléphone de la cuisine tandis que Tess jetait un coup d'œil sur le courrier que Maria lui avait laissé sur le plan de travail.

— Si tu savais, papa, c'est tellement génial! Quand j'ai entendu le son me revenir dans le casque, c'était comme... comme... Oh, tu comprends? Et on l'a enregistrée plein de fois, encore et encore, et tout le monde était très sympa avec moi. Imagine-toi que les musiciens qui étaient là ont joué avec Ricky Nelson et Graham Nash, et tous les chanteurs qu'on connaît! Les meilleurs de la ville, et ils m'ont traitée vraiment comme si j'étais du métier, moi aussi...

L'adolescente continua ainsi; Tess allait et venait, de la cuisine à son bureau. Au bout de dix minutes, Casey l'appela.

— Tess, papa veut te parler!

Comme elle était assise dans son bureau, elle décrocha le premier appareil à portée de main.

— Salut, lança-t-elle. Casey t'a bien rebattu les oreilles?

— Elle est dans tous ses états, acquiesça Kenny en riant.

— J'aurais aimé que tu sois là. Elle a été super. Nos voix s'accordent vraiment bien.

— Je sais. Elle me l'a dit. Et dit, et redit...

Ce fut au tour de Tess de se mettre à rire. Dans le salon, Casey mit un CD et la voix de Tess emplit toute la maison.

— Un instant, s'il te plaît... dit la jeune femme, le temps de baisser le volume sonore dans son bureau. Voilà, c'est mieux. Ta fille aime écouter la musique à fond, et elle se sent comme chez elle ici.

— Si elle devient trop...

— Non, ne te fais pas de souci, coupa Tess. Nous nous entendons très bien.

— En tout cas, merci pour aujourd'hui. Merci pour tout ce que tu fais pour elle.

— Kenny... reprit-elle en s'accoudant à son bureau. Je vais tenter quelque chose demain. Nous devons retourner enregistrer une prise au studio et je vais faire chanter Casey avec deux filles de mon chœur... les deux qui m'accompagnent en tournée. La troisième, Carla, a un problème thyroïdien qui va la mettre hors course pendant peut-être deux ans. Voici où je veux en venir : si la voix de Casey s'accorde aussi bien que je le pense avec celle des autres, je lui demanderai de faire la tournée avec moi. A partir de fin juin.

Seul le silence lui répondit.

— As-tu une objection, Kenny?

— Tu vas plutôt vite avec elle, non?

— Oui, reconnut-elle sans ambages.

— Cela m'effraie, Tess.

— J'imagine.

— C'est trop et trop tôt.

— Elle connaît toutes les paroles de toutes mes chansons. Et non seulement ça, mais elle connaît les voix d'accompagnement à la note près. La vérité est que c'est elle qui me rendrait service. Je n'aurais pas à subir les répétitions laborieuses pour former une nouvelle chanteuse. Le problème serait réglé en une semaine ou deux.

Le silence s'installa de nouveau, et elle eut la sagesse de ne pas le rompre. Au bout d'un long moment, Kenny émit un soupir... puis plus rien.

— Nous commençons la tournée à Anaheim le 28 juin, reprit-elle. Comme le premier concert se joue déjà à guichets fermés, nous avons accepté d'en donner un second le 29. Tu imagines ta fille chantant dans une salle de dix-huit mille places, toutes occupées? Je me mets à rêver, Kenny... continua-t-elle. Je rêve que tu seras là, au premier rang, pour la première prestation en public de ta fille, et qu'ensuite tu viendras en coulisse pour la serrer dans tes bras, la féliciter et sabler le champagne avec nous. Qu'en dis-tu?

Cette fois, Kenny émit un rire incertain.

— Tu m'as pris par surprise, là, avoua-t-il.

— Réfléchis-y. Je t'enverrai des places. Tu pourrais même amener maman. Elle se laisserait persuader si elle était certaine de voyager avec Faith et toi.

— Faith aussi ? Tu as envie que Faith vienne ?

— Eh bien... non, pas spécialement. Mais comment puis-je t'envoyer un billet et pas à elle ?

— Ecoute, Tess, tout ça est... Je ne sais pas quoi dire. De toute façon, tu n'as pas encore entendu Casey chanter avec les autres.

— Non, mais j'ai une oreille. Je crois pouvoir dire que ce sera bien. Dis-moi oui, Kenny, ainsi je pourrai le lui proposer avec ton assentiment. C'est important pour moi.

— D'accord, alors, c'est oui. Bon sang, dans quoi je m'embarque ?

Tess souriait. Elle savait quand elle le reverrait !

— Ça roule ! s'exclama-t-elle avec joie. Libère-toi pour le 28 juin et je te vois à Anaheim !

— Tess, attends !

— Quoi ?

— Appelle-moi demain soir. Pour me dire comment ça se sera passé au studio.

— Bien sûr. Veux-tu reparler à Casey ?

— Non. Dis-lui juste bonne nuit. Une dernière chose...

— Laquelle ?

— Je *pense* que je t'aime. Hier soir, j'en étais certain. Ce soir, je n'en suis plus si sûr... Tout dépend de ce que sera la vie de ma fille à cause de toi.

— Je ne permettrai pas qu'il lui arrive quoi que ce soit, rétorqua Tess en riant. J'aime cette gamine.

— Tu l'aimes mais pas moi ?

— Je n'ai pas dit cela.

— Donc, tu m'aimes aussi ?

— Je n'ai pas dit ça non plus. Bonne nuit, Kenny.

— Bonne nuit, Tess.

Elle souriait en raccrochant. A vrai dire, elle était quasiment certaine d'aimer Kenny Kronek.

19

La deuxième journée combla les attentes de Tess. La voix de Casey s'accorda si bien aux autres que le choix ne prêta même pas à discussion. Quand les quatre femmes chantèrent ensemble, ce fut une évidence. Tess se vit confirmer son opinion par les regards de Diane et d'Estelle.

— Waouh! s'exclama familièrement Diane quand la chanson fut terminée. Tu déménages, ma fille!

Forte de l'approbation de Jack et de Ralph, Tess demanda sur-le-champ à Casey si elle voulait partir en tournée avec elle à la fin juin. L'expression totalement abasourdie de l'adolescente la fit rire.

— Tu plaisantes. Moi?

— Oui, toi.

— Mais... mais pourquoi?

— Parce que tu connais mon répertoire. Parce que ta voix se marie bien aux nôtres. Et parce que tu es agréable à vivre.

— Ça alors! souffla Casey en se laissant tomber sur une chaise.

Et ainsi commença l'un des mois les plus trépidants de la vie de Tess. De toute façon, juin était toujours très actif à Nashville; cela débutait par le Summer Lights Festival — une fête de rue durant trois jours — et un tournoi de base-ball disputé par des célébrités au Greer Stadium. Puis vinrent les prix attribués par l'émission *Music City*

News sur la chaîne TNN, suivis de la fête des fans, une semaine de rencontres ininterrompues avec le public, sans équivalent dans le monde : quelque vingt-quatre mille admirateurs envahissaient le Tennessee State Fairgrounds pour approcher leurs idoles, leur serrer la main, se faire prendre en photo à leur côté, leur offrir des tartes maison, leur dire que leur enfant portait leur nom, acheter des tee-shirts, des casquettes, des tasses à café, des albums, et obtenir des autographes par milliers.

Au cours de la manifestation, Tess alla jusqu'à donner neuf ou dix interviews radiophoniques par jour, assurer trois heures de présence à son stand et parfois une de plus au stand de sa maison de disques. Sans oublier les interviews pour la presse et la télévision, les séances d'autographes dans les magasins de musique et, évidemment, quelques prestations sur scène. Elle perdit le compte du nombre de fois où un disc-jockey, le magnéto en bandoulière, lui mettait un micro sous le nez et lui demandait de dire : «Ici Tess McPhail qui vous parle! Salut à tous à Seattle!» Ou peut-être était-ce Tulsa, Albuquerque, ou encore Sweetwater dans l'Oklahoma. D'où que viennent les disc-jockeys pendant cette fête, quand ils vous réclamaient un message qu'ils emporteraient aux fans des quatre coins du pays, cela ne se refusait pas. Il y avait aussi les réunions avec les responsables des fan-clubs de tous les Etats-Unis, des remises de distinctions pour certains d'entre eux, des dîners avec des animateurs, des rencontres avec des directeurs de magasins de disques.

Ce fut une semaine exténuante, mais Casey resta auprès de Tess d'un bout à l'autre, et la jeune femme lui en fut reconnaissante. Elle portait des commissions, allait acheter des boissons fraîches, vendait des tee-shirts, passait des coups de fil, prenait les photos quand les fans lui confiaient leur appareil pour les immortaliser au côté de Tess. Plus important encore, elle garda toujours le sourire et une énergie débordante qui remontait le moral de Tess quand, à la fin d'une journée de dix-huit heures, la star surmenée n'aspirait plus qu'à pleurer d'épuisement.

Pour Casey, tout était nouveau, excitant. Chaque expérience l'enchantait : elle voyait en direct ce qu'était le labeur d'une star de musique country et, décidément, c'était la vie qu'elle voulait vivre.

Quand la fête s'acheva, les répétitions commencèrent.

Le spectacle de Mac était une somptueuse débauche de lumières, de costumes, de matériel qui nécessitait une dizaine de semi-remorques pour son transport, cinquante employés itinérants pour son fonctionnement, et une vingtaine d'autres sur place dans chaque lieu de concert. Tout le monde travaillait dur pour préparer la tournée; Casey ne fit pas exception. Le temps étant serré, et longues les journées de travail, elle continua d'habiter chez Tess.

Elle téléphonait à son père chaque soir, ou bien il l'appelait, et à la fin de chaque conversation il demandait à parler à Tess. Souvent, tous deux restaient en ligne plus longtemps qu'il n'avait parlé avec sa fille, et il leur semblait avoir des milliers de choses à se dire.

Il lui parla de ses affaires.

Elle lui parla des siennes.

Il lui parla de la chorale.

Elle lui parla des répétitions.

Il veillait sur Mary.

Elle veillait sur Casey.

Il lui annonça qu'il avait commandé une nouvelle voiture.

Elle lui dit qu'elle avait demandé à son directeur de tournée de réserver trois places pour lui, Faith et sa mère, au concert d'Anaheim, même si Mary n'avait pas encore donné son accord.

— Tu viendras, n'est-ce pas? interrogea-t-elle.

— Oui... dit Kenny après un silence éloquent. Je viendrai.

— Et Faith?

— Je ne lui en ai pas parlé.

— Pourquoi?

Dans le silence, ils sentirent sur la ligne qu'un changement se produisait. Chez lui, Kenny s'appuya au plan de

330

travail de sa cuisine, les yeux baissés. Couchée sur son lit, le fil du téléphone enroulé autour du doigt, Tess ne bougeait pas. Tous deux revivaient la nuit du mariage de Rachel.

— Je crois que tu sais, Tess, dit enfin Kenny d'une voix un peu plus bourrue, un peu plus sourde.

Encore un long silence, vibrant d'une intimité secrète. Pour la première fois, ils paraissaient ne plus trouver que se dire.

— Tess ? interrogea Kenny, comme s'il craignait qu'elle ne fût plus là.

— Je suis contente, reconnut-elle.

Alors elle l'entendit exhaler un soupir comme s'il avait du mal à respirer, lui aussi. Déjà, elle élaborait des projets.

— Je vous ferai réserver des chambres au Beverly Wilshire, dans le même hôtel que Casey et moi. C'est à une heure d'Anaheim, vers Los Angeles, mais je veux te montrer Rodeo Drive et emmener maman déjeuner au Ivy — si j'arrive à la faire venir — et t'acheter quelque chose de joli chez Battaglia. Mon directeur de tournée s'occupera de tout : voitures, billets, laissez-passer pour les coulisses, tout. Je suis tellement heureuse !

— Moi aussi. Je vais tenter de convaincre Mary.

— Oui, je t'en prie. Bon... Il est tard.

— Oui...

— Il est temps de se dire bonne nuit, tu ne crois pas ?

— Il est temps.

— Alors... Bonne nuit.

— Bonne nuit.

— Kenny, attends !

— Je suis toujours là.

— A propos de Faith... se sentit-elle obligée d'ajouter. Réfléchis pour savoir si c'est vraiment ce que tu souhaites.

— C'est tout réfléchi.

— D'accord. A bientôt.

— Dors bien.

— Dors bien, Kenny.

Ils finirent par raccrocher, à contrecœur comme toujours.

Les jours filèrent. Le concert à Anaheim approchait à grands pas. Tess appelait sa mère presque quotidiennement pour essayer de la persuader de faire le voyage avec Kenny.

— Je verrai selon l'état de ma hanche, s'entêtait à répliquer Mary. C'est un long trajet en avion, tu sais.

— S'il te plaît, maman.

— Je te le répète, Tess, je verrai sur le moment.

Elle s'en tenait encore à cette réponse quand Tess s'envola pour Los Angeles dans son jet privé. Elle emmenait Casey avec elle ; elle s'amusait encore des joies de l'adolescente, comme de lui montrer ce que pourrait être son avenir si elle travaillait assez dur et si elle rencontrait les bonnes occasions.

A la veille de s'embarquer pour L.A., Kenny avait sa soirée de bridge hebdomadaire, en équipe avec Faith. Ce jeudi-là, les joueurs se réunissaient chez Faith, et Kenny joua médiocrement. Bien qu'elle ne lui adressât pas de réflexions, Faith lui lança plusieurs fois des regards hautement désapprobateurs, fâchés même, tant était grande sa distraction. A dix heures, elle servit une tarte aux pêches tiède ; à onze heures moins le quart, tout le monde était parti, excepté Kenny. Il l'aida à nettoyer la cuisine, à plier la table de jeu puis alla ranger les chaises pliantes derrière les manteaux dans le réduit de l'entrée. Lorsqu'il revint dans la cuisine, Faith ordonnait ses cuillères et fourchettes en argent dans un coffret. Il s'empara d'une pile d'assiettes à dessert et les fit disparaître dans un placard.

— Kenny, dit-elle en examinant chaque couvert avant de le coucher dans la boîte tapissée de velours, nous devrions peut-être parler de l'erreur que tu es en train de commettre.

— Quelle erreur ?

— Je ne suis pas née de la dernière pluie, Kenny. Je sais pourquoi tu ne m'as pas proposé de t'accompagner à Los Angeles.

Elle ferma la ménagère et le regarda, les mains crispées sur la boîte.

— Elle ne m'a envoyé que deux places, Faith.

— Kenny... je t'en prie, dit-elle, comme s'il insultait son intelligence.

Penaud, il attendit pendant qu'elle remportait son argenterie au salon. Elle revint en ôtant son tablier, le rangea dans un tiroir, qu'elle continua de fixer alors qu'elle reprenait la parole :

— Je crois que je m'en suis rendu compte deux semaines après son arrivée ici. Je te connais suffisamment, je pourrais dire quand tu es tombé amoureux d'elle à la minute près... Mais, Kenny, réfléchis...

Elle se tourna vers lui, presque implorante.

— Que va-t-elle faire de toi quand ce sera terminé ?

Il resta un moment songeur.

— Je n'en sais rien, répondit-il en toute honnêteté.

Venu si promptement, son aveu de culpabilité laissa Faith abasourdie. L'expression de son visage sembla se défaire. Elle s'était attendue qu'il nie tout lien avec Tess ; il se passait exactement le contraire.

— Tu vas renoncer à tout ce que nous avons pour vivre une histoire sans lendemain ?

— « Tout ce que nous avons » ? Qu'avons-nous, Faith ?

— Huit ans de fidélité ! s'exclama-t-elle, gagnée par la panique. Moi, du moins, je t'ai été fidèle.

— Et combien de fois avons-nous envisagé le mariage, et combien de fois avons-nous décidé d'un commun accord de ne pas franchir le pas ?

— Je pensais que tu aimais la situation telle qu'elle est.

— Notre relation n'est plus que de commodité mutuelle, Faith. Admets-le.

— Et alors, qu'y a-t-il de mal à ça ? aboya-t-elle, irritée.

Kenny balança la tête de droite à gauche sans répondre.

333

Elle fit un pas vers lui, s'appuya des deux mains sur le plan de travail.

— Je ne veux pas te perdre, Kenny. C'est ce qui va se passer si tu vas à Los Angeles et si tu couches de nouveau avec cette femme.

— Mettons au moins une chose au point, Faith, rétorqua-t-il avec un début de colère. Je n'ai jamais couché avec elle.

— Non, mais c'est bien ton intention, n'est-ce pas ? N'est-ce pas ! répéta-t-elle plus haut parce qu'il se taisait.

— Faith, t'est-il jamais arrivé de penser que, depuis huit ans, nous nous dirigions inéluctablement vers cette explication ? Qu'aucun de nous n'arrivait à trouver le courage de mettre un terme à cette relation ? Je ne veux pas arriver à soixante-dix ans en t'ayant « fréquentée » la moitié de ma vie. Te rends-tu compte du ridicule ?

Elle crispa les poings, se redressa avec raideur.

— Très bien. Je vois que tu n'es pas prêt à changer d'avis.

Sur ces mots, elle traversa la cuisine pour aller éteindre le plafonnier, ne laissant allumé qu'un petit néon au-dessus de l'évier.

— Non, en effet, approuva tranquillement Kenny sans bouger. Je ne change pas d'avis.

— Tu vas partir d'ici, et... et... commencer une liaison avec elle.

— Je crois que je l'aime, Faith.

— Oh, ne sois pas ridicule ! rétorqua-t-elle avec plus de désobligeance qu'elle n'en avait jamais manifesté.

— Tu penses que je suis ridicule ?

— De croire qu'elle va tomber amoureuse de toi ? Tu ne trouves pas ça grotesque ? Une femme comme elle — riche ! célèbre ! —, comment ne pas se poser de questions sur ses raisons d'agir ?

Faith n'était pas cruelle par nature, mais sa remarque blessa profondément Kenny. Le tenait-elle pour un homme incapable d'intéresser longtemps une autre femme, surtout une femme comme Tess McPhail ?

— Et t'es-tu jamais demandé pourquoi elle s'était soudainement prise de passion pour Casey? continuait-elle. Si elle ne se servait pas de ta fille pour te mettre le grappin dessus? Cela m'en a tout l'air. Tu ne trouves pas?

Faith marqua une pause afin de ménager son effet :

— Donc, quand elle en aura fini avec toi, en aura-t-elle fini aussi avec Casey? Kenny, te rends-tu compte comme ta fille risque de souffrir? Elle est prisonnière du charme de Tess McPhail encore plus sûrement que toi.

La colère s'empara subitement de Kenny mais il sut se maîtriser pour répondre :

— Pendant toutes ces années, nous n'avons jamais eu de dispute, Faith... mais maintenant je te trouve réellement odieuse. Alors je m'en vais, avant de prononcer des paroles que je regretterais.

Il se dirigea vers la porte, continuant par-dessus son épaule :

— Je prends l'avion pour Los Angeles demain, et je serai absent trois jours. Tu peux profiter de mon absence pour récupérer les vêtements que tu as chez moi et laisser ta clef sur la table de la cuisine.

Stupéfaite, elle le regarda pousser la porte-moustiquaire des deux mains et la laisser claquer derrière lui.

— Kenny! appela-t-elle en se précipitant derrière lui. Kenny, attends!

Une fois dehors, elle renonça à le poursuivre jusqu'à sur le trottoir et resta sur les marches, tendue vers la silhouette qui disparaissait dans l'obscurité.

— Kenny, s'il te plaît... Parlons un peu... Ne t'en va pas.

— C'est mieux comme ça, lança-t-il sans se retourner.

— Kenny, c'est trop stupide! Nous ne pouvons pas rompre ainsi, sans même parler!

— Les voisins vont t'entendre, Faith. Rentre chez toi.

Un peu plus tard, alors qu'il était parti en voiture, la laissant, suppliante, sur les marches, elle rentra chez elle d'un pas incertain, étourdie, quasiment prise de vertige devant le changement brutal qui venait de s'opérer dans sa vie, en l'espace de quelques minutes à peine. Elle aurait dû le laisser partir sans dire un mot. Le laisser s'envoler pour L.A. et aller en finir avec son histoire sans chercher à vérifier ses soupçons.

Portant les doigts à ses lèvres, elle promena le regard dans la cuisine, comme en quête de quelque chose. Mais tout était à sa place, soigneusement rangé. Tout était en ordre.

— Oh, Kenny, murmura-t-elle en vacillant légèrement sur ses jambes. Tu vas tellement souffrir!

«Je vais tellement souffrir», voulait-elle dire en réalité.

20

Le concert à Anaheim devait débuter à vingt heures. A dix-neuf heures, les coulisses d'Arrowhead ressemblaient à celles de la NASA — une confusion totale pour un non initié, pour un témoin averti une ordonnance tout en complexité. Les essais de son avaient été effectués l'après-midi, mais les techniciens s'activaient encore partout, communiquant les uns avec les autres au moyen de talkies-walkies. Au sol, c'était une jungle de câbles électriques, certains gros comme le bras. Les rideaux étaient fermés. De sourdes taches de lumière tombaient des projecteurs fixés à la structure métallique qui allait se perdre dans les hauteurs ténébreuses des cintres. Sur les côtés de la scène, se dressaient d'immenses haut-parleurs noirs, et la pénombre ambiante était percée ici et là de petites lumières rouges. Les musiciens de l'orchestre accordaient une dernière fois leurs instruments. On entendait un léger bourdonnement électronique, ponctué par le martèlement caverneux de pas qui se pressaient sur le plancher surélevé. Certaines personnes portaient des casques à écouteurs, équipés d'un micro devant les lèvres ; d'autres des ceintures à outils ; d'autres des costumes cravates. D'autres se pressaient avec des lampes de poche pour s'éclairer dans les recoins trop sombres.

Côté jardin, au-delà des installations électriques, un couloir menait à une vaste pièce dépourvue de fenêtres, dont les murs étaient doublés de rideaux blancs du sol au plafond. Contre l'un d'eux, se trouvait une longue table au milieu de laquelle trônait un énorme bouquet de gueules-de-loup et de lis blancs qui distillaient dans le local leur puissante fragrance. Des employés du traiteur, vêtus de noir, se tenaient à la disposition des convives auprès du buffet qui proposait des boissons glacées, de l'eau minérale, du lait, une variété de sodas et de jus de fruits, du café chaud, mais aucun alcool. On pouvait se sustenter de divers canapés ou tartelettes salées, de salades de fruits frais, de petits fours et de gâteaux.

Pourtant, personne ne mangeait.

Une demi-douzaine de reporters grouillaient dans un angle de la salle où des torchères projetaient une lumière rose sur les draperies. Deux longs sofas blancs restaient inoccupés mais, tout près, se tenaient les responsables de MCA accompagnés de leurs épouses. Un autre groupe, constitué de disc-jockeys célèbres, attendait à la porte de la salle, face à deux vigiles en uniforme, armés, qui gardaient l'entrée. Une femme avec un bloc-notes pénétra dans la pièce, y jeta un coup d'œil et ressortit aussitôt pour rester près de la porte. Une autre — plus jeune, vêtue d'une robe très décolletée en cuir noir, avec une ceinture en faux diamants sur les hanches, et perchée sur des talons aiguilles noirs — s'approcha de la femme au bloc-notes.

— Salut, Casey, lui dit celle-ci.

— Elle est là ?

— Oui. Entre.

— Merci.

Casey passa entre les gardes qui lui sourirent et lui adressèrent un hochement de tête.

— Salut. Tout se passe bien ? leur demanda-t-elle nerveusement puis, avisant le luxueux buffet : C'est quelque chose, quand même... C'est une pizza, ça ?

L'un des serveurs, heureux de rencontrer enfin quelqu'un qui manifeste un peu d'intérêt pour son travail, s'empressa :

— Oui, aux champignons et mini-saucisses... Je vous en prie, servez-vous.

— Oh, je ne peux rien avaler, grimaça la jeune fille. J'ai trop le trac. Merci quand même. Peut-être après.

Une seule porte apparaissait au milieu des rideaux blancs. Dessus, une petite plaque en cuivre annonçait «Mac», dans la même calligraphie manuscrite que sur les couvertures des albums. Casey frappa et passa la tête dans l'entrebâillement.

— Je te dérange ?

Assise à une coiffeuse, Tess se faisait mettre une dernière touche à sa coiffure. Son maquillage de scène, lui, était terminé : un travail de trente-cinq minutes que Cathy Mack effectuait au moyen de brosses et d'une palette qui évoquaient le matériel d'un artiste peintre. Les taches de rousseur sur le visage de Tess avaient disparu, masquées par une base couleur d'albâtre. L'ourlet de ses lèvres était parfait, légèrement agrandi, flatteur, les lèvres elles-mêmes presque pourpres. Ses yeux, rehaussés d'ombre à paupière et de mascara afin de paraître plus grands, s'illuminèrent de joie quand elle aperçut Casey dans le miroir.

— Pas du tout. Entre. Tu es sensationnelle !

— Toi aussi.

Elles l'étaient vraiment. Les cheveux de Casey retombaient en boucles souples, tirés en arrière derrière une seule oreille. La coiffure de Tess affectait un désordre sensuel qui, pour aussi naturel et peu apprêté qu'il parût, avait exigé une autre demi-heure de travail de Cathy.

— Tiens-toi tranquille... demanda cette dernière à Tess. Encore une minute.

Tess obéit, se contentant de suivre Casey des yeux.

— On s'occupe bien de toi ? questionna-t-elle.

— Tout le monde est absolument super.

— Ta robe est fabuleuse.

— Maintenant, je sais ce qu'éprouve Rowdy quand je le selle, dit l'adolescente, posant une main tremblante sur son ventre gainé de cuir.

— Tu as peur ? s'enquit Tess avec un demi-sourire.

— Une trouille bleue.

Tess eut un petit rire qui soulagea un peu sa tension.

— C'est normal. Une fois sur scène, tu oublieras tout ça.

— Je sais. Tu as des nouvelles de papa et de Mary?

— Pas encore.

«Où es-tu, Kenny? Où es-tu?»

— Ils n'ont quand même pas loupé leur avion?

La tension revint à toute force en Tess, plus vive que jamais. Elle s'efforça de la dissimuler, pour le bien de Casey.

— Si c'était le cas, ils auraient téléphoné.

Mais elle tremblait intérieurement, et son cœur bondissait chaque fois que quelqu'un frappait à la porte.

— Tu crois que Mary viendra?

— Je n'en ai pas la moindre idée. Elle a catégoriquement refusé de me donner une réponse définitive.

«Dépêche-toi, Cathy. Je veux être parfaite quand il entrera, et pas clouée dans ce fauteuil.» Elle chanta quelques paroles de sa première chanson, pour se détendre et vérifier qu'elle était bien en voix.

— C'est terminé pour la coiffure et le maquillage, dit enfin Cathy. Passons à ton costume.

Elle décrocha d'un cintre un ensemble en satin blanc. Tess se leva, ôta son peignoir et enfila le pantalon. Un galon de paillettes courait latéralement le long des deux jambes. La veste avait un col immense, la taille pincée était cousue de paillettes claires qui scintillaient au moindre mouvement.

Vinrent ensuite les boucles d'oreille, des plumes d'aigrette iridescentes, enfin les chaussures assorties à l'ensemble, qui, elles aussi, miroitaient à chaque pas.

La jeune femme se planta face au miroir encadré de petites lampes. «Je suis prête, Kenny, tu peux entrer... s'il te plaît!»

Le reflet de Casey apparut à côté du sien. Elles s'examinèrent mutuellement.

— Pas trop mal, hein? commenta l'adolescente.

— Deux vraies tombeuses, plaisanta Tess.

— Oui, on fait assez dragueuses du samedi soir...

Elles riaient encore quand la porte s'ouvrit, provoquant

un raté dans le cœur de Tess. Mais ce n'était pas Kenny ni sa mère. Seulement la femme au bloc-notes.

— On commence dans vingt minutes, annonça-t-elle.

«Vingt minutes... Où pouvait-il être?»

Il sembla ensuite que tout le monde déboulait en même temps. D'abord Estelle et Diane, vêtues elles aussi de robes en cuir noir, de coupes différentes de celle de Casey.

— Juste pour te souhaiter bonne chance, Mac. A toi aussi, Casey.

Derrière Estelle, venait Charlotte Carson, l'attachée de presse de Tess.

— Les journalistes et quelques huiles de MCA t'attendent à côté... dès que tu seras prête.

— D'accord, j'arrive. Cathy, quelque chose me gratte dans la nuque. Tu veux bien regarder ce que c'est?

Cathy plongea dans son col; la pièce grouillait de bavards quand Charlotte ouvrit la porte à laquelle on venait de frapper. Ross Hardenberg passa la tête dans l'entrebâillement pour annoncer :

— Quelqu'un pour toi, Mac.

Kenny et Mary entrèrent dans la loge.

Ce n'était pas du tout ainsi qu'elle s'était imaginé leurs retrouvailles, pas avec le menton baissé tandis que Cathy la retenait prisonnière pour opérer sa veste avec une paire de ciseaux! Pas avec une demi-douzaine de gens autour d'eux, et encore davantage qui l'attendaient de l'autre côté de la porte. Pas dans ce vacarme!

Elle aurait voulu paraître souveraine, souriante, venir à lui les mains tendues. Au lieu de cela, elle se retrouvait obligée de garder la tête baissée, incapable de voir autre chose que le galon de soie noire qui descendait jusqu'à l'ourlet de son pantalon, près des jambes de Mary habillées de soie verte.

«Un smoking? Il a mis un smoking?»

— C'est bon, déclara enfin Cathy, et Tess fut libre.

Levant les yeux, elle reçut comme un coup dans la poitrine, une décharge électrique qui la parcourut des pieds à la tête. Un tumulte de joie, de soulagement, d'espoir :

341

«Ce soir, nous allons devenir amants.» Ils le surent tous les deux à cet instant, quand leurs regards se croisèrent dans la pièce pleine de monde. Et elle se demanda comment elle parviendrait à chanter quand tout en elle semblait se paralyser.

Elle avança vers lui, vers eux... «Oui, maman d'abord.»

— Maman, tu es venue!

— Kenny m'a quasiment emmenée de force.

— Et tu es tellement jolie!

— Toi aussi, ma chérie. Quel beau costume de scène!

Tess eut vaguement conscience que les gens reculaient tandis qu'elle embrassait sa mère, que Kenny et Casey s'étreignaient eux aussi, que Mary portait les émeraudes et l'ensemble vert inaugurés à l'occasion du mariage, que ses cheveux étaient fort bien coiffés. Tout cela devenait tellement secondaire comparé à l'homme qu'elle brûlait d'approcher!

Enfin, elle lui donna ses mains, lui sourit, prononçant son nom d'une voix étrange, étranglée par l'émotion, comprit le message de ses yeux qui lui disaient : «Tu m'as manqué, je te touche enfin, c'est une torture de ne pas t'embrasser». Et, oh, comme il était élégant!

— Salut, Tess, dit-il simplement.

Mais il faillit lui broyer la main en la serrant.

Elle se haussa vers lui et ils s'effleurèrent la joue, à peine, pour ne pas abîmer son maquillage, sa coiffure, ses paillettes.

— Merci d'avoir amené maman, murmura-t-elle.

Elle lui laissa une trace discrète de rouge à lèvres sur la joue, aspira fugitivement l'odeur de bois de santal de sa peau.

— Merci d'avoir tout organisé. Tu es très belle.

— Toi aussi. Super, le smoking.

Ils n'osèrent s'en dire plus devant témoins. Tess s'obligea à reculer d'un pas. Pourtant, elle n'aspirait qu'à l'attraper par le bras, l'entraîner hors de cet endroit, loin des obligations, de la foule, de la presse, de l'agitation... n'importe où, où ils pourraient être seuls.

— Quelqu'un viendra vous chercher à vos places après

le spectacle, dit-elle, se contentant de lui presser une dernière fois les mains.

— On commence dans dix minutes, prévint une voix.

Kenny et Mary furent entraînés hors de la pièce, et elle se retrouva séparée de tous ses proches, guidée vers la salle blanche où la presse, les disc-jockeys et les directeurs de sa maison de disques l'attendaient pour une rencontre de cinq minutes. Elle serra toutes les mains, offrit son célèbre sourire, se rappela les prénoms de deux disc-jockeys, répondit à trois questions, enchanta tout le monde, et se demanda de nouveau comment elle pourrait chanter avec cette boule dans la gorge.

— Trois minutes, lui signala doucement quelqu'un.

Ralph, son producteur de tournée, l'accompagnait toujours jusqu'à la lisière de la scène ; Cathy Mack également, qui vérifiait une dernière fois sa coiffure, lui donnait éventuellement un coup de houppette sur le nez. Ce soir, la sentant plus tendue que d'habitude, Cathy improvisa un petit massage sur ses vertèbres cervicales. Tess s'efforça de faire le vide dans son esprit, de relaxer ses épaules, de chasser la tension.

— Deux minutes... annonça-t-on calmement.

Il lui restait une dernière chose à faire.

— Merci, Cathy, dit-elle.

Passant entre les cubes noirs et argentés où ses musiciens se perchaient à différentes hauteurs, elle atteignit l'estrade des chanteuses du chœur. Elle pressa la main de Casey.

— Simplement comme dans le salon de maman, d'accord ?

Sur un clin d'œil à l'adolescente, elle retourna côté jardin.

— O.K... Quand vous voulez... reprit la voix apaisante.

Tess prit une profonde aspiration, ferma les yeux, vida ses poumons dans une expiration longue et lente, rouvrit les yeux. Le batteur attendait. Il saisit son hochement de tête, commença de frapper le bord de son tambour. La salle éclata en applaudissements qui couvrirent le rythme du batteur, et le rideau se leva tandis qu'une belle voix masculine lançait :

— Mesdames et messieurs... Voici la grande dame de la musique country... *Tess McPhail*!

Le tonnerre des applaudissements l'enveloppa, la propulsa au centre de la scène. Les projecteurs l'aveuglèrent. Son micro sans fil l'attendait ; elle s'en saisit et entreprit de donner à des dizaines de milliers de personnes ce pour quoi ils étaient venus.

Elle s'est mise sur son trente et un, c'est samedi soir
Sur la pointe des pieds elle vient te chercher — il fait noir
Hou-hou (chantaient les filles)
Elle et toi (elles balançaient des hanches)
Dans sa robe de satin
Ne la prends pas pour une catin
Elle te veut, c'est tout.

Les retours lui renvoyaient sa propre voix ; elle chantait pour un public qui demeurait invisible ; elle ne voyait rien au-delà de l'éclairage aveuglant. Mais au cours de la répétition, elle avait repéré les places de Mary et de Kenny, et ce fut dans leur direction qu'elle pointa son index à l'ongle cuivré, comme elle l'avait fait au mariage, pour chanter : *Elle te veut, c'est tout.*

Si elle avait pu voir le visage de Kenny... Mais il pouvait voir le sien, et c'était grisant de le savoir là, les yeux levés, tandis qu'elle lui communiquait ses intentions devant dix-huit mille spectateurs.

Jamais elle n'avait commencé un concert sans une appréhension légitime, coutumière. Ce soir c'était pire mais, comme chaque fois, la musique s'empara d'elle, et au bout de quelques minutes elle avait oublié tout le reste.

La chanson s'acheva sur sa silhouette immobile au centre de la scène, les bras levés vers le ciel. Les applaudissements explosèrent. Même si elle ne pouvait voir Kenny et Mary, les savoir présents l'embrasa comme jamais et lui apporta une satisfaction qui supplanta tout ce qu'elle avait éprouvé dans l'exercice de son métier.

Le concert se déroula sans faille. Le professionnalisme de Tess prit le dessus, et elle sut combler ses fans tout en respectant chaque détail. Casey effectua une prestation remarquable, vu le peu de répétitions qui lui avaient été octroyées. Tess pouvait suivre le spectacle sur un moniteur de circuit télévisé interne, accroché à une passerelle au-dessus du public, et dont celui-ci ne soupçonnait pas la présence. Ce qu'elle vit lui plut beaucoup. Les lumières étaient innovantes, rythmées, efficaces sur les costumes, que ce soit le sien ou les fourreaux de cuir des trois chanteuses du chœur, soulignés par les brillants de leurs ceintures qui accrochaient les rayons des puissants projecteurs.

Il existait des publics plus froids, d'autres plus chaleureux. Ce soir, il était chaud : poli et attentif pendant les chansons, exubérant dans les intervalles.

Lorsque l'orchestre prit la relève pendant le premier changement de costumes, Ralph Thornleaf attendait dans les coulisses, les pouces levés.

— Tu les tiens ! s'exclama-t-il. De la dynamite !

Cathy Mack débarrassa Tess de son ensemble blanc pour la vêtir d'une longue robe verte ornée de perles. Après quoi elle lui mit un quart d'Evian entre les mains ; Tess vida la moitié de la bouteille puis grimpa dans une Stutz Bearcat[1] qui l'emmena sur scène pour la séquence suivante. Il y eut ainsi six autres changements de costumes, et six autres bouteilles d'Evian. On vit aussi des danseurs et des effets scéniques.

A mi-parcours de la soirée, elle présenta ses musiciens, en gardant Casey pour la fin :

— Cette petite fille est particulière, annonça-t-elle au public. Elle vient de la même ville que moi : Wintergreen, dans le Missouri, et c'est la toute première fois qu'elle met les pieds sur une scène avec moi. Nous avons écrit une chanson ensemble, et cette première collaboration va donner son titre à mon nouvel album qui doit sortir en septembre. Vous avez des chances de voir souvent le nom

1. Tacot de la «belle époque» des premières automobiles américaines. (N.d.T.)

345

de cette jeune fille dans les années à venir, et j'ai le pressentiment qu'elle ne chantera pas toujours dans les chœurs. Souhaitons ensemble une belle carrière... à Casey Kronek!

Le public répondit par une ovation chaleureuse. A l'expression de l'adolescente, Tess devina le bonheur absolu qui la submergeait d'entendre ces applaudissements destinés à elle seule. Quand la salle se fut calmée, la maîtresse de jeu s'approcha sur l'avant-scène pour parler dans son micro avec une sincérité qui fit taire jusqu'au dernier murmure dans l'audience :

— Ce soir est un soir unique pour moi, parce qu'il y a parmi vous des gens que j'aime. Des gens de chez moi.

La lumière d'un projecteur tomba sur le premier rang et, pour la première fois depuis le début du show, Tess vit Mary et Kenny. Ses yeux s'arrêtèrent un instant sur l'homme de ses pensées avant de se fixer sur sa mère.

— L'une de ces personnes est absolument unique à cause de ce qu'elle a fait pour moi tout au long de ma vie. Quand je n'avais que six ans, cette dame s'asseyait sur les marches de notre porche pour m'écouter lui donner la sérénade. Quand j'ai eu sept ans, elle m'a acheté un piano et payé des leçons. Elle fermait les yeux sur les notes catastrophiques que j'avais dans toutes les matières, sauf en musique, et elle m'a permis de m'intégrer à un petit orchestre alors que j'étais encore très jeune. Elle a subi toutes les répétitions désastreuses dans notre salon, longtemps avant que je ne décroche mon premier contrat. Et elle m'a regardée boucler ma valise et m'en aller pour Nashville dans la semaine où j'ai terminé mes études au lycée, sans me laisser voir une seule fois ses larmes, ni me faire part des appréhensions qui l'habitaient forcément. Au contraire, elle me disait toujours : "Je sais que tu peux y arriver, ma chérie. Je n'ai pas le moindre doute."

«Maman... continua Tess, fixant tendrement Mary, veux-tu te lever afin que nos amis puissent te rendre hommage?

Mary fit une tentative pour complaire à sa fille mais, comme ses hanches étaient un peu raides, Kenny lui prit gentiment le bras pour l'aider à se mettre debout. Sans se dresser complètement, elle agita la main en l'air puis se rassit rapidement, l'air de dire : «Beaucoup d'embarras pour une vieille femme...» La salle comprit sa gêne de se retrouver ainsi sous les feux des projecteurs, et une gentille onde de rires complices accompagna la décrue des applaudissements.

— Maman a deux hanches toutes neuves, confia Tess au public, et le voyage en avion pour venir ici n'a pas été très agréable pour elle. Merci d'être venue, maman.

Elle laissa passer un temps.

— A côté de ma mère, se trouve quelqu'un de mon pays qui compte aussi énormément pour moi. Il est l'heureux papa de Casey Kronek, pour moi un ancien camarade de lycée. Kenny... je suis si heureuse que tu sois là !

«Kenny comme maman ont vécu la genèse de la chanson que je vais interpréter maintenant. Ils l'ont entendu chanter pour la première fois dans le salon de maman ce printemps, la semaine même où Casey et moi l'avons écrite. J'ai ajouté ce soir un nouveau couplet, écrit spécialement pour l'occasion, et qu'ils n'ont jamais entendu... un couplet venu droit du cœur. Il s'agit de la chanson-titre de l'album dont je vous ai parlé, et c'est la première fois que nous la jouons en public. Elle s'appelle *La Fille d'à côté*.

Il y avait eu des moments particuliers dans la carrière de Tess, des chansons qui signifiaient plus que d'autres. Mais chanter celle-ci en public représentait un sommet dans sa vie. Les mots parurent tisser un lien entre elle, Casey, Mary et Kenny, qui les unissait inexorablement, à jamais. Aucun autre être dans la salle ne compta durant cette chanson.

C'est sens unique pour circuler dans la petite ville,
Dix-huit années déjà qu'elle a rompu le fil,
Elle a couru le monde, et voilà qu'elle revient,
A ses yeux grands ouverts, tout paraît si mesquin.
Je ne peux pas revenir.
J'ai trop à dire.

Ici rien n'a changé, ni maman ni la maison
Une baraque déglinguée qui va à l'abandon
Sur le mur écaillé, la même vieille pendule
Maman remplace rien, les vieilleries s'accumulent.
Maman est chouette,
Mais elle s'entête.

Comme on change...
En grandissant,
On arrange
Ce qu'on ressent.

Il y a cet homme, là-bas, de l'autre côté de l'allée,
Il était d'un passé que j'avais oublié.
La vie fait de ces choses : au bout de dix-huit ans,
Il a suffi d'un soir et j'ai le cœur brûlant.
Voilà, c'est l'heure
Surtout pas de pleurs.

La fille d'à côté repart en première classe.
Quelque chose au fond d'elle a retrouvé sa place,
Et les yeux pleins de larmes sur le mur écaillé,
Elle murmure : maman, ne change pas, s'il te plaît.
Je dois revenir,
Je ne peux pas tout dire.

C'est sens unique pour circuler dans la petite ville...

Quand la chanson s'acheva, Tess avait les yeux pleins de larmes et l'impression qu'un étau lui écrasait le cœur.

La réaction du public fut un tonnerre d'applaudissements. D'un geste de la main, Tess guida le projecteur balayeur sur Casey en fond de scène, afin qu'elle reçût sa part d'ovations. L'adolescente sourit, s'inclina. Elle vivait le moment le plus enivrant de sa vie, et Tess se demanda si elle-même avait jamais connu un instant si parfait.

Après cela, la suite du concert parut presque se jouer en mineur. Bien que le programme comprît des chansons plus vigoureuses, plus rapides, des chansons qui avaient fait sa carrière, plus familières au public, aucune n'eut l'impact de la nouvelle ballade.

Il y eut deux bis. Quand le rideau s'abaissa et que la salle se ralluma, Tess éprouva un sentiment de victoire. Les gardes l'escortèrent à travers la foule jusqu'à la pièce blanche où cent vingt-cinq personnes avaient été invitées à sabler le champagne après le concert. Tess fut directement conduite dans sa loge. Cathy l'y attendait avec une nouvelle bouteille d'eau fraîche. Elle l'aida à ôter sa tenue de scène et à la troquer contre un ensemble pantalon en soie bleu nuit — sa couleur préférée — sur lequel ne scintillait pas la moindre paillette. L'habilleuse tenait également à sa disposition des chaussures à talons plats et l'indispensable nécessaire à maquillage. Elle tamponna le visage brûlant de Tess, atténua le luisant de sa peau par de la poudre transparente, gomma avec une brosse le rouge de ses lèvres, et lui enroula une écharpe en soie autour du cou.

— Te voilà prête pour rencontrer ton public.

Seulement deux personnes parmi son public intéressaient Tess ce soir, et son regard les chercha dès sa sortie de la loge. Mary était assise sur l'un des canapés blancs, entourée de journalistes qui la questionnaient. Kenny lui tendait une coupe de champagne ; Casey se tenait auprès d'eux avec deux assiettes de petits fours dans les mains. Elle en donna une à Mary puis s'assit auprès d'elle. Kenny resta debout, savourant son champagne.

Tess alla droit vers eux.

— Coucou, maman, lança-t-elle, se penchant pour embrasser d'abord Mary.

— Oh, te voilà, ma chérie. Dis donc, quel concert... Je suis bien contente que Kenny m'ait obligée à venir.

— Et moi donc ! s'écria Tess.

Elle enlaça la taille de Kenny et lui sourit.

— Je suis abasourdi, dit-il doucement, les yeux dans les siens.

Sa façon de le dire, qui semblait exclure le monde

entier autour d'eux, ce compliment murmuré rendirent cet instant parfait pour Tess. Cela, et le bras avec lequel il lui enlaça les épaules.

— Quelques obligations m'attendent, lui confia-t-elle, mais nous retournons à Los Angeles dans la même voiture, alors ne t'en va pas.

— D'accord.

Plus tard, promettaient les yeux de Kenny.

Cela paraît si loin... répliquèrent ceux de Tess.

Puis elle se pencha vers Casey et l'embrassa elle aussi, déclarant à voix haute, autant pour le bénéfice de l'adolescente que pour celui de la presse :

— Casey chérie, tu as été sensationnelle. Promets-moi de ne pas signer de contrat d'enregistrement avant mon retour. D'accord ? Tu es heureuse, ma belle ? ajouta-t-elle doucement, tenant le visage de Casey entre ses mains.

— Oh, Mac, tu ne peux pas savoir...

— Moi aussi. Il faut que je dise un mot à quelques personnes, et je dois aller voir les fans. Si tu veux m'accompagner, il n'y a pas de problème. Mais je ferai court ce soir.

Puis, prenant la main de Kenny :

— Veille sur maman encore une fois, et je reviens. Une demi-heure maxi.

— Fais vite, lui dit-il comme leurs mains se séparaient à regret.

Parmi les invités au cocktail, elle était tenue d'en saluer particulièrement certains : les directeurs de sa maison de disques venaient en tête de liste ; puis le maire d'Anaheim ; les huiles de Wrangler, son sponsor ; des journalistes et critiques musicaux ; quelques célébrités du show-business ; Emmylou Harris ; Kevin Costner ; ses musiciens, qui avaient largement contribué au succès de la soirée. Durant ces mondanités, il lui arriva plusieurs fois de croiser le regard de Kenny, et chaque fois ils échangeaient le même message secret : *Plus tard. Ce soir.* Il lui était alors difficile de détourner les yeux pour prêter attention à la conversation.

Une fois ces obligations remplies, restaient les fans.

Tess avait pris l'habitude de rencontrer les membres actifs de ses fan-clubs à l'issue de chaque concert. Ces femmes et ces hommes constituaient la pierre angulaire de son audience et méritaient, de ce fait, chaque minute qu'elle leur accordait. Elle emmena Casey avec elle afin de lui montrer cet aspect du métier. Une raison plus égoïste la motivait aussi : s'éloigner de Kenny, même une demi-heure, représentait un sacrifice ; avec Casey auprès d'elle, c'était moins pénible.

Il était minuit passé quand on s'engouffra dans la limousine. Tess fut heureuse de s'installer dans le siège de cuir, à côté de Mary, tandis que Casey et Kenny prenaient place face à elles.

Le chauffeur avait laissé allumé le discret éclairage qui isolait l'habitacle comme un petit salon aussi confortable qu'intime. Champagne, eau minérale et sodas attendaient au frais ; verres droits et verres à pied ne risquaient rien dans leur support en palissandre tandis que la voiture glissait dans la nuit, en direction du nord.

Encore en effervescence, Casey bafouillait à moitié, ce qui fit rire tout le monde, et Kenny l'enlaça. Mary ne tarda pas à somnoler — pour avoir sablé le champagne. Heureuse de ce calme, Tess laissa le monopole de la conversation à sa protégée. Kenny étendit la jambe et le bas de son pantalon vint délibérément effleurer la cheville de la jeune femme. Elle s'y frotta comme un chat puis abandonna la tête contre le dossier de cuir et ferma les yeux, reliée à lui par ce contact ténu.

Lorsqu'ils arrivèrent au Regent Beverly Wilshire, il était plus d'une heure du matin. L'endroit était tranquille, désert, les portiers aimables. Tirée du sommeil, Mary grimpa les marches au bras de Kenny, avec Tess de l'autre côté.

— Merci, les enfants, marmonna-t-elle. Mon Dieu, que je suis fatiguée...

Ils traversèrent le vaste hall, passèrent devant le restaurant silencieux et obscur, entre les vitrines brillamment éclairées où les boutiques de luxe des environs de Rodeo Drive présentaient artistement bijoux et vêtements, et prirent l'ascenseur jusqu'au troisième étage où ils déverrouillèrent la porte de Mary.

— Es-tu aussi à cet étage ? demanda-t-elle à Tess.

— Non, Casey et moi sommes au cinquième.

— Moi je suis juste en face de Mary, dit Kenny. Mais je vous accompagne là-haut, mesdames.

Ils souhaitèrent bonne nuit à Mary et, une fois sa porte refermée, gagnèrent le cinquième pour s'arrêter d'abord devant la chambre de Tess. Kenny l'embrassa fraternellement sur la joue, la remercia, et elle le remercia à son tour d'avoir amené Mary. Casey fut plus spontanée ; elle étreignit Tess de toutes ses forces.

— De toute ma vie, je n'oublierai jamais ce soir. Jamais je n'aurais cru qu'une histoire pareille m'arriverait. Encore merci, Mac.

— Un jour, tu seras une star à ton tour, lui répondit Tess. J'en suis certaine. Et n'oublie jamais que t'introduire dans le milieu de la musique a été un plaisir pour moi aussi. A demain matin, ma belle, conclut-elle en glissant sa carte dans la fente de la serrure magnétique. Bonne nuit, Kenny.

— Bonne nuit.

Une fois la porte de Tess refermée, Kenny enlaça les épaules de sa fille et l'accompagna plus loin dans le couloir, jusqu'à sa chambre. Deux minutes plus tard, il reprenait l'ascenseur pour le troisième.

21

Une seule lampe brillait dans la suite de Tess, au bout du canapé, dans le salon. Elle la laissa allumée et gagna la chambre. On avait préparé le lit durant son absence ; la courtepointe était ôtée, les draps ouverts de chaque côté comme les ailes d'un avion de papier ; sur chaque oreiller, un chocolat enveloppé de papier doré.

La vue du lit ainsi apprêté aviva une agréable tension en Tess, une impatience qui fit naître dans son esprit l'image de Kenny, le souvenir de son regard qui la suivait tout à l'heure dans la pièce blanche, lourd d'un désir contenu, égal au sien. L'afflux d'émotions qui avait submergé la jeune femme durant cette soirée semblait près de déborder ses limites humaines. Il se manifestait en elle par un profond frémissement, un tremblement puissant, tout près d'éclore. Elle se démaquilla, se doucha, se lava les cheveux, s'aspergea d'eau de toilette au parfum de freesia.

Face au miroir, le regard lumineux, elle effleura le creux entre ses seins, où la peau était éclaboussée de taches de rousseur, son corps impatient... chercha à se voir à travers les yeux de Kenny car elle voulait lui plaire.

Ce soir...

Elle enfila l'épais peignoir blanc fourni par l'hôtel et ordonna vaguement ses cheveux mouillés du bout des doigts.

Dans sa chambre, Kenny suspendit sa veste de smoking, enleva son nœud papillon, se lava le visage puis s'assit avec un magazine et consulta sa montre. Il donnait dix minutes à Tess avant de monter.

Il tint six minutes, avant de s'apercevoir qu'il n'avait pas lu une ligne ni tourné une page. Jetant la revue, il bondit de sa chaise et vérifia la présence de sa clef magnétique dans sa poche en gagnant la porte.

Les suites du Regent étaient équipées de sonnettes. Il pressa celle de Tess à une heure vingt-sept précisément... Une heure étrange pour un rendez-vous amoureux, se disait-il, mais enfin, Tess avait un rythme de vie bizarre. Comment s'y adapterait-il une fois qu'ils seraient mariés ?

— Kenny ? interrogea doucement la voix de la jeune femme de l'autre côté de la porte.

— Oui.

La porte s'ouvrit et elle fut devant lui, les pieds nus, drapée dans un peignoir beaucoup trop grand, ses cheveux humides et bouclés encadrant un visage débarrassé de fard, baignée dans un parfum de fleur. Il la trouva encore plus belle que parée de tous ses artifices de scène.

— J'ai cru que tu n'arriverais jamais, dit-elle.

Il entra, repoussa la porte. Leur étreinte fut violente, leur premier baiser désespéré, presque brutal — celui de deux êtres affamés et avides de combler une longue séparation. Leurs corps cherchaient à s'épouser de toutes parts ; il semblait qu'ils n'étaient jamais assez proches l'un de l'autre. Tess émit un gémissement presque douloureux.

Des mots se pressaient sur leurs lèvres mais celles-ci ne pouvaient se désunir.

— J'ai cru mourir à force d'attendre, murmura Tess dans les plis soyeux de leur baiser. Tous ces gens...

— Je ne voulais que ça, répondit Kenny.

Il couvrit son visage de baisers, fit mine de lui mordiller la lèvre, le nez, le sourcil.

— J'avais envie de les jeter dehors ! avoua-t-il, laissant percer une colère qu'il avait retenue toute la soirée. Jusqu'au dernier ! Je ne cessais de me répéter qu'ils n'avaient aucun droit sur toi ! Que tu étais à moi, pas à eux !

Elle sourit, ravie de reconnaître ses propres pulsions.

Mais assez de mots. Leurs bouches avaient mieux à faire, qui n'en finissaient pas de se goûter, se savourer, se livrer l'une à l'autre. Les mains de Kenny glissèrent dans le dos de sa compagne et il la souleva pour mieux la presser contre lui.

Leur fougue amoureuse marqua une pause au bout de cette longue étreinte fiévreuse. Ils se regardèrent ; l'un d'eux émit un rire sourd — c'était lui —, et il dit :

— Nous sommes ignobles, non ?

— Oui, approuva-t-elle, riant à son tour. N'est-ce pas merveilleux ?

Ils se dévisagèrent, s'accordant le temps qu'ils n'avaient pas pris tout à l'heure, d'apprécier les traits de l'autre, embellis par l'amour. Puis leur baiser reprit, plus doux à présent qu'ils avaient chassé le désespoir. Leurs mains se firent vagabondes. Les petites heures de la nuit égrenaient leurs minutes ; ils demeuraient près de la porte, où ne parvenait que discrètement la lueur de l'unique lampe allumée au salon. Kenny entreprit de défaire la ceinture du peignoir de Tess mais celle-ci arrêta son geste et le fixa droit dans les yeux.

— Il faut que je sache d'abord… pour Faith et toi.

— Je lui ai demandé de reprendre ses affaires qui se trouvaient chez moi, répondit-il sans sourire ni regret. Tout est fini entre nous.

— Vraiment ? Tout ?

— Je ne te mentirais pas là-dessus. Sur rien, d'ailleurs.

Elle sut qu'il était sincère. Dès le début, même quand il se taisait, il ne lui avait jamais menti en ce qui concernait Faith.

Elle lui libéra la main, la ceinture tomba à terre. Quand il découvrit la peau chaude et nue de sa taille, le parfum de fleur s'exhala plus puissamment. Une douce pression et elle se plaqua contre lui, légère et avide à la fois ; leurs regards rivés l'un à l'autre se communiquaient une approbation joueuse, le désir maintenant de flâner sur le chemin de la totale intimité. Souple et offerte, les mains nouées autour de la nuque de Kenny, elle se cambra vers lui et ils oscillèrent légèrement, toute hâte envolée.

— Tu sens bon, souffla-t-il.

— Un parfum exprès pour toi. Du freesia.

— Du freesia. Où en as-tu mis ?

— Partout.

Ils savourèrent un moment cette idée, la laissèrent nourrir leur désir. Leurs corps continuaient de se balancer dans une danse paresseuse. Puis Kenny la reprit contre lui, enfouit le visage dans son cou et lui caressa longuement le dos, les reins. Ses mains étaient si douces... L'une d'elles se referma sur un sein, lourd comme un fruit gorgé de soleil. Il eurent l'impression tous deux qu'ils avaient rêvé depuis toujours de cette caresse. Ils la vivaient à présent : plus délicieuse que dans leur imagination, elle répandit chaleur et désir plus profondément en eux. Presque immobiles, ils s'attardèrent, retinrent cet instant. Tess renversa la tête en arrière, paupières closes, glissa les mains dans les cheveux de Kenny.

— Tu m'as tant manqué...

— Toi aussi tu m'as manqué, dit-il, s'enhardissant. Tellement...

— Quand je n'ai plus été à Wintergreen, c'était...

Elle frissonna sous la caresse, se cambra de nouveau pour mieux s'offrir aux mains qui la découvraient.

— C'était...

Les mots lui échappaient. Tous les mots.

— C'était l'enfer, murmura-t-il pour elle.

— Oui, voilà... l'enfer.

Elle glissa les mains entre eux pour commencer d'apprendre son corps.

— Tess... souffla-t-il.

Puis ce fut le silence, seulement le silence, qui se mêlait à l'incrédulité de Kenny d'être là, avec cette femme, de l'étreindre à son gré, de sentir ses mains sur lui après toutes ces années où elle était restée si loin, inaccessible.

— Emmène-moi au lit, murmura-t-elle.

Une timidité étrangement mâtinée d'émerveillement

s'empara alors de lui à l'idée de ce qu'elle était — la Tess de son passé ; de ce qu'elle était devenue — Mac, la superstar, adorée par des millions de gens ; et de ce qu'il était, lui — l'homme qu'elle désirait aussi ardemment qu'il la voulait...

Sentant ce changement en lui, elle le regarda.

— Kenny ? Qu'est-ce qu'il y a ?

— Rien. C'est juste...

Il eut fugitivement l'expression d'un homme pris au piège.

— Je viens seulement de comprendre où je suis, avec qui, et ce que tu viens de dire... Et je suis suffisamment humain pour être un peu assommé par ça. C'est tout.

— Ne sois pas trop assommé, lui murmura-t-elle avec douceur. Ce n'est que moi, Tess.

— Seulement toi, Tess. La fille du car scolaire. Puis tu es devenue Mac, une femme tellement inaccessible que je devais me contenter de découper tes photos dans les magazines. Et maintenant tu es Tess, à nouveau, qui as envie de faire l'amour avec moi. Peux-tu te rendre compte à quel point cela me paraît incroyable ?

— Pas plus incroyable que tu ne l'es pour moi, Kenny. Kenny Kronek, le garçon d'en face. Qui l'eût cru ? Emmène-moi au lit, Kenny... répéta-t-elle en souriant.

Il la souleva comme un jeune époux et l'emporta vers la lumière plus brillante de la chambre. Elle avait les bras autour de son cou, la bouche pressée contre sa peau qui dégageait un parfum de santal. Elle la goûta, la suça légèrement pour que l'odeur devînt saveur sur sa langue.

— Tu as bon goût, dit-elle.

— Tu prends de l'avance sur moi, plaisanta-t-il.

— Non, non, fredonna-t-elle.

Il souriait quand il la déposa sur le lit. Le peignoir à moitié ouvert, agenouillée devant lui, elle entreprit de défaire sa chemise tandis qu'il s'attaquait à ses boutons de manchette.

— Nous savions tous les deux que ça arriverait ce soir, n'est-ce pas, Kenny ?

— Oui, nous le savions.

Elle défit la ceinture de son pantalon, et ensemble ils entreprirent de lui ôter tous ses vêtements.

Il était nu, et elle presque, quand il enfouit la tête dans l'ouverture de son peignoir pour la goûter à son tour. Ce fut très doux, très lent, avant qu'il ne la débarrasse du peignoir et ne la bascule sur les draps écrus. Ils tombèrent ensemble dans un mouvement vif au moment où ils s'aventuraient chacun dans l'intimité de l'autre. Leurs respirations haletantes ponctuaient le silence.

Ils se découvrirent avec un sentiment partagé d'émerveillement, d'abord les yeux ouverts, puis les paupières closes, s'embrassant tendrement, puis moins tendrement à mesure qu'une force primitive s'emparait d'eux.

— Oh, Tess... murmura Kenny.

Parce qu'il n'y avait pas d'autres mots dans le piètre langage humain pour rendre justice à ce qu'il éprouvait.

Et elle répondit sur le même mode, en répétant son nom, «Kenny, Kenny...», parce qu'elle non plus ne trouvait pas de mots assez forts.

— Comme ça? lui demanda-t-il plus tard.

— Oui... haleta-t-elle.

Plus tard encore, comme il s'agenouillait devant elle, elle lui caressa les cheveux, prise de l'envie violente d'avouer à cet homme une chose qu'elle n'avait éprouvée pour aucun autre.

— Je veux te le dire maintenant, Kenny... Je t'aime.

Une expression de joie mêlée d'incrédulité se peignit sur les traits de Kenny.

— Dis-le encore, Tess.

— Je t'aime, répéta-t-elle, l'âme étreinte d'un sentiment émerveillé, presque étourdie par la force des mots enfin prononcés. Oh, oui, je t'aime!

Il embrassa la paume qui lui caressait le visage.

Des larmes brillaient dans les yeux de Tess quand il la pénétra pour les emmener ensemble dans la splendeur. Au-delà de la chair, il touchait à son âme, à son cœur.

Dans toute la vie de Tess, il n'y avait jamais eu instant si magnifique que celui-ci, où elle manifestait son amour de la façon la plus parfaite.

— Je t'aime aussi, lui murmura Kenny.

Et ils conclurent ce qu'ils avaient commencé une nuit de printemps, sur l'herbe d'un jardin, cernés par le chant des grillons.

Il était deux heures et quart. Ils reposaient dans la lumière douce de la chambre, fatigués mais refusant de l'admettre car ils ne voulaient pas perdre une minute de cette nuit-là. Leurs visages étaient tout proches sur l'oreiller, leurs corps vaguement emmêlés. La gravité étirait légèrement la peau sous les yeux de Kenny, désignant à sa compagne l'endroit où, dans les années à venir, apparaîtrait une ride. Elle suivit le sillon du bout du doigt, répétant :

— Kenny Kronek, le garçon d'en face... Qui aurait cru ça ?

— Pas moi, reconnut-il, les yeux fermés. Pas même en mille ans. Pas avec Tess McPhail.

— Je ne suis que de chair et de sang, comme n'importe qui d'autre.

— Non. Pas comme n'importe qui, contra-t-il en rouvrant les yeux. Pas pour moi. Je t'aime depuis si longtemps que je n'ai pas le souvenir d'avoir cessé de t'aimer.

— Oh, Kenny...

— C'est la vérité. Tu es celle que je n'ai jamais oubliée.

— Je regrette de ne pouvoir en dire autant vis-à-vis de toi. Je n'ai découvert que ce printemps combien tu es merveilleux, et même alors j'ai résisté pour ne pas tomber amoureuse de toi. Tu veux savoir quelque chose ? demanda-t-elle en lui caressant la lèvre inférieure.

— Hmm ?

— Après mon départ de Wintergreen, je me souvenais sans cesse du soir du mariage dans le jardin de maman, et je regrettais que nous ne soyons pas allés plus loin.

— Toi aussi ? répondit-il paresseusement. Moi, je me disais : «Mon vieux, tu es un triple idiot de ne pas avoir saisi ta chance.» J'avais tellement envie de toi ce soir-là, Tess...

— Moi aussi.

— Et puis, subitement, tu es partie. J'avais laissé passer l'occasion... Je regardais les fenêtres de ta mère de l'autre côté de l'allée et j'étais pris d'un sentiment de solitude affreux à l'idée que tu n'étais plus là.

— Chaque fois que le téléphone sonnait, mon cœur faisait un bond. Quand ce n'était pas toi, je me sentais déprimée. C'était complètement nouveau et... presque dévorant que quelqu'un puisse me manquer à ce point.

— Pourquoi ne l'as-tu pas dit alors?

— Je ne sais pas. Par peur, je suppose. Peur de l'intensité de mes sentiments. Je doutais de leur réalité.

— C'était différent pour moi. Je l'ai su peu de temps après ton retour à Wintergreen.

— Alors que tu vivais avec Faith?

— Faith et moi n'avions plus qu'une relation d'habitude, de convenance réciproque. Elle repassait mes chemises. Je lui tondais sa pelouse. Mais on ne fonde pas une relation d'une vie entière sur la commodité. Du moins, je n'en suis pas capable. Je savais que je finirais par rompre avec elle, et quand tu es revenue j'ai commencé à me rendre compte que ma vie sexuelle avec Faith était... disons... était...

— Vas-y, tu peux le dire. Tu peux tout me dire.

— Bon. Insatisfaisante. Devenue... mécanique.

— Mécanique, répéta Tess, songeuse.

Il hésita devant ce qui pouvait être interprété comme un manquement à la confiance de son ancienne maîtresse, une indiscrétion, mais décida qu'il pouvait aller jusque-là :

— Elle n'aimait pas vraiment ça.

Sa franchise surprit Tess, qui réprima un sourire, bientôt un rire. Elle eut beau se couvrir la bouche de la main, ses yeux brillaient d'espièglerie.

— Elle ne savait pas ce qu'elle manquait, pouffa-t-elle à moitié.

Kenny lui répondit par un sourire tendre et la serra contre lui.

Un moment plus tard, ils étaient calés contre une pile

d'oreillers, le drap tiré sur eux, Tess amoureusement lovée contre son amant. Celui-ci défit l'emballage d'un chocolat, lui fit mordre la première bouchée et croqua la seconde.

— Et toi? demanda-t-il en lançant la boulette de papier doré sur la table de chevet.

— Quoi, moi?

— Ta vie sexuelle. Combien d'hommes avant moi?

— Je dois te le dire?

— Non.

Etonnée par sa réponse, elle redressa la tête pour le dévisager.

— Quatre.

— Quatre!

— La célébrité ne fait pas bon ménage avec la vie privée. Tu ne sais jamais ce que les hommes cherchent à travers toi. Ça finit par... isoler terriblement.

— Et aucune de sérieuse dans ces quatre histoires?

— Aucune.

— Et ce musicien que tu voyais récemment?

— Après mon retour de Wintergreen, tu étais passé par là et tous les autres hommes me semblaient glauques.

— Glauques? répéta Kenny, le terme le faisant sourire. J'ai fait ça, moi?

— Absolument.

— Donc, tu n'es jamais tombée amoureuse, avant?

— Je n'avais pas le temps d'être amoureuse. Je me déplaçais sans cesse, j'avais des choses à accomplir. Alors, je les ai accomplies et...

Elle caressa distraitement le torse de Kenny avant de poursuivre d'une voix songeuse :

— C'est drôle... Je pensais que ma vie était totalement remplie, comblée sans ça, sans toi, et je ne soupçonnais pas à quel point je me trompais. Je croyais avoir tout... jusqu'à maintenant.

Ils demeurèrent un moment silencieux, enveloppés dans le bien-être de la première étreinte, heureux, rassasiés, mais redoutant le dimanche où ils devraient se séparer. Ils avaient encore une journée à passer ensemble, puis le concert du lendemain soir, mais ensuite il devrait retourner à Wintergreen, elle à Nashville. Et après? Une liaison intermittente?

Kenny évoqua le premier le sujet qui les préoccupait tous deux.

— Tu crois que ce serait vivable si nous nous mariions?

Elle ne manifesta pas la moindre surprise, demeura nichée contre lui, comme s'il ne s'agissait pas de la conversation la plus importante qu'ils aient jamais eue.

— Je ne sais pas, mais j'y ai pensé aussi.

— Je n'ai pensé qu'à ça, mais nous avons beaucoup de problèmes à résoudre.

— Où habiterions-nous? questionna Tess.

— À Nashville.

— Et à Wintergreen?

— Comment cela? Nous ne pouvons pas vivre en deux endroits.

— Pourquoi pas? Nous pouvons nous le permettre.

— Je ne l'avais pas envisagé.

— Nous le ferions peut-être pour Casey. Pendant un temps, au moins, jusqu'à ce qu'elle s'habitue à l'idée que la maison de son enfance soit vendue.

— Oui, je crois que tu as raison.

— Nous pourrions vivre dans ta maison chaque fois que nous irions voir maman. Mais… et ton affaire?

— Je vendrais et je m'occuperais des tiennes.

— Vraiment?

Surprise cette fois, elle se redressa pour regarder Kenny.

— J'ai gardé en tête cette conversation que nous avons eue un jour au téléphone, où tu m'expliquais que tu devais être au four et au moulin, et combien tu trouvais risqué de déléguer les questions d'argent. Je me suis dit… je pourrais m'occuper de ça pour elle. Ça coule de source, Tess. J'ai les diplômes nécessaires pour gérer tes finances.

Elle s'assit carrément et le dévisagea avec un bonheur flagrant.

— Tu es sérieux? Tu le ferais? Tu laisserais tomber ton cabinet pour m'épouser?

— Bien sûr.

— Et tu t'installerais à Nashville ? Sans états d'âme ?

— Bien sûr.

— Tu ne craindrais pas d'être considéré comme un homme entretenu ?

Il éclata de rire et attira la jeune femme dans ses bras.

— Sans vouloir te vexer, Tess, ta question est complètement stupide. Il y aurait beaucoup de travail et, crois-moi, je serais tout sauf entretenu. Je travaillerais probablement plus d'heures que je n'en fais aujourd'hui, si j'en juge par ton succès.

— Tu as déjà réfléchi à tout !

— Pense un peu que tu paies quelqu'un pour faire ce que je fais de mon côté à longueur de journée. Pourquoi ne le ferais-je pas pour toi, en te rendant du même coup la vie plus facile ?

Pour Tess, cela paraissait trop beau pour être vrai.

— Ce serait merveilleux si je pouvais te confier la direction des affaires et me recentrer sur la partie artistique...

— Je m'occuperais de tes impôts, des salaires, de toute ta comptabilité, de tes rentrées de droits d'auteur. Je pourrais gérer les fonds de retraite et les assurances de ton personnel, et toutes les dispositions financières qu'implique la production de tes spectacles. Qui s'en charge actuellement ?

— Une comptable, qui s'appelle Sue.

Remercier Sue posait évidemment problème.

— Elle pourrait m'expliquer ton système de gestion informatique, m'aider au début. Crois-tu qu'il y aurait suffisamment de travail pour occuper deux personnes ?

— Je ne sais pas. Peut-être.

— Tu peux me faire confiance, Tess, assura doucement Kenny en lui caressant le bras.

— Je le sais depuis que je t'ai vu t'occuper de maman avec tant d'attention.

L'évocation de Mary suscita une inquiétude en Tess.

— Mais tu manquerais tellement à maman si tu quittais Wintergreen !

— Nous irions la voir souvent. Plus souvent que tu ne le fais sans moi. Je t'y obligerais.

— Je n'en doute pas, approuva-t-elle avec un rire sourd. Ce serait bien pour moi. J'ai besoin de la voir plus fréquemment.

A mesure qu'ils imaginaient leur avenir, celui-ci leur paraissait de plus en plus réalisable.

— Et Casey? interrogea Tess. Tu voudrais qu'elle vive avec nous?

— Je ne sais pas. Et toi?

Tess réfléchit un moment.

— Je l'aime énormément, en tout cas.

Kenny l'embrassa sur le front et ferma les yeux.

— C'est ton affection pour elle qui a tout fait démarrer, non? C'est l'une des raisons pour lesquelles je t'aime.

— Mais il faut que je te dise... Je ne veux pas d'enfants. Ma carrière est trop importante pour moi.

— Casey peut devenir ta fille. C'est parfait, conclut Kenny dans un bâillement.

Casey, sa fille? L'idée plut beaucoup à Tess.

— Je crois que j'aimerais qu'elle vive avec nous pendant un temps, avoua-t-elle. Je ne suis pas encore lassée d'elle.

Il se prit à rire et enfouit le visage dans les cheveux de la jeune femme. De nouveau, il bâilla, et la voix de Tess lui parut de plus en plus lointaine.

— Je veux que tu voies ma maison, Kenny. Elle est vraiment belle. Il y a deux niveaux, un balcon intérieur qui surplombe le salon, le piano devant la baie vitrée...

— Mmm... marmonna-t-il.

— J'y ai un bureau, Casey y a déjà sa chambre. Notre chambre à nous domine la piscine.

Notre chambre, se répéta-t-il, et il sourit dans son demi-sommeil.

— Quand pourras-tu venir la voir, Kenny?... Kenny?

N'obtenant pas de réponse, Tess se redressa au-dessus de lui, pour constater qu'il s'était endormi. Elle sourit, détailla amoureusement son visage au repos : ce visage qui serait sur l'oreiller voisin du sien jusqu'à la fin de leurs jours. Oui, c'était exactement ce qu'elle voulait.

— Kenny, répéta-t-elle pour le simple bonheur de prononcer son nom. Je t'aime.

Elle éteignit la lampe, jeta un oreiller par terre. Kenny s'éveilla vaguement tandis qu'elle se blottissait dos à lui, en chien de fusil. Marmonnant quelque chose d'inintelligible, il l'enlaça et l'attira plus encore dans sa chaleur.

Paupières closes, elle sourit et songea : « Désormais, j'ai tout. »

Elle s'éveilla au point du jour, dans la position exacte où elle s'était endormie. C'était si bon d'être là... Elle referma les yeux, dans l'attente d'un signe qui lui indiquerait le réveil de Kenny.

Dès qu'il remua, elle se retourna vers lui.

— Bonjour, murmura-t-elle.

— Bonjour, répondit-il en ouvrant un œil.

— Tu me respectes encore ?

— Oui, oui.

— Tu veux toujours m'épouser ?

— Oui, oui.

— Toujours gérer mes affaires ?

— Pas là tout de suite.

Eclatant de rire, elle lui embrassa le menton. Il gardait les yeux fermés. Elle glissa un doigt entre ses lèvres.

— Nous allons faire monter un petit déjeuner pour quatre puis demander à maman et à Casey de nous rejoindre ici, et nous leur annoncerons la nouvelle.

— Mmm... d'accord, acquiesça-t-il en lui mordillant l'ongle, les yeux toujours fermés. Mais aurai-je à subir cela chaque matin ?

— Non. Certains matins je serai partie chanter dans des villes lointaines... Peut-être même en Chine !... Va savoir. Alors, tu te sentiras tellement seul que tu regretteras que je ne sois pas là pour t'importuner !

Il sourit et, tout à fait réveillé, roula sur elle, nouant ses doigts aux siens.

— Mon amour, tu peux m'importuner où tu veux, quand tu veux, comme tu veux.

Elle le prit au mot, s'amusant à l'agacer ici et là.

Plus tard, ils téléphonèrent aux deux personnes qui leur étaient les plus chères pour les inviter à venir prendre le petit déjeuner dans la suite de Tess. Ensuite, ils se douchèrent, s'habillèrent et essayèrent de contenir leur excitation à l'idée de dévoiler leurs projets à Casey et à Mary.

A dix heures précises, la sonnette retentit et Kenny alla ouvrir.

— Service d'étage, monsieur.

Le garçon en uniforme blanc, un jeune Asiatique, poussa la table roulante devant le canapé, souleva les rallonges et installa quatre chaises autour.

— Souhaitez-vous que j'ouvre le champagne, monsieur?

— Oui, s'il vous plaît.

— Est-ce que je le sers, monsieur? s'enquit ensuite le serveur.

— Non merci. Nous allons attendre nos invitées.

La bouteille retourna dans le rafraîchissoir d'argent et Kenny raccompagna le garçon à la porte. Au moment où il l'ouvrait, il découvrit Mary et Casey sur le seuil, qui s'apprêtaient à sonner.

— Tiens… Bonjour, vous deux! s'exclama-t-il gaiement en les embrassant. Comment avez-vous dormi?

— Tu es de drôlement bonne humeur ce matin, commenta Casey en posant sur lui un regard intrigué.

— Tu l'as dit, acquiesça-t-il en refermant la porte.

Les deux nouvelles venues échangèrent d'autres bonjours et d'autres baisers avec Tess et l'on installa Mary sur le canapé.

— Du champagne? s'étonna Casey en avisant le seau à glace. A dix heures du matin? En quel honneur?

— Assieds-toi, ma chérie, rétorqua Kenny. Tess? offrit-il.

Il lui tira une chaise puis s'assit à son tour.

Casey les observait d'un air soupçonneux; Mary soulevait les cloches en argent pour découvrir ce qu'elles dis-simulaient.

— Qu'est-ce que c'est? Ça a l'air bon.

— Omelette jambon-fromage, répondit Tess, espérant avoir correctement deviné car c'était Kenny qui avait passé la commande.

— Qui veut du champagne? proposa celui-ci.

— Pas moi, dit Casey. Je ne supporte pas ce truc.

— Pas pour moi non plus, dit Mary. Ça me rend un peu bizarre. Mais je prendrai du café.

Kenny entreprit donc de remplir deux tasses de café, sous l'œil de plus en plus perplexe de sa fille.

— Qu'est-ce qui te prend, papa? Tu sais que je ne bois pas de café.

— Oh, s'excusa-t-il en cessant de la servir. Eh bien... prends ton jus d'orange, alors, parce que Tess et moi voulons porter un toast.

Il se rassit et, d'un regard, signala à Tess qu'elle pouvait y aller. La jeune femme leva sa flûte.

— Maman... Casey...

Une autre flûte, un verre de jus d'orange et une tasse de café se levèrent au niveau de sa flûte.

— J'aimerais que nous buvions à nous tous, et à notre bonheur futur. Nous vous avons fait venir pour vous annoncer que Kenny et moi allons nous marier.

Mary parut abasourdie.

— Je le savais! s'écria Casey.

— Comment? s'enquit son père.

— Tu portes encore ton pantalon de smoking, papa!

Et l'adolescente bondit pour se jeter au cou de son père.

— Ah... c'est donc ça...

— Il est clair que tu n'as pas passé beaucoup de temps dans ta chambre cette nuit. Oh... excuse, Mac.

— Vous marier? réagit tardivement Mary. Mais... quand est-ce arrivé? Je croyais que vous deux... oh, mon Dieu... oh...

Elle se mit à pleurer.

— Ça ne va pas, maman?

— S... si. Je suis seulement si heureuse, bredouilla Mary en enfouissant à moitié le visage dans sa serviette de table. Tu vas vraiment épouser Kenny ?

— Oui, vraiment, assura Tess.

Elle lui caressa tendrement la main tandis que la vieille dame se tamponnait les yeux. Après quoi, mère et fille se donnèrent une étreinte pataude d'un coin à l'autre de la table.

— Oh, bonté divine, c'est trop incroyable...

Quand Casey serra à son tour Tess dans ses bras, toutes deux sentirent des sanglots leur monter à la gorge.

— Vous deux,... bafouilla l'adolescente. On peut dire que vous avez le chic pour me rendre heureuse...

L'émotion menaçant de la submerger, elle opta pour la plaisanterie :

— Ça veut dire que je vais devoir t'appeler mère, Mac ?

— Mère Mac ? Oh, non, je t'en supplie.

Tous éclatèrent de rire, parce qu'il y avait des larmes dans bien des yeux.

— Viens un peu par là, Kenny, dit Mary en tendant les bras.

Il alla s'asseoir auprès de la vieille dame et se laissa envelopper dans ses bras aimants.

— Kenny, murmura-t-elle.

Elle ne put en dire davantage. Les larmes coulaient maintenant sur ses joues.

— Je l'aime vraiment, lui chuchota-t-il. Presque autant que je vous aime.

Il s'écarta et regarda Mary en lui pressant les mains.

— C'est si... si incroyable !

— En effet... Je le sais.

Mary libéra une de ses mains pour la tendre à Tess.

— Toi et Kenny...

— Le problème, maman, c'est que je vais l'éloigner de toi.

— Ne dis pas de sottises, protesta Mary, leur lâchant les mains pour secouer impatiemment sa serviette. Je peux très bien me débrouiller sans lui. J'ai deux gendres, et des petits-fils costauds. Ils m'aideront quand j'en aurai besoin.

— Mais il te manquera.

— C'est sûr. Mais... oh, comme vous me rendez heureuse !

— Nom d'un chien ! s'exclama soudain Casey. Vous allez devenir ma grand-mère, Mary !

— J'ai l'impression que ça ne me déplaira pas...

Il s'écoula encore un bon moment avant qu'ils ne décident de s'attaquer au petit déjeuner. Qui aurait pu manger quand un tel bonheur évinçait toute préoccupation bassement matérialiste ? Mais, pour finir, quelqu'un s'aperçut que les plats refroidissaient et qu'il était temps de leur faire honneur.

— Vous savez quoi ? dit Casey entre deux bouchées. Ce sera absolument parfait... Nous quatre, formant une famille... C'est comme si c'était écrit dans nos destinées.

Oui, leurs sourires à tous le disaient.

Ecrit dans leurs destinées.

22

Le mariage eut lieu moins de deux mois plus tard, dans l'église où Tess avait chanté avec la chorale de Kenny un dimanche d'avril. La cérémonie fut fixée à treize heures un mercredi car l'église était occupée toutes les fins de semaine ce mois-là, et la mariée de même. Elle avait donné un concert à Vancouver le week-end précédent, et se produirait à Shreveport le samedi suivant.

Mais ce jour-là — un beau jour chaud de fin d'été, peuplé par le chant des cigales — elle ne se consacrerait pas à ses fans, seulement à un homme.

Une heure avant la cérémonie, Mary se tenait dans la cuisine, déjà apprêtée, quand elle entendit Tess et Renee descendre de l'étage. Elle avait écouté ses deux filles bavarder, rire et déambuler dans la maison durant la majeure partie de la matinée. Enfin, elles étaient prêtes.

— Me voilà, maman, annonça Tess depuis le seuil.

La vieille dame se retourna et porta la main à sa bouche.

— Mon Dieu... Je crois que c'est le plus beau jour de ma vie. J'ai l'impression d'être plus heureuse aujourd'hui que le jour de mon propre mariage.

— Ne te mets pas à pleurer, maman, pas après le joli maquillage que nous t'avons fait, Renee et moi.

Mary se ressaisit dans un effort émouvant.

— Tourne-toi un peu que je te voie.

Tess fit un tour complet sur elle-même. Sa robe de

mariée était très simple, en lin blanc, avec des manches bouffantes, une encolure carrée, une jupe au tombant droit dont l'ourlet brodé et ajouré arrivait à une dizaine de centimètres de ses chevilles. Elle y avait assorti des chaussures de lin blanc et, sur la tête, au lieu du voile traditionnel, une simple couronne de fleurs. Ses bijoux se résumaient à une minuscule paire de boucles d'oreille en saphir, pour aller avec la bague que Kenny lui avait offerte : un saphir entouré de diamants.

— N'est-elle pas superbe ? dit Renee, appuyée au chambranle de la porte.

La mariée était certes l'élément le plus joli dans cette cuisine qui n'avait pas changé d'un iota. La même affreuse pendule murale, le même vieux napperon en plastique jauni et boursouflé, le même formica tailladé.

En revanche, il régnait une fraîcheur bienvenue dans la maison malgré la canicule extérieure. Tess avait pris ses précautions :

— Maman, si tu veux que je me marie à l'église méthodiste, tu vas devoir me laisser te faire installer l'air conditionné. Sinon, ne compte pas que je m'habille dans la fournaise de ton grenier en plein milieu de l'été. Je fondrai comme une glace et c'est à la petite cuillère que tu m'emmèneras à l'église !

Alors Mary avait appelé Clarence Spillforth, le plombier chauffagiste.

— Clarence, il faut que vous installiez l'air conditionné dans ma maison parce que ma fille va venir se marier ici. Elle épouse Kenny Kronek, figurez-vous, et il va aller vivre à Nashville pour s'occuper de ses affaires et de sa fille Casey. Casey qui chante avec Tess dans son prochain disque, vous êtes au courant ? Bon alors, Clarence, quand pouvez-vous venir ?

Personne en ville n'ignorait ce qui allait se passer à l'église méthodiste d'ici une heure. Tess ne souhaitant pas retrouver son promis devant la cohue et les appareils photo des nombreux journalistes, ils avaient établi leur plan en secret.

— Tu comprends, n'est-ce pas, maman ? dit-elle en

prenant les mains de Mary. Kenny et moi demandons juste quelques minutes en tête à tête avant de nous rendre à l'église.

— Bien sûr. Tu as le droit d'organiser ton mariage comme tu l'entends. Je prends mon sac, et je suis prête à partir.

Tandis qu'elle se rendait dans sa chambre, avec un boitillement à peine visible désormais, Tess et Renee échangèrent un sourire ému.

— Mille mercis d'avoir été auprès de moi ce matin, dit Tess en étreignant sa sœur.

— Ça m'a fait plaisir.

— Vraiment, tu ne m'en veux pas de ne pas t'avoir prise pour dame d'honneur ?

— Absolument pas. Tu as fait le bon choix.

— Ça y est, me voilà, annonça Mary qui revenait. Allons-y, Renee, et laissons nos tourtereaux tranquilles.

A la porte, Renee s'arrêta pour jeter un dernier coup d'œil sur la mariée.

— C'est réellement le plus beau jour de sa vie, et inutile de se demander qui sera son gendre préféré maintenant. Nous en sommes tous très heureux, Tess.

— Merci, grande sœur.

Elles partirent et la maison devint silencieuse. Dans l'allée, les portières de voiture claquèrent, un moteur se mit à gronder puis le bruit s'éloigna. Dans la cuisine, on n'entendait plus que le tic-tac de la vieille pendule. Tess regarda par la fenêtre au-dessus de l'évier. La pelouse était proprement tondue ; de grosses tomates rouges coloraient le potager. Sur le côté du garage de Kenny cascadait une magnifique clématite pourpre en pleine floraison. Le soleil éclaboussait la véranda où elle et lui avaient joué ensemble, enfants. Dans le garage ouvert, elle apercevait l'arrière rutilant de la Mercedes qu'elle avait offerte à Kenny en cadeau de noces. Un achat intelligent, lui avait-il dit, qui pourrait légalement être déduit de ses impôts parmi ses frais généraux, puisque Kenny était désormais vice-président de Wintergreen Enterprises.

La jeune femme sourit, songeant comme leurs vies

s'accordaient bien; Kenny lui serait d'une grande aide à l'avenir.

Elle consulta la pendule et sortit son gardénia du réfrigérateur.

— C'est le moment, se murmura-t-elle.

Avant de franchir la porte, elle se retourna pour scruter la cuisine une dernière fois de son œil de célibataire. Elle ne sut pas pourquoi elle avait eu ce mouvement mais elle éprouva un accès de nostalgie inattendu. «Que ce lieu ne change jamais, pensa-t-elle. Que je puisse toujours y revenir et le trouver exactement ainsi, le napperon en plastique compris, et tout le reste...»

Soleil et chaleur vinrent l'accueillir sous le porche. Moins de cinq secondes après, Kenny se montra à son tour à la porte arrière de sa maison, vêtu d'un smoking gris avec veste courte et chemise blanche plissée. Son apparition fit battre le cœur de Tess à coups redoublés.

Ils demeurèrent un moment immobiles, se regardant d'un jardin à l'autre. Ils se souvenaient d'une aube où le soleil commençait à percer à travers les branchages, et où Tess sautillait, pieds nus, entre les rangées du potager qu'elle essayait d'arroser; Kenny l'avait contemplée sans vergogne en buvant son café.

Aujourd'hui, ils étaient bien les mêmes, mais dans un enchantement consenti, dans leurs atours de mariés, et ils s'offraient une cérémonie intime selon leurs vœux.

Lentement, ils descendirent les marches de leurs perrons respectifs et traversèrent les jardins. Au lieu des orgues, ils avaient le chant des cigales pour les accompagner. Au lieu des demoiselles et garçons d'honneur, les feuillages fatigués d'un potager qui frémirent sur le passage de Tess. Au lieu d'une allée d'église, un étroit sentier en béton fendillé. Au lieu d'un autel, une allée.

C'est là qu'ils se rencontrèrent, exactement au milieu, à mi-chemin de leurs maisons, au lieu même où ils s'étaient si souvent croisés au cours des semaines qui les avaient vus tomber amoureux.

Le soleil avivait des éclats bleutés dans la chevelure sombre de Kenny, et des flammèches rousses sur les boucles de la jeune femme. L'éclat de leurs yeux, lui, ne devait pas grand-chose aux rayons de l'astre diurne.

Kenny prit les mains de Tess qui tenaient le gardénia.

— Bonjour, dit-il sourdement.

— Bonjour.

— Je te souhaite un heureux mariage.

— A toi aussi, heureux mariage.

— Tu es... radieuse.

— Je me sens radieuse. Toi tu es magnifique.

— Je suis l'homme le plus comblé au monde.

Ils échangèrent un sourire puis Kenny demanda :

— Es-tu prête?

— Oui.

— Moi aussi. Allons-y.

Tess abaissa brièvement les yeux, cherchant ses mots, puis les releva pour fixer son amant.

— Moi, Tess McPhail...

— Moi, Kenny Kronek...

— Je te prends, Kenny Kronek...

— Je te prends, Tess McPhail...

— Pour mon époux jusqu'à ce que la mort nous sépare.

— Pour mon épouse jusqu'à ce que la mort nous sépare.

— Pour t'aimer comme je t'aime aujourd'hui...

— Pour t'aimer comme je t'aime aujourd'hui...

— En renonçant à tous les autres...

— En renonçant absolument à toutes les autres...

— Et nous partagerons tout ce que nous avons, et tout ce que nous aurons... Les joies et les peines, le travail et le loisir, les soucis et les plaisirs... et ta fille... et ma mère... et nos engagements envers elles pour les années à venir...

— Et nous serons bons l'un pour l'autre...

— Oui. Et respectueux...

— Et je jure de t'aimer, de te soutenir, d'être ta force quand tu en auras besoin, ton repos quand tu en auras besoin.

— Je ferai de même pour toi.

374

Ils cherchèrent ce qu'ils avaient pu omettre...

— Et je renonce à toute jalousie... ajouta Kenny, envers tes fans et leurs exigences vis-à-vis de toi.

— Oh, Kenny, comme c'est gentil de ta part!

— Ce sera certainement le plus difficile pour moi, admit-il.

— Pour moi aussi, reconnut-elle en lui caressant la main. D'être loin de toi.

Ils se turent de nouveau, s'adorant sans sourire parce que le moment était trop sacré.

— Je t'aime, Kenny.

— Je t'aime, Tess.

— Pour toujours.

— Pour toujours.

S'inclinant vers elle, il l'embrassa doucement, dans le parfum du gardénia exalté par le soleil.

Quand il se redressa, ils se sourirent pleinement, comme ils ne l'avaient pas fait auparavant.

— Je me sens aussi unie à toi que je le serai tout à l'heure, dit Tess.

— Moi aussi. Maintenant, allons nous marier pour tous les autres.

A la surprise de bien des gens, ce fut l'un des mariages les plus modestes jamais célébrés à l'église méthodiste de Wintergreen. Certains s'étaient attendus à voir des chanteurs célèbres accompagner la cérémonie; il n'y eut que la chorale, dirigée par Mme Atherton, qui avait repris ses fonctions. On avait guetté une suite nombreuse, mais elle ne fut constituée que de deux personnes. Et la tradition fut de nouveau piétinée quand Casey Kronek et Mary McPhail, tout sourire, remontèrent l'allée de l'église. Enfin, quand la mariée parut, les regards les plus mesquins ne trouvèrent pas sur elle les milliers de dollars qu'ils avaient escomptés. Au lieu de se présenter en meringue surfaite, coûteuse et de mauvais goût, elle ne portait que la plus simple des robes, et une couronne de fleurs dans les cheveux.

Tout le temps où elle remonta l'allée, elle ne cessa de sourire à Kenny qui l'attendait devant l'autel avec le révérend Giddings.

— Qui donne cette femme pour épouse à cet homme? demanda l'officier du culte.

— Moi, répondit Mary la première.

— Et moi aussi, renchérit Casey.

Derrière eux, dans l'assemblée, on échangea des sourires amusés. Mais chacun, en son for intérieur, jugea parfait que ces deux femmes donnent leur bénédiction publique à cette union, car personne n'ignorait combien Kenny aimait Mary, comment il avait pris soin d'elle, et comment elle était pratiquement devenue la grand-mère de Casey depuis que celle-ci avait perdu la sienne. Qui hormis la célèbre Tess McPhail pouvait avoir la témérité d'avoir deux femmes pour témoins à son mariage? Elle passa de nouveau outre la coutume pour le traditionnel don des roses. Normalement, c'étaient les parents du couple qui les recevaient. Mais alors que Kenny en tendait une à Mary, Tess offrit l'autre à Casey, et au moment où elles s'embrassaient, bien des yeux s'embuèrent.

Les invités eurent une nouvelle surprise quand, à l'issue de l'échange des vœux, la mariée s'empara d'un micro et chanta pour son mari. Ils auraient dû être moins étonnés quand Casey prit un autre micro pour chanter la deuxième voix. Après tout, qu'importait si ce mariage bousculait un peu les idées préconçues? De surcroît, le bruit s'était répandu que la chanson avait été coécrite par le duo des nouvelles «mère et fille», et qu'elle sortirait à l'automne en chanson-titre du nouvel album de Tess.

La dimension «glamour» ne manqua pourtant pas au mariage Kronek-McPhail. Parmi les invités figuraient plusieurs amis de Tess qui étaient venus en avion depuis Nashville. Leurs noms étaient connus dans les chaumières; on les reconnaissait dans les aéroports et les restaurants. Ils représentaient le «top» de la musique country.

Quand les nouveaux mariés sortirent pour recevoir les félicitations sur le parvis de l'église, les célébrités prirent leur place dans la file, comme les autres invités, et les habitants de Wintergreen se réjouirent d'être mêlés à eux.

Une autre présence fut encore plus remarquée. Faith était venue. La question s'était posée de savoir si on l'inviterait, mais en fin de compte Kenny et Tess s'étaient dit qu'ils devaient la convier, au nom de la place importante qu'elle avait tenue dans la vie de Kenny.

Très digne et grande dame, elle sourit à Tess et lui prit la main.

— Félicitations, Tess. Vous êtes adorable. Merci de m'avoir invitée.

Elle saisit ensuite la main de Kenny, son sourire restant le même. Qu'elle souffrît encore ou non de leur rupture, elle ne manifestait rien d'autre que le plaisir d'être là.

— Kenny, j'espère que Tess et toi serez très, très heureux ensemble.

Ensuite, le marié et la mariée partirent en limousine blanche pour la salle des fêtes en bord de rivière, où la réception ne fut guère différente des centaines d'autres qui s'y étaient tenues. Le bal, cependant, devait alimenter les conversations pour une année entière. Ce fut le propre orchestre de Tess qui joua, et plusieurs stars de Nashville montèrent sur scène, l'une après l'autre, pour chanter leurs tubes. Au milieu de ce spectacle improvisé, Judy se mit à bouder et fonça aux toilettes pour fulminer.

— Voilà maintenant qu'elle nous déballe tous ses amis célèbres ! siffla-t-elle à l'adresse de deux femmes qui rafraîchissaient leur maquillage. C'est répugnant.

Judy n'accepterait jamais la vie de Tess : beaucoup de ses amis étaient en effet célèbres, idolâtrés, tout comme elle. Oui, beaucoup étaient riches à millions. Mais pour Tess, ne pas les inviter aujourd'hui eût été un manquement à l'amitié. Pour eux, bouleverser leur calendrier afin d'être ici ce jour-là était une preuve de leur affection pour elle.

Vince Gill et Reba McEntire improvisaient ensemble sur le vieux classique de Gill, *Oklahoma Swing*, quand

Judy ressortit des toilettes. Depuis la piste de danse, Tess l'aperçut.

— Voilà Judy... qui nous fait sa crise de jalousie, dit-elle.

Kenny la fit pivoter afin qu'elle ne vît plus sa sœur.

— Ma chérie, tu ne changeras jamais Judy.

— Maintenant, je le sais.

— Et tu ne vas pas la laisser te gâcher ton mariage !

— Absolument pas, répondit-elle en lui décochant un sourire dépourvu d'arrière-pensées.

Elle devait accepter le fait que le mal-être de Judy constituait le ferment de sa jalousie, et la prendre en pitié au lieu de s'énerver. Elle aperçut Renee qui dansait avec Jim à l'autre bout de la piste ; Renee dont l'affection sûre et constante, qui savait voir au-delà de la superficialité, contrebalançait les humeurs de Judy... Et là-bas, aussi, il y avait sa mère...

En train de flirter avec Alan Jackson !

Elle était assise à une table, entourée de ses amies qui toutes frétillaient autour du chanteur, puisant à cette occasion de quoi cancaner durant toutes leurs parties de cartes de l'année.

— Regarde maman, dit Tess.

Kenny obtempéra. Il se mit à rire.

— A mon avis, elle est à moitié droguée par le champagne.

— Il y a six mois, je serais probablement allée m'excuser auprès d'Alan, mais aujourd'hui je n'éprouve plus le besoin de justifier la conduite de maman. Elle est comme elle est, et je l'aime.

Bientôt, elle réitérait des paroles affectueuses à l'adresse de l'intéressée quand ils allèrent lui dire au revoir avant de s'éclipser sans faire leurs adieux à l'ensemble des invités.

— Revenez dès que vous le pourrez, les enfants, dit Mary.

— Sans faute.

— Moi, je vais garder un œil sur Casey tant qu'elle est là.

Casey restait en effet une semaine à Wintergreen avant de rapatrier la Mercedes à Nashville.

— Merci, maman, dit Tess en l'embrassant.

— Merci, maman, répéta Kenny.

Il l'appelait ainsi pour la première fois et Mary en fut toute bouleversée. Elle lui prit le visage entre ses deux mains et lui planta un vigoureux baiser sur la joue.

— Mon si cher Kenny... Je parie que ta vraie maman nous sourit depuis le paradis. Allez, emmène ta femme et file.

Ensuite, ils trouvèrent Casey et lui annoncèrent leur départ. Kenny lui remit les clefs de sa voiture.

— Sois prudente avec ma Mercedes toute neuve.

— Sois prudent avec ma nouvelle maman. Salut, maman Mac, et passez une belle lune de miel !

Alors qu'ils roulaient en direction de l'aéroport, la limousine se retrouva coincée derrière la vieille camionnette cahotante de Conn Hendrickson. Tess se mit à rire.

— Qu'est-ce qui est drôle ?

— C'est exactement comme le jour où je suis arrivée en avril. J'ai suivi le tas de boue de Conn tout autour de la place. C'était le jour où je t'ai rencontré.

— Pas tout à fait.

— Où je t'ai retrouvé, corrigea-t-elle.

— C'est plus juste.

Leur jet privé les attendait à l'aéroport de Trois-Rivières et les conduisit à Nashville, où ils récupérèrent la 300 ZX.

— Tu veux conduire ? proposa Tess avec un sourire espiègle à l'adresse de son époux.

— Waouh, feignit-il de s'étonner en acceptant les clefs. C'est donc le grand amour, tout compte fait ?

On aurait pu penser qu'une milliardaire comme Tess McPhail-Kronek choisirait de passer sa nuit de noces dans la suite nuptiale la plus extraordinaire d'une des villes les plus exotiques du monde. Or elle avait tellement fréquenté les hôtels que sa maison représentait pour elle le comble du luxe.

De surcroît, bien qu'il y eût déjà installé ses affaires,

Kenny n'avait encore jamais vécu dans cette demeure. Ils avaient décidé, pour plusieurs raisons, qu'il n'y dormirait pas avant leur mariage. L'une de ces raisons était Casey : un certain traditionalisme mêlé de pudeur poussait Kenny à ne pas s'afficher devant elle, même si elle l'avait vu un matin dans la chambre de Tess vêtu de son smoking de la veille... Une autre raison était la presse à scandale, toujours aux aguets des faits et gestes des célébrités, toujours prête à faire ses gros titres d'un ragot douteux. La raison principale, cependant, était que Tess et Kenny avaient souhaité une véritable nuit de noces, et l'attente qui allait de pair.

— Vous ferai-je les honneurs, madame Kronek ? demanda Kenny quand ils furent devant la porte.

— Je n'envisage pas autre chose, monsieur Kronek.

Lorsqu'il l'enleva dans ses bras pour la porter à l'intérieur, une douce mélodie vint les accueillir. La sono, pour une fois, ne diffusait ni de la country ni du rock, mais la *Rêverie* de Debussy. Ils firent halte dans l'entrée pour s'embrasser puis Kenny posa son précieux fardeau et ils partirent ensemble en exploration. Maria avait laissé un poulet aux noix sauce cognac prêt à réchauffer au four, une boule de pain français croustillant, et une salade de cœurs d'artichauts dans le réfrigérateur. Le couvert était dressé pour deux, avec des chandelles et une unique rose blanche qui flottait dans un compotier en cristal. Au salon, ils découvrirent des cadeaux de mariage empilés auprès du piano et, à l'étage, la double porte ouverte sur leur chambre avec, sur une commode, un bouquet de roses rouges qui parfumait toute la pièce.

Kenny s'arrêta sur le seuil, tenant la main de Tess, subitement envahi par un sentiment de surabondance.

— Je n'arrive pas à croire que je vais vivre ici avec toi.

— Parfois, je n'y crois pas moi-même.

— Que nous sommes si heureux... que nous avons tout ça.

— Et l'amour, aussi. Ça paraît presque trop, n'est-ce pas ?

Ils pénétrèrent néanmoins dans la chambre, dans leur bonheur consenti, pour entamer leur vie commune.

Plus tard, quand ils eurent consommé leur union au creux du lit, savouré le délicieux poulet de Maria, pris un bain dans la piscine et ouvert leurs cadeaux, ils se retrouvèrent assis par terre dans le salon au milieu des papiers et des rubans épars, devant un seul petit paquet encore fermé.

— Maman a dit de l'ouvrir en dernier, dit Tess.

— Vas-y.

— Qu'est-ce que c'est, à ton avis ? demanda la jeune femme en s'attaquant au ruban adhésif.

— Je n'en ai pas la moindre idée.

Ce n'était pas plus gros qu'un portefeuille. Le papier défait, Tess ouvrit une petite boîte en carton ; elle contenait un cadre, avec une photo de Tess et de Kenny, âgés d'environ deux et trois ans, en train de manger du melon sur les marches de la maison de Mary, les genoux serrés, les pieds nus, leurs minois bronzés et crasseux, comme s'ils venaient de jouer longuement.

L'émotion de Tess fut vive.

— Oh, souffla-t-elle, portant la main à sa bouche, les yeux pleins de larmes. Regarde...

Kenny aussi sentit sa gorge se serrer.

— Tu avais déjà vu cette photo ? interrogea-t-elle.

— Je ne pense pas.

Elle chassa tendrement trois grains de poussière sur le verre du cadre.

— Je me demande où elle était cachée durant toutes ces années.

— Dans la commode de ta mère, sans doute, rangée avec les petites choses précieuses que les mères conservent.

— Tu crois que nos parents prévoyaient ce qui se passerait quand ils nous regardaient jouer ensemble ?

— Peut-être savaient-ils des choses que nous ignorions.

Ils s'embrassèrent. Il semblait que leur amour, déjà exceptionnel, était nourri depuis longtemps par d'autres affections qui les avaient entourés, par une force magique qui les avait destinés l'un à l'autre.

— Quelle heure est-il? s'enquit Tess.

— Bientôt onze heures.

— Oh, tant pis. Appelons-la quand même!

— Oui, vite! se réjouit Kenny, bondissant sur ses pieds pour entraîner la jeune femme avec lui.

Ils allèrent donc réveiller Mary pour la remercier, lui dire combien ils étaient heureux. Puis il leur parut évident de téléphoner également à Casey, juste pour lui souhaiter une bonne nuit et lui dire qu'ils l'aimaient.

Quand ils montèrent, ils emportèrent la photo et la posèrent à leur chevet, où ils la retrouveraient à leur réveil.

Demain matin, et encore le matin suivant.

Et souvent, quand ils la contempleraient au cours des années à venir, l'un d'eux prononcerait les mots que Casey avait dits un certain matin dans un hôtel de Los Angeles : «C'est comme si c'était écrit.»

Et l'autre sourirait.

Car aucune autre réponse ne serait nécessaire.